JN236300

IC10個のお手軽CPU設計超入門

CPUの創りかた

初歩のデジタル回路
動作の基本原理と製作

渡波郁 著

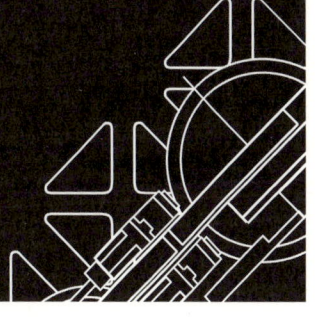

マイナビ

本書では下記メーカーの許諾を得てデータシートの一部を掲載しています。データシートの出典は以下のとおりです。

株式会社東芝セミコンダクター社
  20021022_TLSU113P_datasheet.pdf
  20010929_TC74HC00AP_datasheet.pdf
  20010929_TC74HC04AP_datasheet.pdf
  20010929_TC74HC08AP_datasheet.pdf
  20010929_TC74HC10AP_datasheet.pdf
  20010929_TC74HC14AP_datasheet.pdf
  20010929_TC74HC32AP_datasheet.pdf
  20011002_TC74HC74AP_datasheet.pdf
  20010929_TC74HC153AP_datasheet.pdf
  20010929_TC74HC154AP_datasheet.pdf
  20010929_TC74HC161AP_datasheet.pdf
  20010929_TC74HC283AP_datasheet.pdf
  20011002_TC74HC540AP_datasheet.pdf

日本開閉器工業株式会社
  contact84.pdf

STマイクロエレクトロニクス株式会社
  1916.pdf
  2384.pdf

ビーアイ・テクノロジージャパン株式会社
  d.pdf

日本テキサス・インスツルメンツ株式会社
  sn7400.pdf

各データシートの著作権は、それぞれのメーカーが保有しています。

本文中に登場する製品の名称は、すべて関係各社の各国における商標または登録商標です。

免責事項
本書に記載された内容による運用においていかなる障害が生じても、株式会社マイナビならびに著者、本書制作関係者は一切の責任を負いません。

あなたと本書の相性診断
はい
いいえ
スタート!
Q1. …というかこういう不真面目なノリはキライだ
はい
…えーと 全編こんなノリなんですけど この本…
ごめんね～
いいえ
Q2. コンピュータには全く興味がありません
いいえ
Q3. 3度のメシよりもコンピュータが好き!
はい
餓死しました。
改心して復活～
はい
興味ありません
そんなアナタにはブランド物のバッグとかがオススメ! 空しい人生をせいぜいエンジョイしてね!
なげやり～
(注)偏見です
いいえ
そこまでは。
Q4. わたしは小学生です
はい
わからないトコはお父さんに聞いてね
…あ～～
母さんに聞きなさい。
しんぶん
父
大人はアテにならないというコトを知りましょう
いいえ
Q5. メイドロボを作りたい!
はい
実物を見てガッカリ。
1回休み
いいえ
ゴール!
……
ゴールって何が…?

はじめに

かつて夏休みの読書感想文が死ぬほど嫌いだった私にとって、この「まえがき」は大変な難物だったりします。本来ならこの本の内容を端的かつキャッチーに書かなくちゃいけないわけですが―、どうもなかなかジャンルを説明しづらい本になってしまったわけです、自分で書いておいてナンですが。

いわゆる「電子工作の本」としては失格です、半田こての使い方の説明がないばかりか、お約束の「電子サイコロ」の製作記事がありません。これは致命的です。…えーと「電子サイコロ」とはサイコロの目をLEDで置き換えたようなシロモノで、電子工作の定番的存在だったわけでした。が、所詮サイコロですから完成したところで使うアテなんかないわけです、というコトは冷静に考えれば判る事なのですが、大抵はすっかり完成してから気が付きます。だいたいサイコロなんて普段の生活シーンには滅多に登場しない物体なわけで、「いったいオレはサイコロを何に使うつもりだったんだ？ スゴロクでもするつもりか？」「…っていうか、今時スゴロクなんて持ってないぞ、普通。それともこの機会に思い切って買うか？」「しまった、うっかりスゴロクなんて買っちまったけど、これって1人でプレイしてもつまらないぞっ」「…というか、スゴロクの1人プレイは不気味かも」…というわけで翌日「スゴロクやろーぜ」なんて友達を誘おうものなら冷ややかな視線が返ってくるわけです。そんな小学生の頃の悲しい思い出が電子サイコロ。

…などと言いつつ、私自身は作ったコトがないんですけどね、電子サイコロ。ごめんね、いいかげんで。

そんなわけで（？）電子工作の本ではないコトになったのですが、かと言って専門書とか工学書と言うには無理があります、かなり。というか工学書ならば「本書は電子回路技術者を志す諸氏の…」などというエラそうな序文が必須なのです。いや、序文だけじゃなくて本文もエラそうじゃなくちゃいけません。となるとやはり工学書というのはエライ先生様がご執筆されるべきものなわけですが、この本を書いている人（つまり私ね）は、残念ながらごく普通のありふれたボンクラ技術屋です。ボンクラなので難しい話は苦手です。ええ、サッパリです。逆に言えば真面目な工学書のようなムズカシイ話は本書には出てきません。逆さにして振ってみても出てきません。ある意味入門書的ではあるのですが、かなり後ろ向きな理由です。ホントは入門書であってもアタマのいい大先生とか優秀なエンジニアさんが執筆される方が良いに決まっているのですが、どういうわけかアタマのいい人はムズカシイ本しか書いてくれない傾向があるみたいで、ちょっと残念です。

ま、それはともかく。

本書で扱うネタ、つまり何をするのかというハナシになるわけですが、タイトルの通りCPUそのものを自作します。ええ、結構無謀な企画です。ちなみにCPUと言っても本書で設計するのは非常にシンプルで低機能なモノなので目標は「ラーメンタイマーのプログラムの実行」だったりします。ですからCPUとしての実用性は電子サイコロ並み、つまりゼロです。というか、1万円でギガヘルツのCPUが手に入る時代にわざわざCPUを自作するメリットなんて全くありません。微塵もありません。それでも何かあるとしたら、それは… 男のロマンさ（笑）。

えーと、ロマンなので「解らない人には全く解らない世界」ですから説明するだけ無駄だし野暮だと思います。というか「一生に一度もCPUを作らないのは末代までの恥」とか「とりあえず作った経験くらいないとパイプラインを語る時にカッコつかねーよ」などといった意味不明でステキな発想が出来る人同士で勝手に盛り上がるのが本書の目的なわけです。…ま、盛り上がる必要は全然ないんですけどね、曲がりなりにもCPU様を作るわけですから誇りは持っても良いはずですし、「CPUを作ったコトがある」というココロの肩書き（？）は一生有効です。ええ、経験というモノは死ぬまでタダで使えます。最速PCの賞味期限よりは長いはずです。

さて、本書は対象をおおよそ「高校生～成人」としています。ですから、それなりにアダルトタッチな内容だったりするので小中学生には好ましくない表現も含まれます、例えばオームの法則とかね。この本は動作原理の説明に重点を置いていたりするあたりは意外に真面目な本なので（…たぶんね）オームの法則くらいは知っていることを期待しています。逆にそれ以上の知識はなくても大丈夫なようにしたつもりですので安心して下さい。一方、難易度としては標準的な知能指数のヒトが数回読み直すと完全に理解できるくらいを目安に書いたつもりです、根拠はありませんが。ですから、もしあなたが並よりも上等な脳ミソのオーナーならば本書は少々かったるいかもしれませんので、その場合には愚痴ったりせずに「オレって優秀じゃん！」と考えるのが前向きでステキです、というか私に矛先を向けないでもらえると助かります。ちなみに既にある程度の知識をお持ちの方は…素直に専門書を読まれるコトをオススメします。

また「工作」目的の本ではないと言いつつもある程度は考慮して書いてるわけですが、これは電気回路を実際に動作させる時に必要な「回路図に書かれていない回路の話」に絞っていますので、いわゆる「半田こての使い方」「穴加工の仕方」のような話題は扱いません。というか、その手の書籍は既にあると思いますので必要に応じてそちらを参照してください。

なお、製作の難易度は理解の度合いで大きく変わります。例えば「組み立て」を目的としたような電子工作のノリで言うならば、本書のCPUの難易度はかなり高い部類と思ってください。配線ミスは必ず起きるモノですし、それを見つけるのも大変です。が、CPUの動作原理（の基礎）さえ理解していれば（つまり本書の内容を理解していれば）たとえ一発で動作しなくても大丈夫だとおもいます、名探偵○○のノリで犯人を絞り込めばよいだけですから。もっとも「実際に製作するコト」にこだわる必要は全然ないと思います、配線作業って面倒くさいですし（笑）。ですからCPUの動作原理を軽く知っておきたいだけとか、通学・通勤途中の単なる暇つぶしに読むのもオッケーです。

あと、ちょっと真面目な話も。私がコンピューター（マイコン）の製作に手を出した15の夏からずいぶん時間が経ちました。おかげで当時の事、つまり自分がコンピューターを理解する上でどの辺でつまずいたり苦労したりしたのか、記憶がかなり怪しくなってきています。ですので説明が必要以上にクドかったり逆に不足している部分も多々あるかと思います。また本書は入門者向けという性格上わかりやすさ（と楽しさとか）を優先するために若干正確さ・厳密さに欠ける表現をあえて採用している部分がありますし、本来なら設計時に考慮すべき事項を全て網羅しているわけでもありません。これらのバランスに関しては随分悩みましたが、これが現在の私なりの精一杯です。なお、技術的な誤り等がないよう努力したつもりですが、いかんせん未熟者です、お気づきの点がありましたらご指摘いただけると幸いです。

最後になりましたが文章のチェックを手伝ってくれたN電気のO君、DNA経由で応援してくれたご先祖様たちと両親に感謝です、はい。

2003年の夏　　渡波 郁 拝

CONTENTS

Chapter 1 　はじめの一歩のその前に

1-1 ココロの準備 ……………………………16
　いちばん大事なこと……………………………16
　IC10個だけでCPUを作る ……………………18
　楽しむために……………………………………19

1-2 装備の点検 ……………………………21
　抵抗………………………………………………21
　コンデンサ………………………………………22
　ダイオード………………………………………24
　IC …………………………………………………24
　部品の初期不良…………………………………25
　テスターは信用できるものを…………………26
　アナログかデジタルか…………………………27
　おまけ：テスターの安物って何が違うの？…28

Chapter 2 　LED

2-1 とりあえずLEDの点灯方法……………34
　完成したCPUを妄想してみる…………………34
　豆電球と何が違うのか…………………………36
　解決策……………………………………………38

2-2 もうちょっとだけ真面目に考える ……41
　LEDの順電圧……………………………………41
　抵抗の消費電力の計算…………………………44
　おまけ：LEDの購入の実際……………………46

Chapter 3	デジタル回路の基礎の基礎

3-1 74HCシリーズ······50
- 汎用IC······50
- 74シリーズの歴史（ショートバージョン）······53
- CPLDとFPGA······54
- どうやって1と0を表現するのか······55
- デジタル信号の電圧······57
- デジタル信号の電流······58

3-2 簡単な論理回路······61
- NOT（論理反転）······61
- AND（論理積）······64
- OR（論理和）······65
- NAND······66
- 多入力ゲート······67

3-3 実際の回路······69
- 使わないピン······69
- 静電気はどんなときに犯行に及ぶのか······71
- 電源も必要です······73
- まとめとか······77
- 電源の配線······79

Chapter 4	リセットとクロック回路

4-1 リセットとスイッチ······84
- ここはアナログな話ですが······84
- プルアップ······85
- チャタリングの問題······88
- CRのフィルタ······89
- チャタリング防止······93
- シュミットトリガ······95

　　　　リセット回路・・・・・・・・・・・・・・・・・・・・・・・・・・・・・・・・・・・・・98
　　　　おまけ：スイッチと電流と接点不良とPC ・・・・・・・・・・・・・100
　4-2　クロックジェネレータ ・・・・・・・・・・・・・・・・・・・・・・・・・102
　　　　発振の原理・・・・・・・・・・・・・・・・・・・・・・・・・・・・・・・・・・・102
　　　　実際の発振波形・・・・・・・・・・・・・・・・・・・・・・・・・・・・・・・105
　　　　無極性電解コンデンサ・・・・・・・・・・・・・・・・・・・・・・・・・・108

Chapter 5　ROMを作る

　5-1　ROMというのは ・・・・・・・・・・・・・・・・・・・・・・・・・・・・110
　　　　ROMとはプログラムを格納する場所ですか？ ・・・・・・・・・・110
　　　　使用するROM ・・・・・・・・・・・・・・・・・・・・・・・・・・・・・・・111
　　　　ROMとして必要な機能 ・・・・・・・・・・・・・・・・・・・・・・・・・112
　　　　1bitのROM ・・・・・・・・・・・・・・・・・・・・・・・・・・・・・・・・115
　　　　ビット数が多いときの問題点・・・・・・・・・・・・・・・・・・・・・116
　5-2　ROMの回路 ・・・・・・・・・・・・・・・・・・・・・・・・・・・・・・・・121
　　　　メモリーセルの材料128人前・・・・・・・・・・・・・・・・・・・・・121
　　　　8bit出力 ・・・・・・・・・・・・・・・・・・・・・・・・・・・・・・・・・・122
　　　　実際のROMの回路 ・・・・・・・・・・・・・・・・・・・・・・・・・・・123
　　　　アドレスの選択・・・・・・・・・・・・・・・・・・・・・・・・・・・・・・125
　　　　74HC154の中身・・・・・・・・・・・・・・・・・・・・・・・・・・・・129
　　　　この回路での注意・・・・・・・・・・・・・・・・・・・・・・・・・・・・131
　　　　少しでも楽に製作する方法・・・・・・・・・・・・・・・・・・・・・・132

Chapter 6　CPUの設計準備

　6-1　CPUの仕様 ・・・・・・・・・・・・・・・・・・・・・・・・・・・・・・・・136
　　　　ようやくCPUの話になるわけですが・・・・・・・・・・・・・・・・136
　　　　勝手に仕様を決めさせていただきますが・・・・・・・・・・・・・136
　　　　レジスタ構成・・・・・・・・・・・・・・・・・・・・・・・・・・・・・・・137
　　　　命令フォーマット・・・・・・・・・・・・・・・・・・・・・・・・・・・・138

命令一覧・・139
　　　PCとの比較・・140

6-2 機械語とは・・・・・・・・・・・・・・・・・・・・・・・・・・・・・・・・・・・・・・・141
　　　CPUと機械語・・・・・・・・・・・・・・・・・・・・・・・・・・・・・・・・・・・・・・141
　　　処理単位は4bit・・・・・・・・・・・・・・・・・・・・・・・・・・・・・・・・・・・・143
　　　数値の転送命令・・・・・・・・・・・・・・・・・・・・・・・・・・・・・・・・・・・・143
　　　レジスタ間転送命令・・・・・・・・・・・・・・・・・・・・・・・・・・・・・・・・147
　　　加算命令・・148
　　　プログラム・・149
　　　ジャンプ命令・・・・・・・・・・・・・・・・・・・・・・・・・・・・・・・・・・・・・・152
　　　フラグと条件付きジャンプ（条件分岐）命令・・・・・・・・・・・・・・152
　　　プログラムカウンタ・・・・・・・・・・・・・・・・・・・・・・・・・・・・・・・・155
　　　I／O・・・155
　　　入力命令（IN）・・・・・・・・・・・・・・・・・・・・・・・・・・・・・・・・・・・・155
　　　出力命令（OUT）・・・・・・・・・・・・・・・・・・・・・・・・・・・・・・・・・・156

Chapter 7　1bitCPU（らしきもの）

7-1 フリップ・フロップ・・・・・・・・・・・・・・・・・・・・・・・・・・・・・・160
　　　フリップ・フロップ登場・・・・・・・・・・・・・・・・・・・・・・・・・・・・160
　　　実際の動作・・・・・・・・・・・・・・・・・・・・・・・・・・・・・・・・・・・・・・・161
　　　データの保持・・・・・・・・・・・・・・・・・・・・・・・・・・・・・・・・・・・・・165

7-2 1bitCPU・・・・・・・・・・・・・・・・・・・・・・・・・・・・・・・・・・・・・・・167
　　　転送命令の正体・・・・・・・・・・・・・・・・・・・・・・・・・・・・・・・・・・・167
　　　演算が可能な1bitCPU・・・・・・・・・・・・・・・・・・・・・・・・・・・・・170
　　　おまけ：フリップ・フロップの仕組み・・・・・・・・・・・・・・・・・・171
　　　データの流れを変更する方法・・・・・・・・・・・・・・・・・・・・・・・・174
　　　おまけ：ドライブ能力とオーバークロック・・・・・・・・・・・・・・177

7-3 切り替えスイッチを手に入れた我々が次に目指すもの・・181
　　　電気式で命令を切り替えられる1bitCPU・・・・・・・・・・・・・・181
　　　複数のレジスタを持つCPU（これが普通ですが）・・・・・・・・182

74HC161 ··· 185
　　　実際の回路 ·· 189

Chapter 8　ALUとプログラムカウンタ

8-1　ALU ··· 194
　　　肝心のALUが売ってない！ ·· 194
　　　加算回路 ··· 195
　　　二進数1bitの加算回路 ··· 196
　　　全加算器 ··· 198
　　　演算回路を追加する ·· 200
　　　演算回路を追加したのはいいのだけれど ···························· 204
　　　フラグ ·· 207
　　　フラグの設計 ·· 210

8-2　プログラムカウンタ ·· 212
　　　プログラムカウンタとは ·· 212
　　　プログラムカウンタはいつカウントアップするのか ············· 213
　　　ジャンプ命令 ·· 217
　　　条件ジャンプ命令 ·· 219

8-3　I／Oポート ··· 221
　　　出力ポート ··· 221
　　　入力ポート ··· 222

Chapter 9　命令デコーダ

9-1　命令デコーダのお仕事 ·· 226
　　　後は何が必要なのか ·· 226
　　　MOV　A,Im ·· 229
　　　MOV　B,Im ·· 230
　　　MOV　A,B ·· 231
　　　MOV　B,A ·· 232

   ADD　A,Im ··233
   ADD　B,Im ··234
   IN　A ···235
   IN　B ···236
   OUT　Im ···237
   OUT　B ··238
   JMP　Im ···239
   JNC　Im ···240

9-2　デコーダの設計 ·······································242
  とりあえず書き出してみました ·······················242
  真理値表の単純化 ···245
  ド・モルガン律 ··256
  そろそろ最終回 ···258
  カルノー図（自由選択科目） ·····························261
  紅白対抗カルノー図・ルールの説明 ·················262
  最終兵器カルノー図、いよいよ実戦配備 ··········265
  カルノー図から回路へ ·····································266
  実際の回路 ··268

Chapter 10　全回路図

10-1　回路図について ·······································274
  CPUの全回路図 ··275
  クロックとリセット回路 ···································276
  ROMの回路図 ···277
  製作例・部品面 ··278
  製作例・配線面 ··278

Chapter 11　動作確認

11-1　最初は部分的な確認 ・・・・・・・・・・・・・・・・・・・・・・280
　　通電しなくても確認できること・・・・・・・・・・・・・・・・・・・・280
　　電源のチェック・・・・・・・・・・・・・・・・・・・・・・・・・・・・・・・284
　　クリップなど・・・・・・・・・・・・・・・・・・・・・・・・・・・・・・・・・285
　　リセット回路のチェック・・・・・・・・・・・・・・・・・・・・・・・・287
　　プログラムカウンタのチェック・・・・・・・・・・・・・・・・・・・288
　　ROMのチェック ・・・・・・・・・・・・・・・・・・・・・・・・・・・・・290
　　命令デコーダのチェック・・・・・・・・・・・・・・・・・・・・・・・・291
　　イミディエイトデータのチェック・・・・・・・・・・・・・・・・・293
　　加算器のチェック・加算器からレジスタへの配線・・・・・・・293
　　いよいよ転送の実行・・・・・・・・・・・・・・・・・・・・・・・・・・・294
　　ここまで書いてナンですが…・・・・・・・・・・・・・・・・・・・・・294

11-2　プログラムの実行 ・・・・・・・・・・・・・・・・・・・・・・・295
　　サンプルプログラム1：LEDちかちか ・・・・・・・・・・・・・・295
　　サンプルプログラム2：ラーメンタイマー・・・・・・・・・・・297
　　ブザーを鳴らす回路・・・・・・・・・・・・・・・・・・・・・・・・・・・298
　　おまけ：最大動作周波数・・・・・・・・・・・・・・・・・・・・・・・・300

11-3　もう少しマトモなCPU ・・・・・・・・・・・・・・・・・・・304
　　8bit化 ・・・・・・・・・・・・・・・・・・・・・・・・・・・・・・・・・・・304
　　ALUの強化・・・・・・・・・・・・・・・・・・・・・・・・・・・・・・・・307
　　CPLDなどについて ・・・・・・・・・・・・・・・・・・・・・・・・・308
　　既製品のCPUをいじってみる・・・・・・・・・・・・・・・・・・・309

APPENDIX ・・・・・・・・・・・・・・・・・・・・・・・・・・・・・・311
　　配線作業などについて・・・・・・・・・・・・・・・・・・・・・・・・・312
　　部品の値の読み方・・・・・・・・・・・・・・・・・・・・・・・・・・・・314
　　サポートについて・・・・・・・・・・・・・・・・・・・・・・・・・・・・316

INDEX ・・・・・・・・・・・・・・・・・・・・・・・・・・・・・・・・・318

CPU NO TUKURIKATA

CHAPTER 1

■はじめの一歩のその前に

この本を読んでいるアナタと私はお互いに初対面なわけです。ですからいきなり回路のハナシを始めるよりも、まずはお互いの野望の確認から始めたほうがよいと思います、この先300ページ以上つき合っていくことになるわけですから。とりあえず私の野望は世界征服みたいな高尚なものではなくて、近所のコンビニで苺プリンを買い占める程度なんですが、よろしいでしょうか？

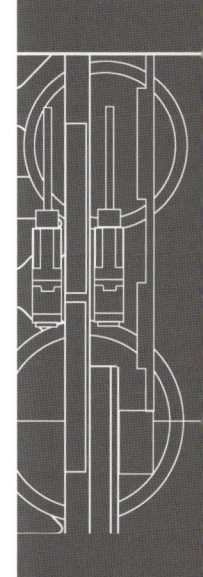

Chapter 1
1. ココロの準備

一応は入門書ですから、専門知識とか高価な測定器がなくても充分目標を達成できるコトになっています、この本。つまり「HDL（ハードウェア記述言語）の基礎を理解していることが前提となります」とか「ROMライターとロジックアナライザを用意してください」などという記述が突如として出現することはないわけです（というか、そんなことを書いたら詐欺罪が適用されちゃいますよね、入門書としては）。…などと書いておいて今さらですが、ちょっと確認です。4000円のテスターは「高価な測定器」じゃないですよね？　…ね？

いちばん大事なこと

当たり前ですが、コンピューターに興味があることが前提となります。PCの組み立てができるとか、BIOSアップデートに失敗してPCが再起不能で途方に暮れたとか、専門書を読もうとして挫折したことがあるなど、どんな戦歴でもOKです。とにかく興味があることが絶対条件です。逆に専門知識は必要ありません、学校で習うオームの法則と二進数がわかっていれば充分ですし、それ以上の難しいハナシはほとんど出てきません。というか難しいハナシは書けません、私自身が。

また、本書で設計するCPUは機械語でプログラムを行う必要があるので機械語の経験はあったほうがよいのですが、むしろそのような方は稀だと思いますので、プログラム経験がないことを前提として説明を進めます、安心してください。もっとも単純な命令しか持たない単純なCPUですから、機械語とは言っても期待ハズレなほど単純です。むしろガッカリしないように心の準備をお願いしたいくらい。Windows上で動作するエミュレータも用意してありますので、これを適当にガチャガチャいじっていれば1時間くらいで雰囲気がわかるとかそんな感じだと思います。

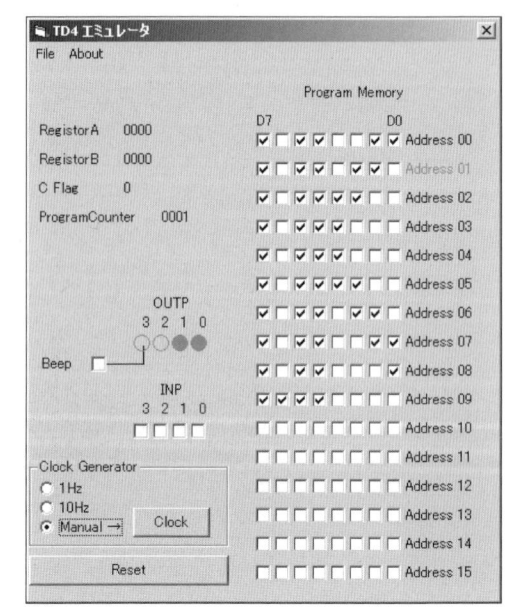

エミュレータ

あと絶対ではありませんが、インターネットを利用できないと辛いかもしれません。「74HC00というICは秋葉原の××通商で○○円でゲットできます」というような世間的にニッチな情報は新聞の折り込み広告とかテレビCMではお目にかかれないわけなので、実際のところWebサイトで調べるしかないです。また設計の際には半導体デバイス（ICとかLED）などのデータシートが必須となりますが、これもネット経由でゲットするのが便利です。もちろん要所だけはデータシートから抜粋して掲載するようにしますが、あくまで抜粋です。というか、すべて掲載すると本の厚みを100ページくらい水増しできちゃうのでラッキー…じゃなくて大問題。

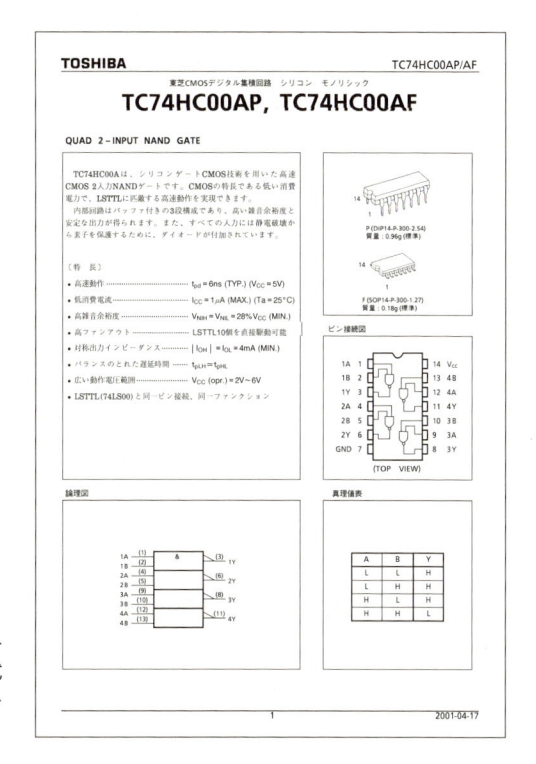

ほとんどの部品のデータシートはダウンロードでゲットできる…というか、してね（株式会社東芝セミコンダクター社のデータシートより抜粋）

部品の値段やデータシートに限らず、必要と感じたコトはWebで調べてください。入門書という性格上、場合によっては「ツッコミが甘い」と感じられることもあるかと思います。このあたりは自分の興味の方向と深さに合わせてWebの情報で補っていただきたいです。

なお、本書の内容はCPUの動作原理に重点を置いてますので実際の製作はオプション扱い（？）なんですが、ホントに製作する場合には最低限の工具と測定器を持っていることが必要となります。ここで「ROMライターが必要です」などと言えないのが入門書の難しいとこだったりするのですが、その妥協点というか、最低限の測定器としてテスターだけは必要になります。これだけは観念してください。詳細は後ほど説明します。ちなみに半田こてなどの工具については本書で

は特に解説しませんので、一般的な「電子工作」の書籍とかWebサイトを参考にしてください（Appendixに若干の説明はあります）。

IC10個だけでCPUを作る

CPUはPCの部品としても花形的存在なので話題に上ることも非常に多いですから、わりと身近な部品であったりもします。が、実際に馴染みのあるPentium4などのCPUは少々（というか、かなり）複雑なので動作原理を説明するためのサンプルとしては適当ではありませんし、仮に個人で設計していたら一生かかっても完成しないと思います。ま、そんなバケモノと張り合うのは無理ですから、今回はなるべく…というか徹底的に単純化したCPUを作ることにします。単純化しただけですから基本動作自体は一般的なCPUと同じです。つまり、

・プログラムカウンターに従って命令をメモリーから読み出す（命令フェッチ）
・命令を解読（デコード）
・デコード結果に従い実際の演算を行う（実行）
・演算結果を格納（ストア）

これをクロックに合わせて繰り返すキカイということです。

で、世の中の常として「処理能力」と「理解しやすい簡単で単純な回路」はトレードオフの関係です。普通の製作記事などでは適当にバランスをとるというか適度に実用性も残す設計を選ぶわけですが、本書では先にも書いた通り処理能力は諦めます。処理できるビット数はCPUの下限とも思える4bitですし（注：かつては「1bitCPU」と称する製品もありましたが）、命令は10種類程度しかありません。また最大でも16ステップのプログラムしか実行できません。そんなわけで実用性については壊滅的なんですが、それと引き替えに10個のICだけでCPUを構成することができたわけです（ただし、実際の動作に必要となるROMとリセット・クロック回路を含めるとICは13個です）。史上最低能力のCPUとしてギネスに申請したいくらいですね。

試作したコンピューターのCPUの部分。10個のICで構成されている

とりあえず用意したアプリケーション例というのがラーメンタイマーなんですが、ホント、これが能力の限界だったりします。もちろん一応はコンピューターですから、応用範囲は無限です。プログラムの変更で何でもできるわけです…16ステップのプログラムの範囲でのみですが。イメージとしては四畳半くらいの「無限」ですね。

もっとも、16ステップでは不十分だという方は8bitCPUとかに拡張すればよいわけで、そのための基本的な方法も載せてあります。…っていうか、単にICを2倍並べるだけですが。

楽しむために

どういうわけか、21世紀の日本には「からくり人形のキット」なるものがあるわけです。これは人形に組み込まれたサーボモーターをマイクロプロセッサで制御するような「いかにも21世紀」的なシロモノではなくて、きわめて原始的な100％メカ（からくり）的な動作なわけです。もちろんそこがよいわけですね。メカなので「動作する仕組み」を目で見れますから直感的に理解できますし、だから見てて楽しいわけです。「ここの歯車をこのツメが引っかけてココで止まるわけですね」といった具合です。実は私も作ってみたいです、コレ（もしザクのカッコだったりしたら即ゲットですね）。

閑話休題。やはり仕組みを理解したいという気持ちは人間のチカラの原動力なわけですから、理屈抜きに本能的に楽しいわけです。カッコ悪く言えば知的好奇心というヤツです。この点で圧倒的に不利なのが電子回路です。残念ながら、ある程度の知識がないと動作原理はわからないです。特に多くの入門書などで扱われるラジオやアンプは（部品点数が少ない分だけ確かに組み立て自体は容易なのですが）れっきとしたアナログ回路なので、入門者が簡単に理解できるモノではなかったりします。もちろんラジオやアンプの製作を否定する気などないのですが、先のからくり人形のような「仕組みがわかる面白さ」へのハードルが高いのは事実だと思います。つまり、部品点数が少ないということと理解しやすいということは全然違うわけです。1石ラジオやアンプは初心者にはあまりにも高度過ぎます。結果、自分で組み立てたにもかかわらずブラックボックス状態となることが多いわけです。

で、本書で扱うCPU（というかデジタル回路）もそれなりには複雑なモノだったりするわけですが、先にお話ししたような「知っておくべきこと」はあまり多くないです。電子回路というよりはパズルみたいなノリと考えたほうがよいと思います。また本来CPUは動作速度が非常に速いわけで、これも理解を妨げたりする要素なのですが、本書では手動でクロックを進めることもでき

るようにしています。ですから理解できるまでクロックを止めておくことができるわけです。一晩じっくり考えたいのであればクロックを一晩の間止めておけばよいですし、そのままフテ寝するコトも可能です。一日１クロックですね。約0.000012Hzということになりますから、ある意味世界記録。動作がおかしい（または納得できない）ところがあれば、そこでクロックを止めてしまって、後はコーヒーでも飲みながらのんびりテスターでチェックすればよいわけです。

そんなわけで、本書は「仕組みがわかると面白いかも」という本です。ですから逆に「とにかく掲載した回路の通りに組み立てれば動きます」みたいなノリを求められると不親切な部分もあるかもしれません。もちろん載せてあるのは動作するはずの回路ですし確認済みではあるのですが、トラブルシュートのための詳細なフローチャートなどは用意していません。さらに専用の基板が付属するキットではありませんから必ず配線ミスとか勘違いが起きるわけで、結果いろいろと悩むこともあるかもしれません。

が、それはそれで貴重な経験です。というか、製作した回路が一発で動作するというのは（個人的には）ある意味不幸だと思っています。動かない回路を前に１週間くらい悩んで回路を追って……で、ようやく原因を究明。めでたく動作するというストーリーが一番嬉しいですね。「デバイスドライバーを最新版にしたら動きました」というのとは嬉しさの次元が違うはずです。それに一応は「CPU」ですから「いやぁ、なかなか動かなくてさぁ。CPUが」という愚痴ならば、それはそれでけっこう渋い（かもしれない）わけなので、トラブルに悩む価値を見つけるのは比較的簡単だと思います。

Chapter 1
2. 装備の点検

それぞれの部品の具体的な機能については後から説明するとして、とりあえず今は顔と名前だけ覚えておいてください。あとテスターをゲットですね。これは我々の唯一の武器となるわけですから、少々気合いを入れて選ぶのが吉です。

抵抗

そんなわけで、まずは回路図のおもな登場人物（じゃなくて部品）を羅列したいところなのですが、これがなかなか退屈な展開だったりします。というか、いきなり登場人物全員の説明が延々と続く小説とか映画というのはいかがなものかと。また作品ごとに俳優の役が違うように同じ部品（例えば抵抗とか）でも回路ごとに役回りが異なります。ですから、ここでは本当に有名な俳優さんだけ紹介します。今度の映画に××が出るらしい（ただし役回りは不明）みたいなものですね。もう超ハリウッド級な方々ですから、覚えておいてください。

まずは会員番号1番、抵抗です。部品名としては「抵抗器」と言ったほうが正しいんですが、面倒くさいので普通は単に「抵抗」と呼んじゃってます。

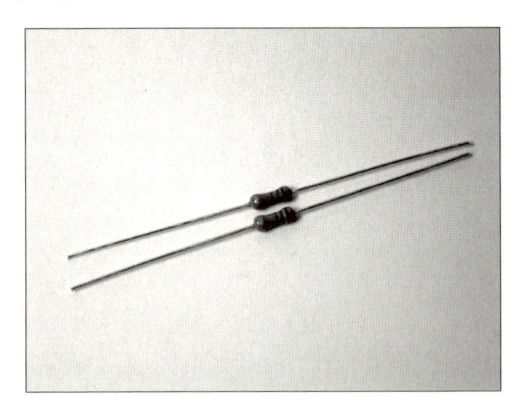

抵抗

この本で製作する回路であれば、入手が容易で安価な炭素皮膜抵抗（単に「カーボン抵抗」とも呼ばれます）で十分です。どのくらい安価かというと、秋葉原の小売店で1本10円とか100本袋で100円とか、そのくらい。定格電力の違いで「1／4W」「1／2W」型などがありますが、これらは文字通り「0.25W」と「0.5W」の意味です。とりあえず今回は何も考えずに「1／4W」型をゲットしておけばOKです。もちろんそれ以上のもの（1／2Wとか1Wとか）でも使用できますが、カタチがデカイです。なお、抵抗値の精度（許容誤差）は±5％とか±2％あたりが一般的だと思います。誤差は小さいに越したことはないのですが、本書の回路であれば±5％で充分です。

コンデンサ

これも多くの種類が存在しますが、この本では2種類のコンデンサを使用します。どちらも一長一短ですが、これを使い分けるのも回路設計でございます。

セラミックコンデンサ

一般的に応答速度は速いのですが、容量が小さいです。ですから電力の1次キャッシュ（？）的にICの近所に配置して使用したりもしますが、詳しい話は後ほど。ちなみに本書で使用するのは0.1μFという小容量のものなんですが、セラミックコンデンサとしてはこれですら「大容量」に分類されると思ってください。なお、このクラスの「大容量」だと一般的には「積層」セラミックコンデンサを使うことになります。これは多数のセラミックコンデンサを積層することで大容量を実現している製品です。写真は、この積層セラミックコンデンサのものです。

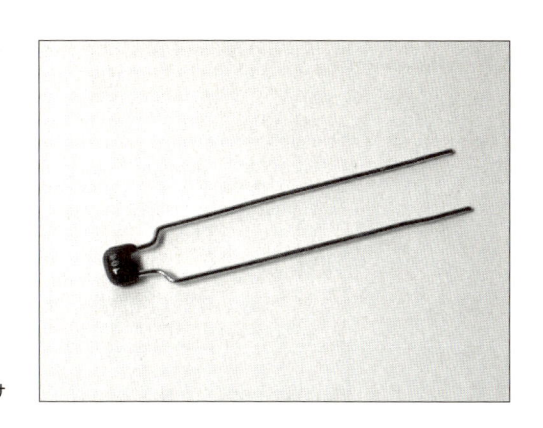

セラミックコンデンサ

電解コンデンサ

応答速度は悪いのですが、大きな容量が安価に得られます。つまりセラミックコンデンサとは逆です。極性（プラスとマイナス）があり、これを間違えると破裂することがあったりして危険ですから注意です。また耐圧（耐えられる電圧）が高いモノから低いモノまであり、やはり注意が必要なので通常は回路図に「××μF 16V」などと容量とともに耐圧を併記します。

なお、本書で使用するのは普通の（？）電解コンデンサですが、正確には「アルミ電解コンデンサ」と呼ばれます。これとは別に同じ電解コンデンサの一種としてタンタルコンデンサというものもあるのですが、これは特性が優れている代わりに扱いがやや難しかったりしますので今回は避けてください。ただ一般的に「電解コンデンサ」と言えばアルミ電解コンデンサを指すことが多いので、さほど気にしなくてもよいとは思います。

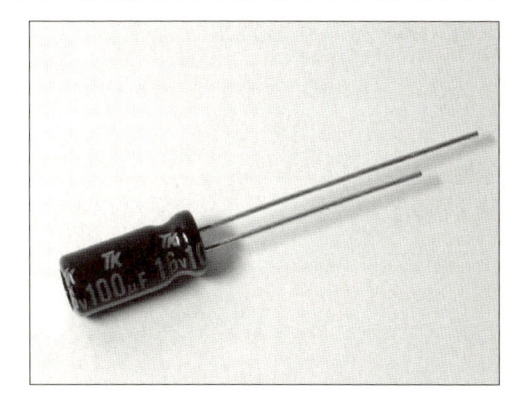

電解コンデンサ（アルミ電解コンデンサ）

積層セラミックコンデンサもアルミ電解コンデンサも（実はカーボン抵抗も）メーカー・形状・特性などの違いにより非常に多くの製品が存在しますが、これも本書の回路であれば気にする必要はありません。適当にお店に在庫してあるものをゲットしちゃってください。ただ最近では表面実装用の（リード線がない）ものも秋葉原で入手できたりするのですが、これは入門者の工作には向きません。店頭で購入するのであれば間違うことはないと思いますが、通販などを利用する場合には注意してください。

ダイオード

基本的には「電気の一方通行」デバイスです。これも非常に種類が多いのですが、本書で使用するのは東芝の1S1588（高速スイッチングダイオード）一種類だけです。…で、実は「1S1588」自体はすでに廃品種だったりします。ですからホントは別の製品を使うべきなのかもしれないのですが、自作向けの部品屋さんで現在でも容易に入手できるのは「1S1588相当品」なので、あえてこうしました。今回はあまりシビアな使い方はしないので、多くの「1S1588相当品」が問題なく使用できると思います。なお、現行品ではルネサステクノロジの1S2076または1S2076Aが同様に使用できますし、また比較的入手しやすいようです。

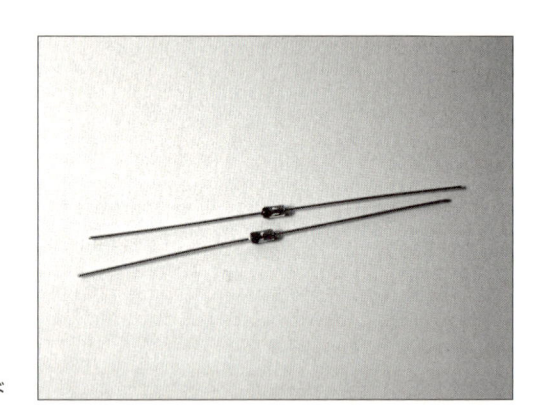

ダイオード

IC

本書で使用するのはHiSpeedCMOSの74HCシリーズで、国内外の各社がほぼ同一品を生産しています。「ほぼ」ということは、つまりメーカーによって微妙に特性が違っていたりするわけですが、本書の回路であればどのメーカーの製品でも問題なく使用できるはずです。

IC

ただし、メーカーにより型名が若干違います。例えば74HC00の場合、

- ・TC74HC00AP（東芝セミコンダクター）
- ・HD74HC00P（ルネサステクノロジ）
- ・M74HC00B1R（STマイクロエレクトロニクス）
- ・74HC00N（フィリップス）

などといった具合です。…ま、なんとなくわかりますよね。秋葉原の自作向けのお店（の通販サイト）などでは特にメーカーを明記していないことが多いですし、「74HC00をください」と言えば通じますから、ノリだけ知っておけばよいです。むしろパッケージの違いに注意してください。通常、自作で使用するのは扱いやすい「DIP」（デュアル・インライン・パッケージ）と呼ばれるものですが、表面実装用のフラットパッケージ品も流通していますので間違えないようにしてください。

部品の初期不良

ちなみに部品の初期不良の確率ですが、ICとかダイオード・LEDなどの半導体部品とコンデンサ・抵抗についてはほとんど心配する必要がないというか、限りなくゼロと思ってかまいません。回路がうまく動作しない場合にはどうしても「ICが不良品？」などと考えてしまいがちですが、私の経験から言えば初期不良はまずあり得ないです。絶対にない、とは言い切れませんが、動作しない理由のほとんどは使い方の問題（回路・配線の間違いなど）です。

本当に部品が不良だとしても、これもほとんどの場合は購入後に壊したと思ってかまわないと思います。ですから、（ちょっと語弊がありますが）これらの部品の不良または不良の可能性がある場合には（技術を持たない初心者ならば特に）謙虚に自分のミスだと考えるべきで、まちがっても販売店に文句を言うようなことは止めましょう。もちろん部品の初期不良であることが本当に明白な場合、例えばトグルスイッチがONに切り替わらないとかICの足が折れているとか、そんな場合には販売店に相談するべきです。

テスターは信用できるものを

古今東西トラブル時に必要となるのは正しい情報なわけですが、残念ながら人間の五感では電圧を知ることはできません。仕方ないのでテスターの指示値を信じることにするわけですが、この指示値が正しいかどうかを知ることはできないわけですから、できるだけ信用できるテスターを用意したほうがよいです。

これはスペック上の精度がよいものということではなくて、おかしな値を示さないものという意味です。一部の海外製テスターには組み立ての品質や内部の接点の処理に問題があるものもあり、このような製品は指示値が突然2倍になるなどのトンデモナイ誤差を生ずることがありますから、このような製品はどんなに安価でも購入は避けたほうがよいと思います。というか、信用できないテスターはテスターとは言えませんよね。

とは言っても何を目安に「信用できる製品」かどうかを判断すればよいかという問題があるわけで、正直これはメーカーブランドを信用するしかなかったりします。モノを信用できるかどうかは作ったヒトを信用できるかどうかということですね。とりあえず普及価格帯のテスターでは日置電機とか三和電気計器などが無難だと思います（もちろん他にも優秀なメーカーはあります）。

またアナログテスターの場合、内部抵抗（詳しい話は後ほど）が極端に低い製品は（本書のような用途では）使いづらいので避けたほうがよいです。20KΩ／V（DC）程度またはそれ以上というのが一応の目安です。内部抵抗2KΩ／Vとか表記自体がないようなものも販売されていたりしますが、これらはコンセントとかバッテリーの電圧の有無をチェックするためのもの、と考えてよいと思います。

内部抵抗値の表示例

ま、テスターはけっこう長く使えますしサムライの刀のようなモノだとも思います。メーカーのWebサイトでも眺めながらじっくり相棒を選んでください。

アナログかデジタルか

個人的にはアナログテスターをお薦めしておきます。もちろんデジタルにはデジタルのよいところがあるわけですから、以下はあくまで判断材料程度ということで。

アナログテスターをお薦めする理由として、まず応答速度が速いことが挙げられます。多くの（普及品の）デジタルテスターでは1秒間に数回程度しか測定値が更新されません。ぱた、ぱた、ぱた…といった具合でかなり遅いです。またデジタル表示式全般に言えることですが、数値表示だと速い電圧変化が視覚的に捉えづらいです。オシロスコープなどを持っていれば別ですが、当面はテスターだけですべての測定を行わなくてはならないわけですから、応答速度はけっこう重要なポイントだと思います。もちろんアナログテスターもそれほど応答が早いわけではありませんから、例えば10Hzといった信号の正しい電圧は測れません。…測れないのですが、それでも「針がぷるぷる震えてるから、なんか信号がきてる？」みたいな推測の材料にはなります。

あと「比較的壊れやすい」という特徴もあります。「壊れにくい」の間違いではありません。ええと、正確には「壊しやすい」です。使い方を間違えると、例えば100mVを測定するような高感度でデリケートなレンジ設定のままコンセントのAC100Vを測定すると一撃で壊れます。…というか、壊しました、中学生の頃の私。この場合デジタルテスターだと、壊れるとか以前にオートレンジ（入力された電圧によって自動的に感度を切り替えてくれる）が多かったりします（注：使い方によってはデジタルテスタも壊れます。念のため）。

これも個人的な考えで恐縮なのですが、テスターを壊す経験は1度くらいは必要だと思うのです。私の周りの回路技術者も必ず1度くらいはテスターを壊した経験を持っています。が、2度壊した人というのは不思議と見かけません、いわゆる経験値アップだと思います。もちろん積極的に壊す必要はないですが、テスターを壊すというのは有意義な経験になる思います。また、テスターを壊したことのある人は回路（とかそれ以外のこと）に対しても慎重になれると思います。

アナログテスターを薦めるもう1つの理由として、デジタルテスターよりも構造が理解しやすいということが挙げられます。デジタルテスターは（一般的な普及品の場合には）二重積分と呼ばれる回路でA／D変換を行っています。なんか「積分」というだけでイヤな感じ―というのが普通の反応だと思いますし、二重積分方式A／D変換回路の原理は入門者にとっては理解しにくいわけなので、結局はブラックボックスという扱いになってしまいます（ただし、さほど難しい原理でもありません）。

回路の製作での最大の武器がテスターです。電圧も電流も見えない我々人間に代わって目となり耳となるのがテスターなわけですから、テスターは「道具の1つ」ではなくて信頼できる相棒でなくてはいけないわけです。ここで言う「信頼」というのはいわゆる「信頼性」という意味ではなくて、「相手を深く理解していること」という意味です。何ができて何が苦手かということですね。ですから、その意味ではブラックボックスであるデジタルテスターはちょっと困るのです。確かにデジタルテスターは総合的にはアナログ式よりも優秀なのですが、それよりも理解できる相棒を選んだほうがよいと思います。言い換えれば、アナログテスターの欠点のほうがデジタルのそれよりもわかりやすいということです。

…などとアナログとデジタルについていろいろ理屈を書いてしまいましたが、実のところ一番重要なのは、テスターに限らず「愛着を持てること」かもしれません。気に入ったキカイというのは、たとえデキが悪くても不思議に使いこなせるものです。ええ、愛はすべてに優先するのです。愛さえあれば年の差だろうが内部抵抗の差だろうが、きっと乗り越えられます（注：ただし、程度にもよるぞ）。

おまけ テスターの安物って何が違うの？

ちょっと脱線かもしれませんが、アナログテスターの基本的な構造とクセを説明しておきます。CPUとは直接関係ないので読み飛ばしてもかまいませんが、実際にCPUを製作するとかPCの電源電圧が気になるような人は目を通しておいたほうがよいです。

まずはテスターというかメーターの仕組みなんですが、電磁石で針を動かしているということは知ってますよね？

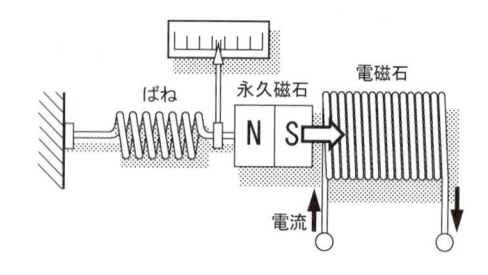

テスターの仕組み

電磁石に電流が流れると永久磁石を引っ張るので、その結果針が振れるというだけの話なのですが、正確には「ばねと釣り合った位置まで針が動く」という表現になります。もし2倍の電流ならば2倍の力でばねを引っ張ります。2倍の力で引っ張ればバネは2倍伸びますから針も2倍振れ

ます。ですから針の振れは電流に比例するわけです（図では電磁石が固定、永久磁石が可動となっていますが、配置が反対でも同じことになります）。つまり「電流が流れると針が動く」のです。すでにお気づきかもしれませんが、

メーターの正体は電流計

です。電圧計ではありません。もちろんテスターは電圧も測れます。これはテスター内部で「電圧→電流変換」を行っているわけですが、変換と言っても実は抵抗1本だけの簡単な仕組みです。

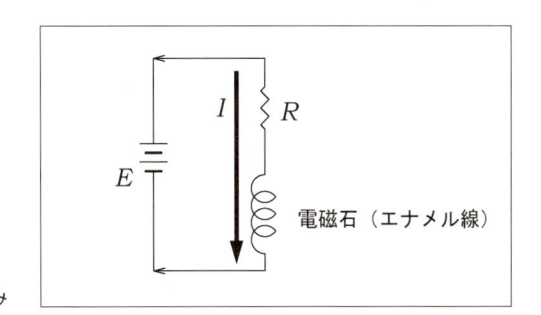

変換の仕組み

電磁石は単なるエナメル線（導線）ですから、このときメーターに流れる電流は、

$$I = \frac{E}{R}$$

です。有名な某法則ですから説明不要ですね。メーターに流れる電流Iは電圧Eに比例することになりますから、つまり電圧に比例して針が振れるということになるわけです（実際にはメーター自体にも抵抗がありますが、ここでは無視しています）。これが電圧測定の原理です。割と単純です。

さて1000円クラスのテスターと5000円クラス、一番の違いはメーターの感度だったりします。でもちょっとわかりづらい表現ですね。感度が高いからといって1Vの電圧を2Vと表示するような「高級品」はイヤですよね。安心してください、どちらのテスターも1Vは1Vと表示します。

感度が高いということは、先の電圧計の回路でいうと「少ない電流で充分に針が振れる」ということです。つまり、Rを大きい値にできるわけです。このテスターのRの値ですが、これは「内部抵抗」として表示されています（26ページの写真参照）。この例では「20KΩ／V」と書かれています。これは「レンジの電圧1Vあたり20KΩ」という意味なんですが、要するに1VレンジならR＝20KΩ、10VレンジならR＝200KΩということです。で、高価なテスターはメーターが高感度なので内部抵抗がでっかい。それのドコが嬉しいのか？

例えば次の図のような回路があるとします。1：1の分圧回路なので A点の電圧は5Vの半分で2.5Vとなります。これをテスターで測定してみます。

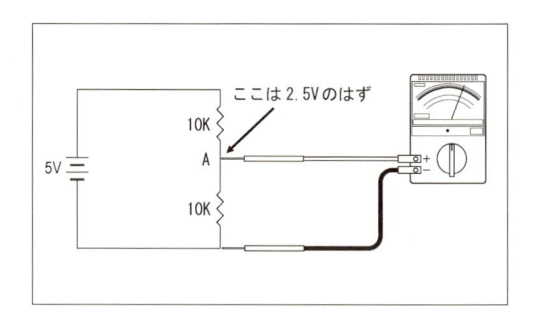

10KΩ＋10KΩの分圧回路＋テスター

回路自体はわかりますね。ただしテスターも抵抗なのですから、テスター棒を回路に当てると結果として下図のような感じの回路になってしまいます。

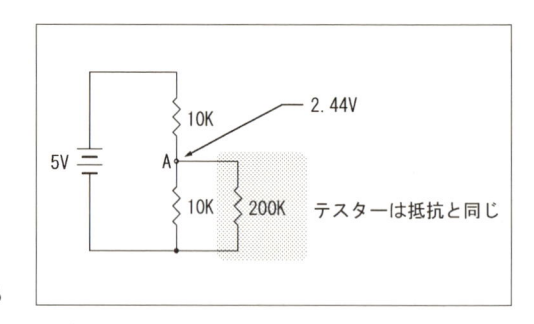

テスターで測定すると、こんなコトになっている

「内部抵抗20KΩ／Vのテスターの10Vレンジ」は200KΩの抵抗と同じものですから、この状態で計算し直すとA点の電圧は約2.44Vとなるはずです。ホントは2.5Vなわけですから、テスター自体の抵抗の影響でちょっとだけ誤差が出ちゃっていることになるのです。ま、このくらいならとりあえずよしとしましょう。

さて、同じことをホームセンターで1000円でゲットしたテスターでも試してみます。なんかベンチマークテストみたいですね。

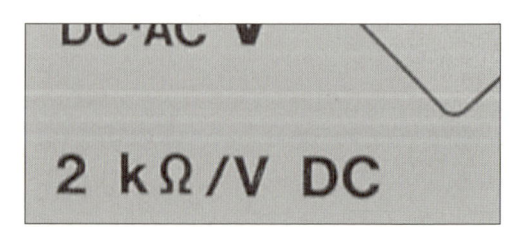

1000円テスターの内部抵抗値の表示

内部抵抗は2KΩ／Vとなっていますね。つまり、メーターの感度が10倍悪いわけです。コイツは10VレンジでR＝20KΩですから、先の回路は10KΩの抵抗と並列に20KΩが繋がることになるので見るからにヤバイ感じですが、実際A点は2Vまで低下してしまいます。本来2.5Vの電圧のはずが表示値2Vですから、ちょっとシャレになっていませんね。蛇足ながら、これは「精度が悪い」というのとは別のハナシです。

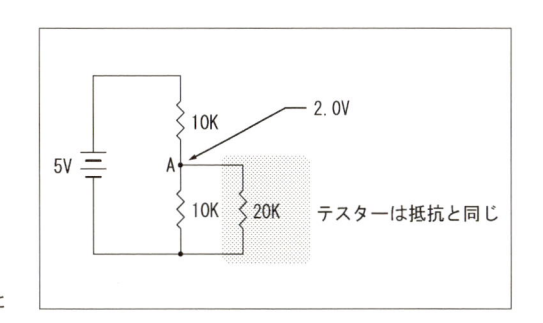

1000円テスターを使ってみると

つまりこういうことなんです。よく「高いテスターと安いテスター、何が違うの？」と聞かれるのですが、一番の違いはここです。ここなんですが、けっこうややこしいので説明が大変だったりします。

で、内部抵抗が20KΩ／Vならば誤差も少なくて充分ですと言えるかというと、例えば先の回路が100KΩ＋100KΩだったりするとやはり大きな誤差を生じてしまいます。それならばと200KΩ／Vという超高感度テスターを用意したとしても、1MΩ＋1MΩではやはり誤差が出ます。つまりイタチごっこです。ですから、用途（測定する回路）とコストに応じて妥協することになるわけです（本書の回路は20KΩ／Vのテスターが問題なく使用できるように設計してあります）。

もっとも、重要なのは「誤差が発生していること」を理解することなんですが。

なお、デジタル式のテスターは内部抵抗が非常に高く、このような問題はあまり起きません。が、あまりに高い内部抵抗は不慣れな入門者の感覚とかけ離れており、逆にそのことが原因で測定ミスが起きたりします。結局、アナログでもデジタルでも測定器を正しく理解していなければならないという点では同じです。

CPU NO TUKURIKATA

CHAPTER 2

■LED

マン・マシン・インターフェースとしてもっとも広く使用されているデバイスがLEDです、などというもっともらしい大義名分も一応用意してみましたが、単純に「光るモノが好きー」というのが本音だったりします。

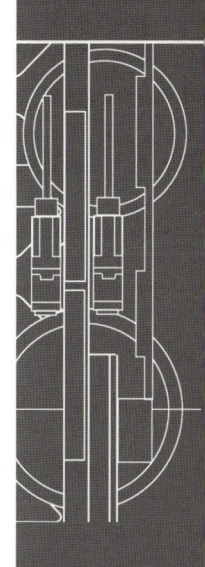

Chapter2
1. とりあえずLEDの点灯方法

言うまでもなく本書の最終目的というか我々の野望は「CPUを作ること」なわけですが、そのためにはそれなりの根性が必要です…などとエラそうなことでも書こうと思ったのですが、冷静に考えてみたら私自身根性とかないです、ええ。というか、完成したときのことをあれこれ想像するのが好きなだけかもしれません。…想像というか妄想ですけどね。

完成したCPUを妄想してみる

とりあえず友人にお披露目というわけで、本CPUのキラーアプリ（？）であるラーメンタイマーのデモです。

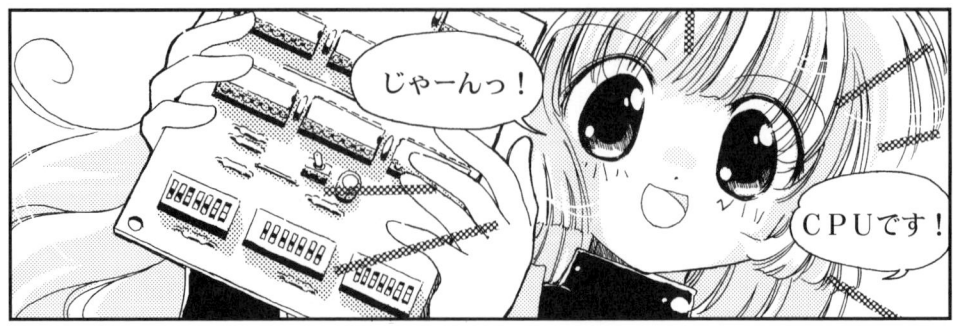

（まずは／お湯をいれまーす／さてっ／……／じゃーんっ！／CPUです！）

というわけで重大な問題が発生です。もうおわかりだと思いますが、要するにビジュアルが足りないのですよ、ビジュアルが。コンピューターというからには何だかよくわからないLEDが付いててチカチカしていなければなりません。SLには蒸気が、飛行機にはジェットサウンドが必要なように、コンピューターにはLED。コレです。…ま、冗談ですけどね（ホントは半分本気）。

真面目な話、自作では動作チェックが非常に重要です。せっかく作ったものの、うまく動作しないという状況は多々あります。というか、一発で動くほうが珍しいわけです。で、配線をチェックしたり部品を交換してみたり。設計自体に問題があるのかもしれません。特にCPUのような動作パターンが非常に多い回路ではチェックするポイントも多くなるので、いちいちテスターで電圧を測っていたのでは大変です。そこで、なるべく簡単にチェックできる仕組みが必要になります。つまり、重要な信号にLEDを繋げておけばよいわけですね。けっこうもっともらしい理由でしょ？

そんなわけで、野望への第一歩がLEDの点灯なわけですが…いきなり脱力するような題目ですね、がっかりですね、すいません。ただ、言い訳するわけではありませんが、大学の電子工学科卒といったような、いわゆる「学士サマ」でも卒業したてだと結構コレができない場合が多いんですよ、ええ。なかなかバカにできないのです、LEDは。

といってもLEDの発光原理を説明するわけではありませんというか、「アキバで買ってきたLEDをとりあえず光らせたいんだけど」というのが本書のノリです。かなりいいかげんだったりするのですが、それでも中学生程度の知識は必要です。つまり、

$$I = \frac{E}{R}$$
$$P = I \cdot E$$

この2つです。

豆電球と何が違うのか

で、LEDの話になるわけですが、豆電球のノリで電池に直結してもダメですというか、LEDが壊れますので試さないでください。すでに試してしまった人は…諦めてください。そのLEDは、おそらく我々の手の届かないトコロへ逝ってしまわれています。しかし、直結した相手が1.5Vの乾電池であれば望みはまだあると思います、そんなハナシをこれからするわけです。ここで一応確認ですが、直列繋ぎと並列繋ぎはわかりますよね？（…冗談です、念のため）

まずは豆電球ですが、これは回路的には抵抗です。ですから、電池を繋げた場合はこうなります。

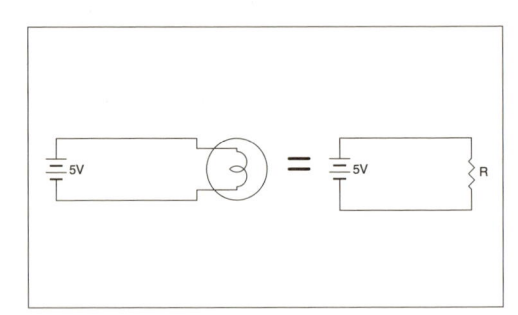

中学校で習った回路

豆電球が5Ωだとすると、電池が5Vなので電流は1Aです。単なる「I=E/R」です（注：実際の豆電球は点灯中と消灯中では抵抗値が異なりますので、消灯した状態でテスターで抵抗値を測定しても正しい点灯電流は計算できません）。ついでに電力は「1A×5V＝5W」となり、この5Wが電球内で熱エネルギーに変換され灼熱のフィラメントが発光するわけです。そんなことを理解していればおおよそ大丈夫です。逆に言えば、数式のようなモノとしてはこれ以上難しいものは出てこないです。

さて、本題のLEDです。日本語では「発光ダイオード」。ダイオードですから電流は一方通行となるわけですが、よほどひねくれた方でなければ、記号を見ただけでどちら向きに一方通行なのかはわかると思います。

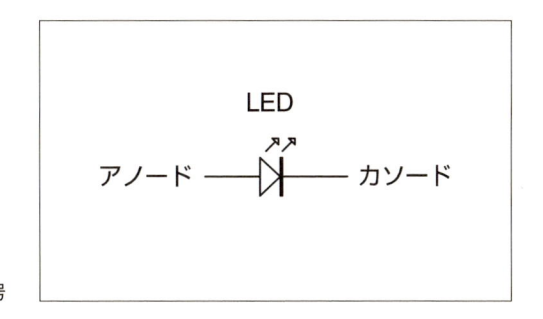

```
                    LED
      アノード ―――▷|――― カソード
```

発光ダイオードの回路記号

もちろん電流はアノードからカソードに向かってのみ流れるのですが、我々としてはLEDに発光さえしてもらえればよいわけでダイオード本来の一方通行機能は不要です。…不要なのですが、ダイオードである以上一方通行はもれなく付いてきちゃいますし、電流が流れないと光らないわけなので、正しい向きに接続しなければならないです。なお、回路記号の小さな↑印は「光ってまーす」という意味、つまり「発光してるダイオードでーす」というかなり安直な造りの記号だったりするのですが、このへんの「光ってまーす」の表現方法（矢印の形とか）はけっこうバリエーションがあるというかメーカーとか本によってバラバラです。ですから適当に読みとってあげる必要があります。

で、これを5Vの電源に繋げてみます。豆電球の実体は抵抗だったわけですが、LEDには抵抗がありません。ちょっと語弊がありますが、ほぼ0Ωと思ってかまいません。

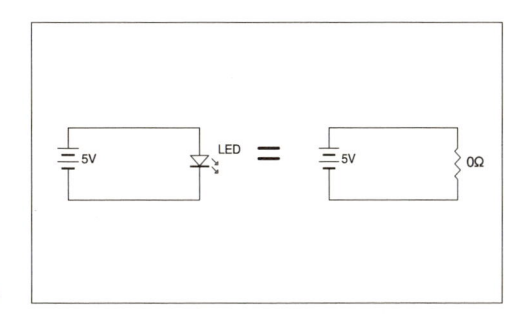

```
   ┌──LED──┐         ┌────────┐
   5V       ▷|         =  5V      0Ω
   └────────┘         └────────┘
```

LED破壊回路

ですから5Vの電源に繋げると電流は5÷0＝　…電卓だとエラーになりますね。電流は無限大になります。いわゆるショートしている状態ですからLEDには無制限に電流が流れます。電源が頑張る限り流れます。…こういうときは頑張らなくてもいいんですけどね。間違った回路に繋げたときに限って電池とか電源ユニットは必要以上に頑張ります。たぶん気のせいですが。

で、電流がガンガン流れた結果としてLEDは壊れるわけです。困りましたね。この本最初の試練です。が、最初ですから実は大した試練ではありません、第1話の敵はたいていただの雑魚キャラです。3倍難しかったり赤かったりするヤツとの対決は、もう少し話が進んでからとなります。

解決策

そんなわけで（？）、対策は簡単です。電流が無制限に流れないようにするためには、豆電球のときと同じように回路に抵抗があればよいわけです。

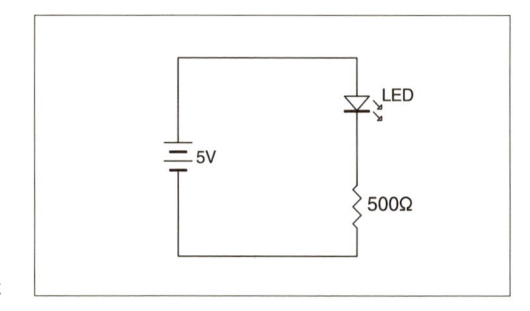

こうして地球の平和は守られた

仮に500Ωの抵抗を入れるとLEDと抵抗の直列繋ぎ、つまり0Ωと500Ωの直列ですから全体でも500Ωなので電流は「5÷500＝0.01A」、つまり10mAかなー…と想像できます。

さて、東芝セミコンダクター社のWebサイト（http://www.semicon.toshiba.co.jp/）からLEDのデータシートをゲットしてみましょう。このあたりから工作じゃなくて設計っぽいカッコいい話（笑）になってくるわけですが、データシートがあると雰囲気的にもいい感じになります。

ちなみに上記のサイトではLEDは「光半導体」に分類されているようです。このへんの分類はメーカーの事業部などといった「大人の事情」で探すにはコツが必要かもしれませんが、この本を読まれるような方であれば難しいことではないと思います。海外のサイトからデバイスドライバを拾ってくるよりも簡単です。日本の大手家電メーカーの場合だと洗濯機とかパソコンなどの普通の人向け製品（民生品）も扱っているわけですが、我々の目当てはシロートが手を出さないLEDとかICなので「産業用」とか「ビジネス」などのカテゴリを攻めます。今回は関係ないのですが、例えば乾電池などは民生品でもあり産業用でもあるので、どちらのカテゴリにも同じ乾電池の資料があったりします。で、民生品としての乾電池の資料だと「ハイパワーで長持ち」などという意味不明なことしか書かれていないのに対して、産業用の資料だと具体的な放電特性など有用なデータが記載されています。つまり、某社の赤い乾電池と黒い乾電池の違いがわかるわけですね。

ですからこれを機にサイトをウロウロしてみるとよいかもしれません。

そんなわけで、ウロウロしているとLEDにも用途とか特性の違いでけっこう種類があることがわかります。ここではごく普通のLEDの例として、東芝の赤色LEDの「TLSU113P」という製品を眺めてみます。同じデータシートにTLYU113P（黄色）などの他の製品のデータも載っていますからちょっとぐちゃぐちゃしてます。注意してください。

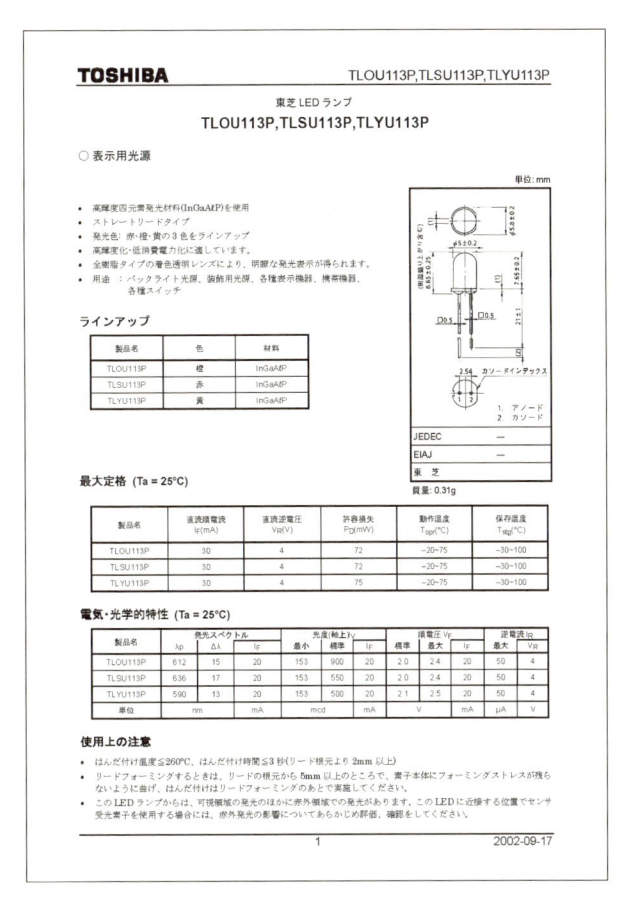

TLSU113Pのデータシート（1ページ目のみ／株式会社東芝セミコンダクター社のデータシートより抜粋）

電子工作本にありがちな「足の長いほうがアノードです」みたいな説明がなかった理由はコレです。データシートにしっかり書いてあるわけです。まず最大定格の直流順電流のところを見てください。

最大定格 (Ta = 25℃)

製品名	直流順電流 I_F(mA)	直流逆電圧 V_R(V)	許容損失 P_D(mW)	動作温度 T_{opr}(℃)	保存温度 T_{stg}(℃)
TLOU113P	30	4	72	−20~75	−30~100
TLSU113P	30	4	72	−20~75	−30~100
TLYU113P	30	4	75	−20~75	−30~100

最大定格の表（株式会社東芝セミコンダクター社のデータシートより抜粋）

これを見ると、TLSU113Pでは30mAとなっています。LEDは流す電流が多いほど明るく光るわけですが、度を過ぎると死にます。最大定格というのは「これ以上電流を流されたら私、死んじゃう」という彼女にとっての限界値なので、この値より若干余裕を持たせたほうがよいですから、今回はとりあえず10mAだけ流してあげることにします。5Vの電源でLEDに10mA流したい場合には何Ωの抵抗が必要かというと、

$I=\dfrac{E}{R}$ を変形して $R=\dfrac{E}{I}$ ですから 5V÷0.01A＝500Ω

となるわけですが、わかりますよね。もう説明しませんよ。大丈夫ですよね？

これでめでたくLEDは光るようになったはずですし、ホントに光ります。しかし実際にテスターで電流を計ってみるとわかるのですが、残念ながら目標の10mAは流れていないはずです。おそらく半分の5mAくらいしか流れていないと思います。

コレは大変です。もし本当なら明日の新聞の一面には「オームの法則、ついに破綻」の文字が踊る事態になるわけで、テレビにはオーム評論家とかオームアナリスト、オームウオッチャーが…というくらいタイヘンなことです。ま、おそらくそんなことはないわけで、翌々日あたりに「訂正とお詫び」が（小さく）載ることになるとは思いますが。とりあえず、もうちょっとよく調べてみることにしましょう。

Chapter2
2. もうちょっとだけ真面目に考える

とりあえず点灯したLEDですが、ちょっとだけ謎が残ったままです。…というか、計算の半分しか電流が流れていないわけなので全然「ちょっと」じゃないのですが。そんなわけで、データシートも見ながらもうちょとだけ真面目に考えてみます。

LEDの順電圧

先ほどは10mA流れるようにした（つもり）ですが、実際、500Ωの抵抗に5Vかかっていれば10mAの電流が流れる、というオームさんの説は間違っていないです。つまり怪しいのは5Vですね。抵抗にかかっている電圧はホントに5Vなの？　という疑惑です。これはテスターで簡単に調べられますが、結論から言うと、抵抗にかかっている電圧は2.9Vくらいしかありません。

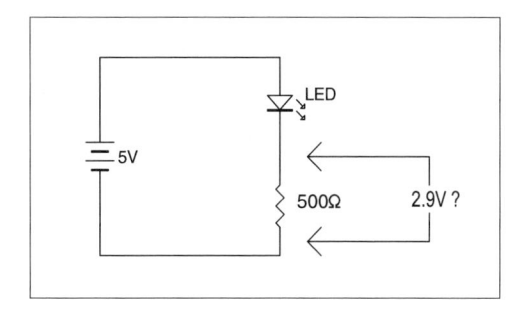

抵抗にかかっている電圧は、なぜか2.9Vだけ

つまり、どこかで電圧が2.1Vほど低下しているわけですが、まぁ、LEDと抵抗しかない回路ですから消去法でLEDが犯人ということになります。ええ、そうなんです。LEDは抵抗が0Ωなのに電圧だけ下げるという妙な性質を持っています。

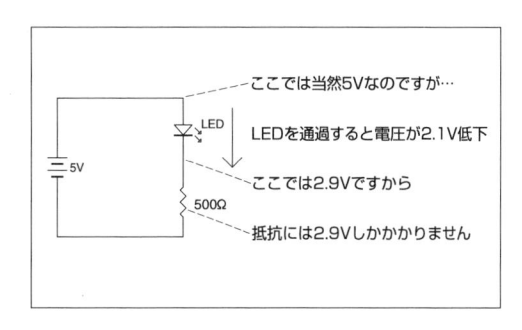

犯人はLED

つまり抵抗には「5V－2.1V＝2.9V」の電圧しかかかっていなかったワケで、そのため計算通

りの電流が流れていなかったのですね。ちなみにLEDを通過するときに下がった2.1Vの電圧はどこへ行ったかというと、簡単に言えば「光に変わった」ことになります（注：もちろん効率は100％ではないので熱も発生しています）。

この低下した2.1Vを「順電圧」と呼びます。まぁ、呼び方はどうでもいいのかもしれませんが、一応業界用語（？）なので覚えておきましょう。いつか役に立ちます。さて、LEDのデータシートを見返してみると、ちゃんと「順電圧」の項目があります。さっそく役に立ちましたね！…って、わざとらしいですか、そうですか。

電気・光学的特性 (Ta = 25°C)

製品名	発光スペクトル			光度(軸上)			順電圧 V_F			逆電流 I_R	
	λp	Δλ	I_F	最小	標準	I_F	標準	最大	I_F	最大	V_R
TLOU113P	612	15	20	153	900	20	2.0	2.4	20	50	4
TLSU113P	636	17	20	153	550	20	2.0	2.4	20	50	4
TLYU113P	590	13	20	153	500	20	2.1	2.5	20	50	4
単位	nm		mA	mcd		mA	V		mA	μA	V

順電圧の表（株式会社東芝セミコンダクター社のデータシートより抜粋）

このデータシートによれば、順電圧は2.0～2.4Vの範囲でバラついているらしい、ということがわかります。また、他の色のLEDでは値がちょっと違うらしいこともわかりますね。すぐ横に「IF＝20mA」とあるのは、「20mA流したときの順電圧です」という意味です。

しかし今回は10mAを流すわけですから、困りましたね。10mAでの順電圧がわかりませんね。わからないのですが…実はほとんど変わりません。普通に点灯する場合には、LEDに流す電流を変えても順電圧はあまり変わりません。これも覚えておきましょう。というか、順電圧に記されている「IF」は気にしなくてもよいということですから、覚えておくというよりは「忘れましょう」のほうが妥当な表現かもしれません。つまり忘れてもよい、ということを覚えておきましょう。ややこしいですね。

とうわけで、「順電圧」も考慮して設計し直してみます。このLEDの順電圧は2.0～2.4Vとのことですから、とりあえずここでは2.1Vとします。そうすると電源の5Vは2.1V低下するので、先の話の通り抵抗にかかる電圧は2.9Vとなるわけです。これに10mA流すために必要な抵抗の値を計算すると、290Ωということになります。

ここまでの話を計算式で表せば、電源電圧E[V]でLEDをI[A]で点灯させたいときの抵抗値Rは次のようになります。

$$R = \frac{(E - Vf)}{I} \quad (VfはLEDの順電圧)$$

ただし、この式を覚えるというよりは、この式に至った過程を理解することが大切ですし、そのほうが応用も利きます。学校のテストじゃないので制限時間はありませんから、式に頼らず考えるようにしたほうがよいです。

詳細

ここではLEDの順電圧のバラツキを無視してしまっているわけですが、実際には抵抗にもバラツキというか誤差があります。一般的なカーボン抵抗では5％とか2％（モノによる）の誤差があり、結局のところは希望する電流をピタリと流すことはできません。できないので絶対最大定格30mAの1/3の10mAという控えめな電流で我慢しているわけです。このくらい控えめなら、ちょっとくらい誤差があっても大丈夫です。もし限界まで流したい場合には、これらのバラツキから最悪のケースを計算して決める必要があります。また、絶対最大定格の30mAという数値は25℃の場合ですので、気温が高い場合のことも考える必要があります。

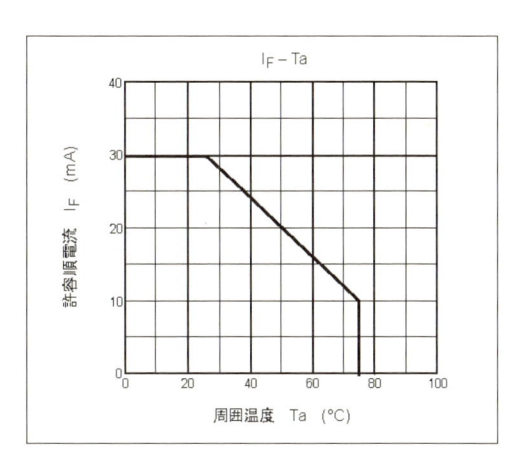

気温が高いときにはLEDの電流も少な目にしてあげる必要がある（株式会社東芝セミコンダクター社のデータシートより抜粋）

真夏の40℃を想定すると、図から24mA程度しか流せないことがわかります…というのが堅いハナシ。製品として出荷するのではなくて個人のオモチャとして使うのであれば極端な話、定格にこだわることはありません。乱暴な表現ですが、PCのオーバークロックと同じで自己責任です。だからといって設計をしなくてよいということではなくて、定格をどの程度オーバーしているか、その結果LEDはどうなるか、LEDが壊れたときに周辺回路は大丈夫か、そんなことを理解してい

る必要があります。もし理解せずに定格を超えた使い方をしているとすれば、それは単に無謀ということになるわけですが、どのような人生を選択するべきかというのは本書で述べるべきことではないので（笑）、その是非はここでは触れません。

ちなみにLEDの順電圧より低い電圧の電源（例えば1.5Vの乾電池とか）を使用した場合ですが、電源電圧は抵抗にたどり着く前に行き倒れてしまいます。つまり電流が全然流れないのでLEDを点灯させることはできません。ですからLEDを点灯させるためには2.1Vよりもうちょっと高い電圧、つまり最低でも3Vとかそのくらいは必要となります。電池一本だけで動作するMDプレーヤーなどにもLEDが付いていたりしますが、あれはコンバーター（DC－DCコンバーター）でプレーヤー内部で高い電圧（といっても数Vですが）を作っているわけです。意外に大変ですね。

とりあえず普通の表示用として点灯させるにはこれで十分ですから、後はLEDとデータシートさえ入手できればほとんどのLEDの点灯回路を設計できるようになったわけです。これはけっこうスゴイことなので本来なら感動シーンなわけですが、無理に感動しなくてもよいです。ええ。

さて、実を申しますとアナタはこのままでは半人前だったりします。もう1つ、抵抗の消費電力というものを計算しなければなりませんので一人前になるまでにあと5分ほど必要です。

抵抗の消費電力の計算

で、抵抗の消費電力の話なわけですが、

　P＝I×E（電力＝電流×電圧）

は学校で習ったと思います。I＝E／Rなので、これを変形すると

　P＝R×I×I

となり、抵抗の消費電力が求まります。…なんか教科書みたいでイヤな感じですね。先の例ではLEDに10mA流していますから、290Ωの抵抗にも当然10mA（0.01A）が流れます。このときの抵抗の消費電力は0.029Wですから、これが熱に変わります。つまり抵抗が暖まるわけです。

このくらいの値ならば「暖まる」くらいで済みますが、あまりにも電力が多いと抵抗の温度が上がり過ぎ、焼けて壊れてしまいます。周囲に可燃物があれば当然危険です。部屋にガソリンとか液体水素を大量に隠し持っている人もそうでない人も気を付けたほうがよいです。というわけで、

　電力は必ず計算して確認してください。

抵抗には必ず1／4Wとか1／8Wなど電力の上限値（定格電力）がありますが、LEDと同様にこれはあくまで限界値ですから、通常は半分以下を目安に使用してください。ちなみに定格の半分で使用した場合でも、それなりには熱くなります。実装状態などにより異なりますが、抵抗の表面温度が（気温に対して）20〜30℃程度上昇することはあり得ます。つまり気温20℃なら抵抗表面が50℃くらいになることもあるわけですが、もちろんこの程度の温度なら問題ありません。ちょっと気持ち悪いかもしれませんが、PCをいじるのが好きな方なら電子部品の発熱には慣れてますよね。目安としては、「長く触っていられない」温度がおおよそ50℃くらいだと考えればよいと思います。つまり「長く触っていられない」程度の温度なら大丈夫、ということです。

例として12Vの電源でLEDを10mAで点灯する場合、抵抗値Rは

$$R = \frac{(E - Vf)}{I}$$

から990Ωとなります（Vf＝2.1Vの場合）。このときの抵抗の消費電力は

$$P = R \times I \times I$$

から0.099Wとなります。これは1／4W型の抵抗の定格電力（0.25W）のおおよそ半分ですので一応問題なく使用できますが、それなりに温度が上がるかもしれないぞ、ということがわかります。

ここで気を付けなきゃいけないのは、消費電力は電流の2乗に比例する、ということです。同じ100Ωでも2倍の電流が流れれば4倍の電力を消費します。同様に

$$P = E \times \frac{E}{R}$$

なので、消費電力は電圧の2乗にも比例します。注意しましょう。

ところで抵抗自体は光るわけでもデータ処理を行うわけでもないわけですから、抵抗の消費電力はひたすらムダに熱になっているわけで何の役にも立っていません。単なるエネルギーのムダ使いです。先ほどは12Vの例を挙げましたが、例えば100VでLEDを点灯する場合を計算すると抵抗の消費電力は約1W（10mAで点灯の場合）というタイヘンな値になってしまい実用的ではありません。本書では扱いませんが、あまりにも抵抗の消費電力が多い場合には別の方法を考えたほうがよいです。

おまけ LEDの購入の実際

本文中ではLEDとして東芝のTLSU113Pを取り上げましたが、これは必ずしも秋葉原で手に入るというわけではありません。LEDに限らず、メーカー各社のすべての品種をお店が在庫しているわけではないのですから、当然と言えば当然です。もちろん「どこかのメーカーの知らない型番の赤のLED」はお店にたくさん置いてあるわけなのでコレを使うことになるのですが、部品棚の札には「LED赤・20円」としか書かれていない場合もあります。けっこうアバウトです。

で、やや語弊がありますが、LEDは（特に10円クラスの安価なものであれば）緑も黄色も橙も似たようなモノです。赤いヤツは通常のLEDの3倍ということも残念ながらないわけで、どれも順電圧は2V前後、テキトーに10mAくらい流してやればテキトーに光ります。足については長いほうがアノードだと思ってまず間違いないと思いますし、不安なら実際に点灯して確認すればよいだけです。かくいう私も「100ケ入り500円・メーカー不明」みたいな安売りの袋入りLEDを適当に使っています。500円で100個ですからね、これをCPUの各信号にぶら下げればけっこう賑やかでよさげじゃないですか、うふふ…などと企んでいたわけですが、実際にはCPUというよりクリスマスツリーみたいになってしまいました。ま、キレイなのでいいんですけどね。

そんなわけなので（？）、LEDはその場で安く手に入るものを適当に使用してかまわないと思います。かなり乱暴なハナシですが、個人の工作であればそれでよいと思います。

ただし「ちょっと変わったモノ」、例えば白色とか赤外線LEDみたいな特殊な用途向けを使う場合には、やはり特性を確認したほうがよいです。これらは電気的にも「ちょっと変わっている」ことがあります。また、これらのLEDは比較的高価だったりするので壊してしまった場合の心理的ダメージも大きいですから、使用する際にはできればデータシートをゲット、でなければ最低でも順電圧と定格電流くらいはチェックしたほうが無難です（順電圧は自分でテスターで測るという手もありますが）。なお、レーザーダイオードはLEDによく似てはいるのですが、コイツはかな

り気難しいヤツなので、ここで紹介した回路では事実上点灯できませんから注意してください。

LEDの極性ですが、一応ダイオードなのでテスターの抵抗レンジでチェックできることもあります。「できることもある」ということは、つまりチェックできないことのほうが多かったりするわけで、これはテスターの抵抗レンジで使用している電源（電池）の電圧がLEDの順方向電圧に足りないからです。逆に、LEDに対応しているテスターはそのことを謳ってたりします。

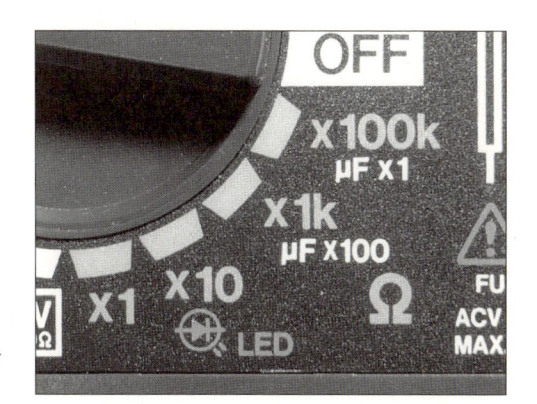

抵抗測定レンジでLEDのチェックも可能なテスターの例

CPU NO TUKURIKATA
CHAPTER 3

■デジタル回路の基礎の基礎

レトルトカレーには個人的にほろ苦い思い出があります。ちょっとした手順のミスというか、要するに温める前に封を切ってしまったわけです。ついさっきまで「美味しさそのまま、3層構造！」を誇っていたレトルトパウチ様がだらしなく口を開けたままのカッコで「もうアツアツなカレーになるのは永久にダメっぽい状況でございます旦那」などと申し訳なさそうにしているのを見て、人は切なさの意味を知るわけです。以来、ドラマの登場人物が「ワタシ切ないんです」などというセリフを言うたびに、「ああ、この人はあのときのレトルトカレーと同じ気持ちなんだ」という具合に深く感情移入できるようになったわけです。そんなわけでレトルトカレーの偉大さは理解していただけましたでしょうか？　ちなみにここまでのハナシは本題とあまり関係ないんですが、よろしいでしょうか？

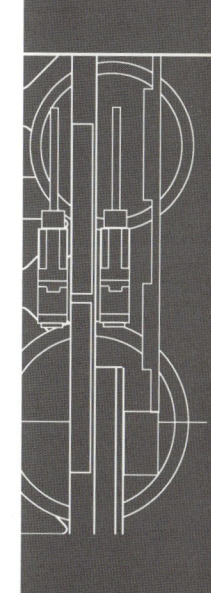

Chapter 3
1. 74HCシリーズ

CPUを作ろうなどという無敵の野望を持った我々ではありますが、自宅の地下室がクリーンルームだったり密かに半導体製造装置を隠し持っていたりするという人は、控えめな表現でも少数派だと思います。半導体を自力で製造できない以上、結局は秋葉原に行ってICをゲットすることになるわけなので、いわゆる「悪の秘密組織の本部は四畳半フロなし」的シチュエーションだったりします。

汎用IC

さて、世の中には数多くのICが存在するわけですが、大雑把に「汎用IC」と「専用IC」に分類することができます。…ま、分類したところでどうなるモノでもないのですけどね。とりあえずポジションを知っておくのは悪いことではありません。

「汎用IC」と「専用IC」は（例えが悪いかもしれませんが）、食材で言えばジャガイモとレトルトカレーの関係みたいなものです。どちらもスーパーに並んでいる食材ですが、ジャガイモのほうがよりプリミティブであるためカレー以外の材料としても使えますから「汎用」であると言えます。一方、レトルトカレーはカレーに特化した食材ですから転用が利かない反面、温めてお皿に盛るだけで私のような料理ダメ人間にでもカレーライスを完成させることができます。PCに使用されているチップセットなどは専用ICです、基板に盛りつけて半田を温めればマザーボードが完成します（実際にはそんなに簡単ではないです、念のため）。

さて、当たり前ですがオリジナルのカレーを作ろうと考えるならばレトルトは使えません。やはりジャガイモとか汎用ICを買ってくる必要があるわけですが、料理とか回路設計の経験がない人にとってはあまり馴染みがないと思います。実際、私自身もジャガイモの皮を剥いたりするのができなかったりします。ええ、剥けませんとも。

そんなわけで汎用ICの機能は必然的にプリミティブです。まずは基本中の基本である74HC00の例です。

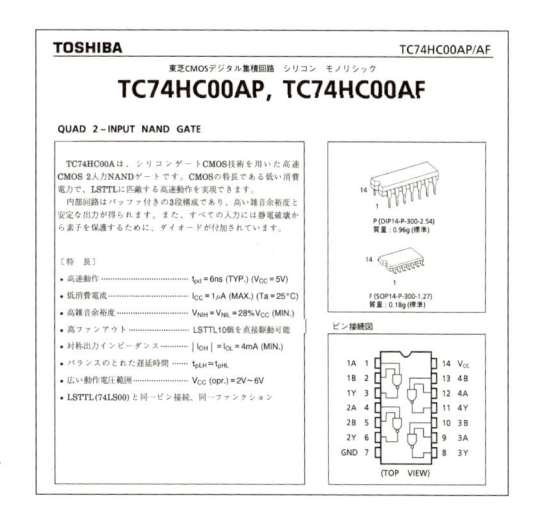

汎用ICの基本・74HC00（株式会社東芝セミコンダクター社のデータシートより抜粋）

これにはNANDゲートが4つ入っています。

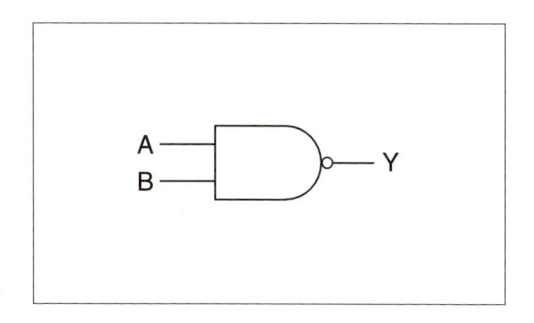

NANDゲート・コレが4つ

使用されているトランジスタはゲートあたり数個とかそのくらいです。PC用のCPUには数千万個とかそれ以上のトランジスタが使用されているわけですから、いかに基本的かがわかりますね。ご存じの方も多いと思いますが、NANDとは出力が論理反転したANDです。つまり、

　2つの入力が両方ともHのときにのみ、出力がLになる。

…あまりにもプリミティブ過ぎてアタマがクラクラしそうですね。ファミレスに入ったら生のジャガイモが出てきたような状態かもしれません。コレがいったい何の役に立つのか見当もつかないわけですが、実際これだけでは何の役にも立ちませんし、だからこそ汎用であるとも言えるわけです。ついでに他の型番も紹介しておきます。といっても記号を眺める程度でよいです、とりあえず。

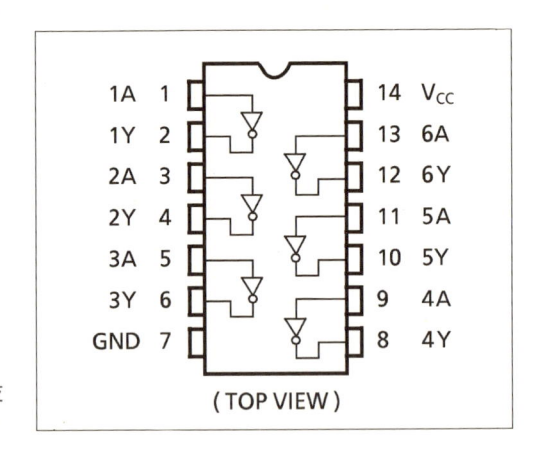

74HC04・NOT回路6つ入り（株式会社東芝セミコンダクター社のデータシートより抜粋）

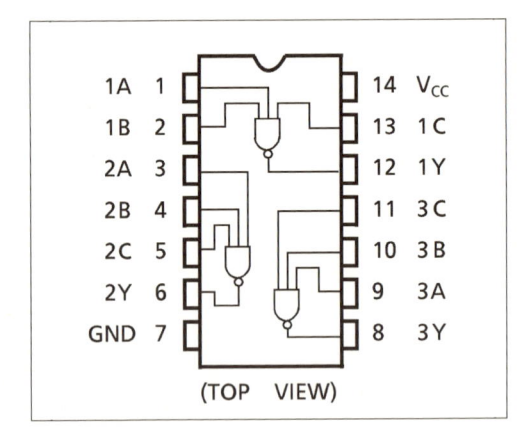

74HC10・3入力NANDが3つ入り（株式会社東芝セミコンダクター社のデータシートより抜粋）

…似たり寄ったりですね（汗）。このあたりはいわゆる基本ゲートと呼ばれるモノたちですが、これら基本ゲートを使った「よく使う組み合わせ」を1チップに収めたタイプもあります。

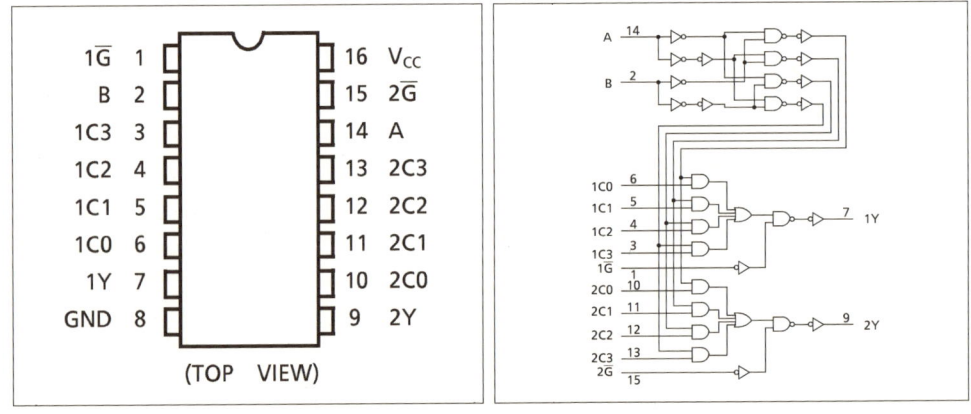

74HC153と内部の回路（株式会社東芝セミコンダクター社のデータシートより抜粋）

ここでは内部回路とか機能を追う必要はないです、「なんかゲートがたくさん入ってるなぁ」という例ですから（注：このクラスの規模のICを昔はMSIと呼んだりしました。今でも本によっては「トランジスタ100個以上がMSI」などと書かれていますが、このような区分はあまり意味がないことだと思うので本書ではすべてICと呼んでいます）。まぁ、「たくさん」と言っても数えられる程度のゲート数ですし、見かけはぐちゃぐちゃしていますが機能は単なる切り替えスイッチだったりするわけですが、そのへんの話は後ほどということで。

要するに汎用ICは「基本ゲート」とか「よく使う基本ゲートの組み合わせ」だけなので、単品ではあまり役に立ちません。が、基本的であるがために組み合わせによってどんなモノでも作れます。なお、デジタル回路用の汎用ICは一般的に「汎用ロジックIC」と呼ばれますので、Webサイトなどでデータシートを探すときには「汎用ロジックIC」を目指すとよいです。国内ですと東芝セミコンダクターとかルネサステクノロジ（注：日立製作所・三菱電機共同の半導体部門。日立さんが長年生産してきた汎用ロジックICは現在ルネサステクノロジが扱っています）などのWebサイトに日本語のデータシートがあります。

74シリーズの歴史（ショートバージョン）

前記のWebサイトを見ると、74HC以外にも74AC、74VHC、74LSなど、「74」を冠した型番を非常に多く目にすると思います。これらの型番の違いはバイポーラとCMOS、高速または低消費電力、低電圧向けなど時代と用途によるものです。これらは総称して「74シリーズ」などと呼ばれており、汎用ロジックの一大勢力となっています。この「74シリーズ」の原型は30年以上昔に米テキサス・インスツルメンツ社からリリースされた「（無印？）74シリーズ」で、現在ではHCなどの派生型と区別するために「スタンダード」と呼ばれていたりします。

```
          SN5400 . . . J PACKAGE
   SN54LS00, SN54S00 . . . J OR W PACKAGE
          SN7400 . . . N PACKAGE
   SN74LS00, SN74S00 . . . D OR N PACKAGE
              (TOP VIEW)

       1A □ 1    14 □ Vcc
       1B □ 2    13 □ 4B
       1Y □ 3    12 □ 4A
       2A □ 4    11 □ 4Y
       2B □ 5    10 □ 3B
       2Y □ 6     9 □ 3A
      GND □ 7     8 □ 3Y
```

SN7400・すべてはここから始まった（日本テキサス・インスツルメンツ株式会社のデータシートより抜粋）

先ほどの74HC00とピン配置までまったく同じというか、実際にはこっちがオリジナルです。ですから私のような年寄り（笑）だと「…おお、74HC、こんなに立派になって。どれ、顔をもっとよく見せておくれ」「おまえの祖父…スタンダードの…まさに生き写しじゃ」「おまえは知らんじゃろうが、勇者スタンダードは、それはそれは…（年寄りの長話につき、以下略）」…えーと、まるで伝説のICのようですが、実はこのスタンダードの7400、まだ現役です。秋葉原でも買えますし、当のテキサス・インスツルメンツのサイトでも「34セントで好評発売中！（意訳）」となってました、さっき見てきたら。なんかあれですね、伝説の勇者様とバッタリ会っちゃいました駅前商店街で、みたいな。しかも勇者様はスーパーのレジ袋を下げてたりするわけで、歴史の重みも有り難みも何もないカンジではありますが、個人的には嬉しい光景です。

CPLDとFPGA

そんなわけで、本書で使用する74HCシリーズはスタンダードから進化したモノなのですが、それでも1980年代の製品だったりするので、つまりそれなりに古い製品です。古いのですが、より新しい74VHCシリーズなどに比べて品種が多く入手性もよいので今回採用しています。…そうなんです。昔の製品のほうが品種が豊富だったんです。汎用ロジックICの代名詞である74シリーズも最近では昔ほどの元気がありません。

その一因として、CPLDやFPGAと呼ばれる便利なデバイスが登場したことが挙げられると思います。いやホントに便利なんですよ、これ。CPLDもFPGAも「回路を自由にプログラム可能なロジックIC」なので、必要な回路そのものをズバリをプログラムすることができます（なお、ここで言う「プログラム」はソフトウェアという意味ではなくて「あらかじめ書き込む」みたいな意味です）。その上集積度も高いので、例えば本書で製作するようなCPUならば1つのCPLDに簡単に入ってしまいます。

あえて本書でCPLDを使用しなかった理由としては、まぁ私の趣味というか「現実世界で実際にモノを作る」ということへのこだわりです。もちろんCPLDも当然実在する部品なのですが（笑）、どうしてもハードウェア記述言語とかツールの使い方などの「純粋にロジックな話」に重点を置くことになってしまいます。

しかしロジックを記述するだけであればBASICでもC＋＋でもよいわけで（PC上でCPUのロジックをエミュレーションすればよい）、わざわざ電子回路を設計したり製作する必要はないわけです、少なくても今回の目的では。

デジタル回路というのは非常に奇妙な存在です。もともとロジックというものは人間の心の中にしか存在しなかったわけです。というか心の機能の一部ですね。1は絶対に1であるといった完全無欠で純粋、まるでお花畑のようなキレイな世界です。

一方、現実の世の中というのはアナログ的にドロドロと動作しているわけですから、簡単には心の機能のコピーは作れません。で、仕方ないのでアナログな材料を組み合わせて何とか心の入れ物を作ったわけです。アナログな材料で作られたロジックの入れ物、つまりそれがデジタル回路です。ロジックという（ある意味）非現実的なモノと現実の間を仕切る薄い膜のような存在です。薄い膜なのでノイズとかサージなどのリアルワールドからの攻撃（または設計上のミス）により簡単に破れてしまうわけで、そうなると入れ物の中身、つまりロジックは失われてしまうことになります。これはソフトウェアとか純粋なロジックの記述では経験しない（ハズの）ことです。

この本をどのように読むのかは読む人の自由なわけで、私がアレコレ言うことでもないと思います。が、「あえて電子回路を扱う」というコトの意味はそんなところだと思っています。そんなわけで、ここからはリアルワールドなハナシをちょっとだけします。

どうやって1と0を表現するのか

デジタルな信号を扱う回路をデジタル回路と言います。…なんかマヌケな説明ですね。世の中の多くのデジタル回路は2値、つまり1と0を扱います。今回使用する74HCシリーズではこれを「電圧が高い」か「電圧が低い」かで表現していますので、割と理解しやすいと思います。というかテスターで直接見れます。で、この電圧が高いとか低いとかを次のように言います。

・電圧が高い（5V）場合をH（High）
・電圧が低い（0V）場合をL（Low）

ここまではわかりますよね。5VならH、0VならLです。ちなみにこれには「電源が5Vのときの話です」などとイロイロとうるさい条件が付くのですが、本書では5V電源しか使用していませんから、とりあえずこんな理解でかまいません。

で、HとLがあるわけですが、問題はどっちが1でどっちが0か？　ということです。なんとなくHが1じゃないかと思われるかもしれませんが、実はどっちを1にするかは人間（設計者）の勝手です。ですからややこしいことにHが0という回路もあります。

意味がよくわからないという人は歩行者用の信号機を思い浮かべてください。赤と青のヤツです。「赤は止まれ」ということは誰でも知っていますが、これはたまたま赤に「止まれという意味を割り当てた」にすぎません。どちらでもいいのです。現にフィジー諸島のバホマ共和国では「赤は進め」です…というのは全然ウソですが、そういう国があってもおかしくないわけです。

回路の話に戻りますが、H（5V）に1を割り当てている場合を「正論理」と呼び、L（0V）に1を割り当てた場合を「負論理」と呼びます。一般的には、やはり正論理のほうがわかりやすいですよね。テスターで電圧を計って針が振れたら1。簡単だし素直です。しかし世の中には負論理も多く存在しているわけです。例えば皆さんもおなじみPentium4ですが、コレのリセット入力は負論理です。つまりリセット入力端子にLを入力するとリセットがかかります。L（Low）にすることでリセットという機能がアクティブになるわけなので、負論理は英語でActive-Lowと言います。正論理はActive-Highですね。英文のデータシートの表記がそんな感じですから知っておいたほうがよいかもです。

そんなわけで世の中には正論理と負論理があります。ですからテスターで電圧を測ればHなのかLなのかまではわかりますが、1か0かはわからないわけです。というか設計者にしかわかりませんよね、このままじゃ。で、これではさすがに不便なので、一応礼儀として（？）設計者はその回路が正論理なのか負論理なのかをなるべく回路図に明記することになっています。

例えば、リセット信号を回路図上で「RESET」という名称にするとします。これがもし負論理なら、上にバーを入れて「$\overline{\text{RESET}}$」と表記します。また、ICの入出力が負論理ならば図に○を付けます。

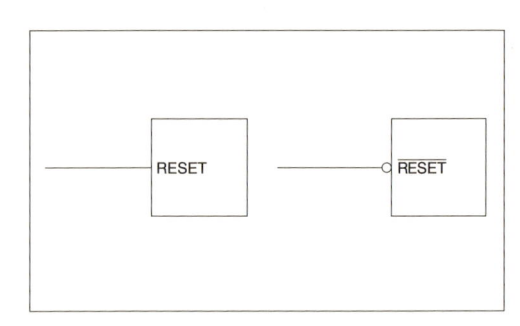

左図：正論理のリセット信号と正論理の入力。Hでリセットされる／右図：負論理のリセット信号と負論理の入力。Lでリセットされる

こんな感じですので慣れてください。特に74シリーズは負論理で使われることが多いです。74HC74の例を見てみましょう（これも中身についてはまだ考えなくてよいです）。

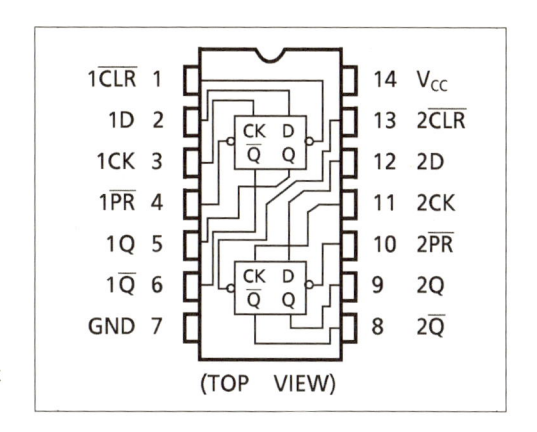

74HC74（株式会社東芝セミコンダクター社のデータシートより抜粋）

フリップ・フロップというモノが2つ入っていますが、それぞれの$\overline{CLR}$と$\overline{PR}$と$\overline{Q}$が負論理です。で、負論理の信号にはそれぞれ○が……あれ？　$\overline{Q}$には○が付いてませんね。えーと、まぁ、こういうこともあるというコトで（笑）。というか、このへんの厳密なハナシを今ここでダラダラ書いてもつまらないと思いますし、よくわからないと思います。ので省略。けっこう大胆ですね、この本。もし工学書だったら欠陥品です（笑）。

このへんがよくわからなかったら正論理とか負論理にかかわらずHとLで回路を追えば何とかなりますし、何とかなるように説明するようにしているつもりです。かくいう私も、高校生の頃は正論理も何もデタラメな自己流の書き方でカレンダーの裏とかにマイコンの回路図を書いていました。趣味であれば自分が読めて回路が動けばそれでよいと思います。初めから細かい作法やルールばかりではイヤになりますし、逆に経験を積めば自然と作法の意味が理解できるようになります。

そんなわけでデジタル信号はHとLで表現することもできますし、1と0で表現することもできてしまうわけで、どう使い分けるんですかという疑問も生じると思いますが―、大まかな考え方としてHとLは回路動作的な説明で使用し、1と0はソフトウェアから見た場合の説明で使用します。が、これに関しても話の流れ次第でわかりやすいと思われる表現を使用しています。ケースバイケースというか、いいかげんというか（汗）。ま、とりあえずはあまり堅苦しく考えずに2種類の表記方法があることと、正論理・負論理があることだけ覚えておいてください。

デジタル信号の電圧

さて、先の信号機の話ですが、世間で言うとこの「青信号」って実際には緑にしか見えませんよね。全然青じゃないですよね。さらに最近見かけるようになったLED式の信号、あれも微妙に色

合いが違います。そんなわけで青信号といっても実際にはいろんな色があるのですが、「まぁ、青と言えるんじゃないかなー」という範囲な色ならOKなわけです。でも紫だったりすると判断できません。微妙ですね。

デジタル信号にも同じことが言えます。H（high）は5Vです、などと先ほど言いましたが、あれ、ウソです。実際には4.9Vだったり4.8Vだったりするわけです。でもまぁ、4.8Vくらいなら「Hと言える範囲」ですね、なんとなく。でも2Vみたいな中途半端な電圧だと判断に困りますよね。これは人間だけじゃなくて、中途半端な電圧を入力されるICも困ります。そんなわけで、デジタル回路では「中途半端な電圧」というのはない、というコトになっています。えーと、ニュアンス的には「あってはいけない」ですね、紫に光る信号機と同じです。で、「Hと言える範囲」と「Lと言える範囲」ですが、74HCシリーズの電圧はおおむね次のような感じだと思ってください。

H ……… 4.4V以上
L ……… 0.3V以下

本当は条件により変化しますが、目安としてはこんなモンです。ですからこれ以外、例えば「テスターで計ったら2Vでした」などというのは、すでにデジタル回路じゃないです。というか、たぶん配線ミス。

詳　細

HとLの電圧を厳密に説明するとけっこう大変なことになります。説明するのも大変ですが、読む方も大変。というわけで「本書の回路であれば」という前提で、おおむね問題ないと思われる値を挙げています。これはかなり乱暴なことですので、後にステップアップを目指すときにはデータシートを参照するとか真面目な工学書とかを読んだほうがよいです。

デジタル信号の電流

忘れてはいけない野望の1つに「コンピューターらしくLEDがチカチカ（笑）」というのがありましたね。…どうでもいいですか、そうですか。でも私個人の野望ということで説明を続けさせていただきます。

これはつまりデジタル信号でLEDを点灯するわけなんですが、ギンギンに明るく点灯するのでなければ直接繋いでも何とかなります（注：ここで説明しているのは74HCシリーズを使用する場合の回路です。同じ汎用ロジックICでも74LSなどではこれらの回路は使用できないこともあります）。

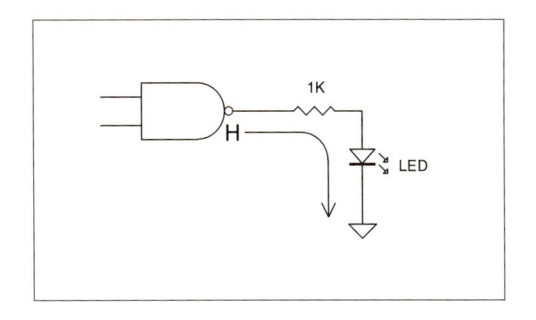

デジタル信号でLEDを点灯させる・その1

この回路では74HC00の出力がHのときにLEDが点灯します。で、先にも書いた通りギンギンに明るくはできないのです。これは74HCシリーズの出力電流が4mAしか流せないためで、つまりLEDの電流も4mA以下に抑えなければならないわけです。これ以上無理に流そうとすると74HCの出力（ここではH）がヘタってしまうというか、電圧が下がってしまいます。つまり徐々にHではなくなってくるのです。このへんはとってもアナログ的というか、魔法が解けかかってデジタルを維持できなくなりつつある状態です。

さて、実際の抵抗値の計算です。LEDとしてTLSU113Pを使用した場合、順電圧は約2.1Vですからここに4mAを流すとすると、

$$\frac{(5-2.1)}{0.004} = 725\Omega$$

つまり725Ω以上＋α（余裕）の抵抗を使用する必要があります。今回はキリがよいので1KΩを使用しています。これで普通に確認する程度であれば問題ない明るさで点灯してくれます。…つまりちょっと暗いわけです。どうしても明るくしたい場合には、もちろん回路的に解決するのがカッコいいのですが、実際には高輝度LEDをゲットしてオシマイにするのが簡単です、ちょっと堕落してます。なお、負論理の回路などでLのときにLEDを点灯させたいときには次の図のように結線します。

デジタル信号でLEDを点灯させる・その2（Lで点灯）

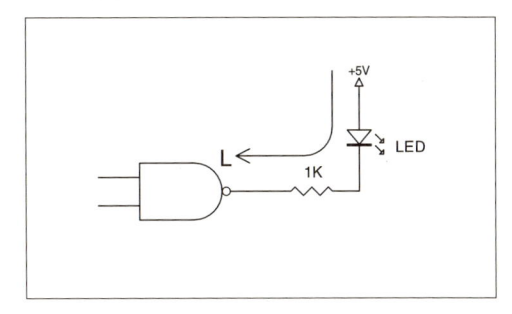

さらにおまけ。上の2つの回路を両方繋げても動作します。ここでは片側のLEDにTLYU113P（黄）を使っています。

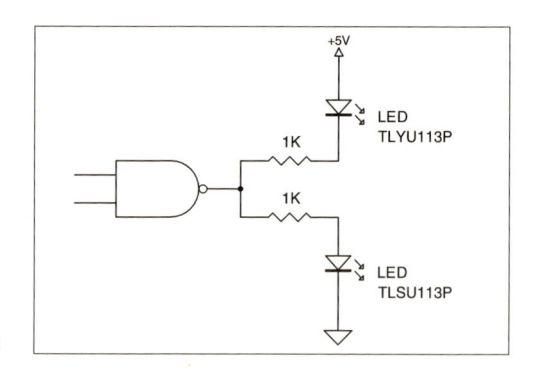

デジタル信号でLEDを点灯させる・その3

Lのときに黄色、Hのときに赤が点灯します。あまり意味はないですが、ちょっと楽しいかも。

Chapter3
2. 簡単な論理回路

教科書のような説明は避けたいのですが「まったく説明なし」というのも薄情な気がするので、ごく基本的なモノだけ。知ってる人は読み飛ばしてください。

NOT（論理反転）

入力を論理反転して出力します。「インバーター」とも呼ばれます（注：エアコンなどのインバーターとは別物です、念のため）。

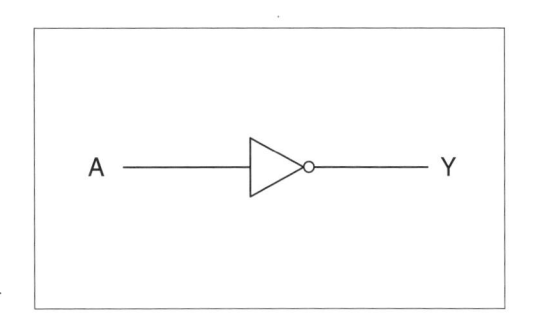

いわゆるNOT

入力がHならLが出力され、入力がLならHが出力されます。この入力と出力の関係をまとめたのが下の表です。

入力	出力
A	Y
L	H
H	L

こういった表を「真理値表」と言います、覚えておきましょう。内容は説明の必要もないですね。HとLがひっくり返るだけ。「論理回路」などというと偉そうですが、1つ1つの部品は非常に単純です。

さて、実際にNOTが必要になったら「NOTなIC」を秋葉原で買ってこなければなりません。といってもお店の棚に「NOTなICです」などと書かれているわけではないので、メーカーのデータ

シートなどで「NOTなIC」を探さなければなりません。ただWebで入手できるデータシートだとちょっと探しづらいかもなので、CQ出版社の「最新半導体規格表シリーズ　汎用ロジック・デバイス規格表」などがあると便利かもです、ちょっと高いですけど。とりあえず今回は有名と思われるICを紹介しておきます。

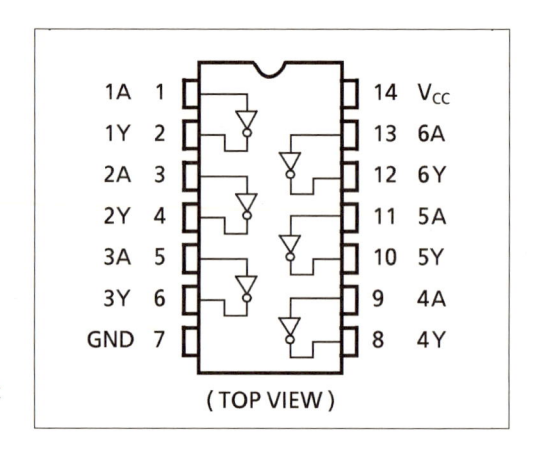

74HC04（株式会社東芝セミコンダクター社のデータシートより抜粋）

そんなわけで「NOTなIC」、74HC04です。NOTが6つ入り。お得ですね。しかも安価です。試しに秋葉原で1個だけ買ってきましたが30円でした。ほとんど駄菓子屋のノリです。この74HC04は14ピンのICです。パッケージというか外形はゲジゲジとフラットがあります。

上のゲジゲジが形も大きくて工作しやすいですしICソケットも使えるので、こちらを使用したほうがよいでしょう。ちなみに正式な名称はゲジゲジじゃなくて「DIP」（デュアル・インライン・パッケージ）と言います、このカタチ。なお、「ゲジゲジみたいな」とか言ってますが、実は私、本物のゲジゲジって見たことないです。知ったかぶりはいけませんね。

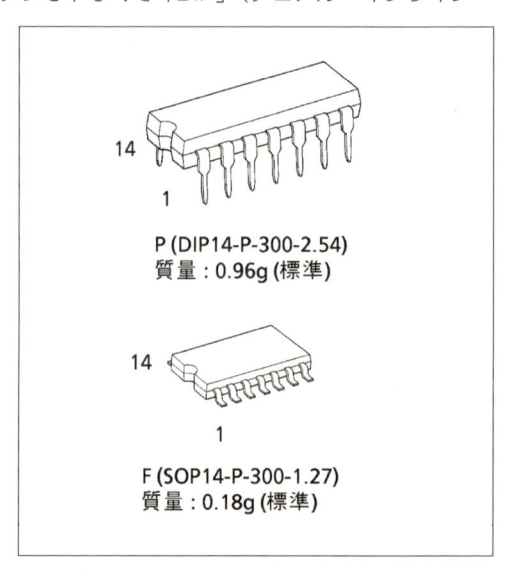

ゲジゲジとフラット（株式会社東芝セミコンダクター社のデータシートより抜粋）

あと、どの足が1番ピンですみたいなことも特に説明しません。データシートの通りです。ただ「TOP VIEW」というのは聞き慣れないかもしれませんね。これは「ICの背中から見た図」という意味です。ICに背中があるんですかと聞かれると困るんですが、不思議なもので多くの場合「背中」で通じます。恐るべきヒトの認識能力なのですが、先の図だと上から見たのがTOP VIEWです。逆に腹から見た図が「BOTTOM VIEW」となります。

このICにNOTとして働いてもらうためには、電源を繋げなければなりません、当たり前ですが。…当たり前なんですが、回路図には描かれていないことが多いですから注意してください、初心者さんだと電源の配線をけっこう忘れることがあるみたいです。あと、このへんのICは電源が繋がってなくても中途半端にフラフラと動作しちゃうこともあります。詳しいメカニズムまでは説明しませんが、一見正常に動作しているように見えてしまうのでわかりづらいです、気を付けてください。

で、その電源ですが、74HC04では7番ピンと14番ピンに繋げます。7番ピンはGNDとなっていますが、このGNDとはグランドのこと、つまり0Vですので電源のマイナス側ですね。14番ピンはVccとなっていますが、これがプラス側なので＋5Vへ接続します。

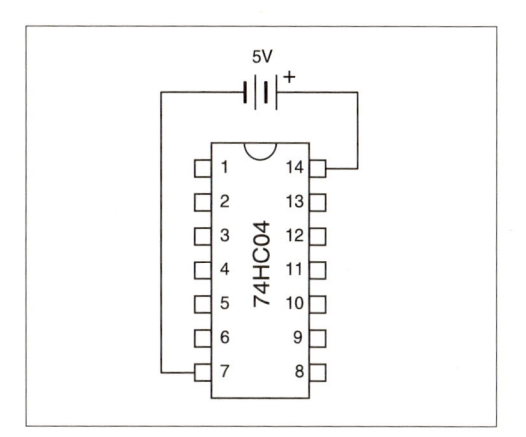

74HC04の電源接続

これら電源ピンの位置はICによって異なります。だいたい対角線上に配置されていることが多いのですが、そうでないものもあります（本書には出てきませんが）。必ずデータシートを確認しましょう、電源の配線を間違えるとけっこうな確率でICが壊れますので。ちなみにプラスとマイナスを逆に繋げるとほぼ100％壊れるのですが、先の説明通り電源ピンがちょうど対角線上にあるので、ICソケットに逆向きに挿したりすると100％壊れることになります。これは俗に「逆差し」と言われるくらい有名（？）なミスで、有名ということは誰でも1度くらいはミスったことがあるということです。注意しましょう。ええ、私もミスりましたとも。

AND（論理積）

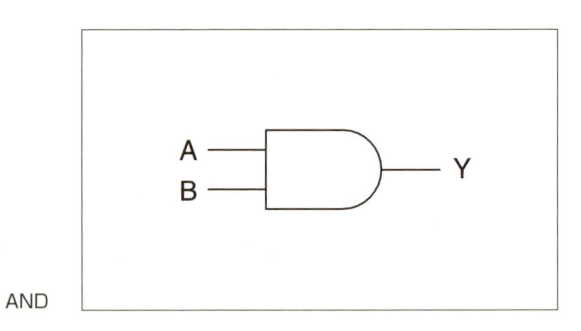

AND

入力Aと入力Bが両方HのときのみHが出力されます…っていうか、日本語で説明されるよりも真理値表をみたほうが早いですね。というわけで真理値表と74HC08です。ANDが4つ入り。

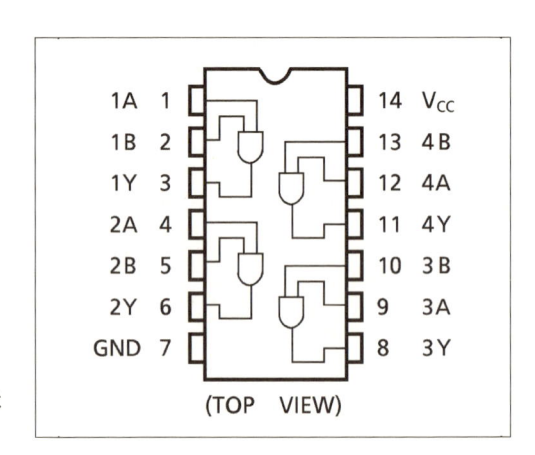

74HC08（株式会社東芝セミコンダクター社のデータシートより抜粋）

(TOP VIEW)

入力		出力
A	B	Y
L	L	L
L	H	L
H	L	L
H	H	H

ひょっとしたら学校で習っているかもしれませんし、PCが好きな方であればこのくらいは知ってると思うので、ここではあまりマジメに説明しません。これ以上説明するネタもないですし。

OR（論理和）

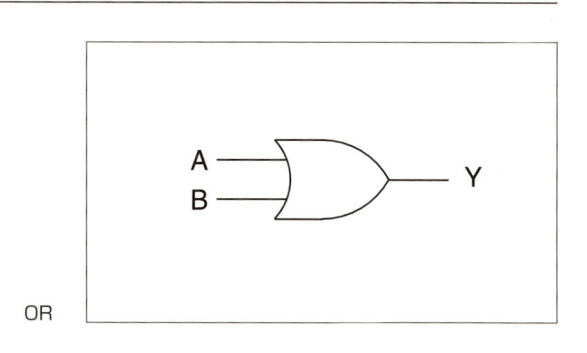

OR

入力Aと入力BのどちらかがHのときにHが出力されます。代表的なのは74HC32。

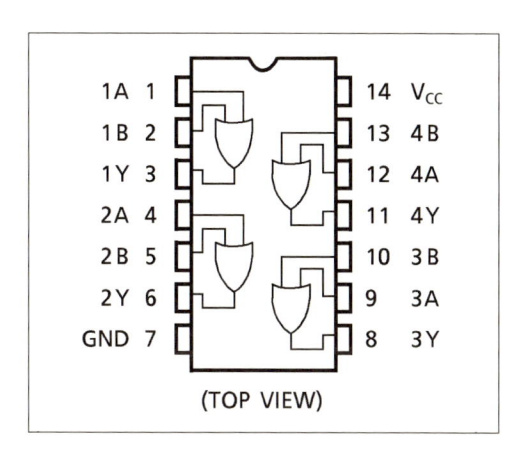

74HC32（株式会社東芝セミコンダクター社のデータシートより抜粋）

入力		出力
A	B	Y
L	L	L
L	H	H
H	L	H
H	H	H

あー、なんかだんだん説明がなげやりっぽくなってきましたね。説明する人間にとっては同じような表の繰り返しで非常に楽なんですが、読まされる方はつまんないですよね。何というか「私たち緊張感のない関係が長すぎたのよ」ってヤツですね。

NAND

これは出力が反転したANDです。

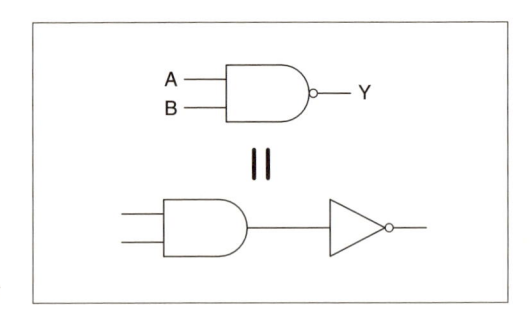

NANDはAND＋NOT

これも真理値表は説明不要だと思いますが、NANDの代表である74HC00は74シリーズのファーストナンバーというか大御所なので、挨拶くらいはしておかないといけない気がします。

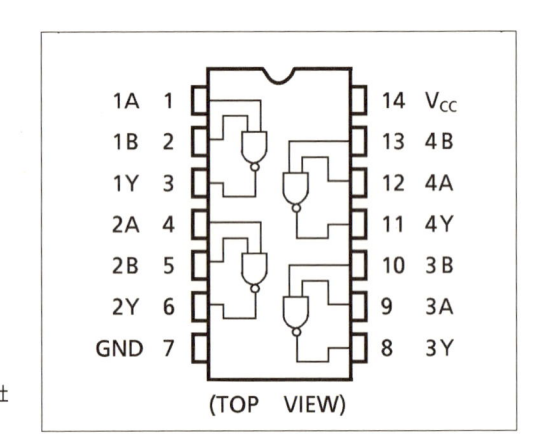

74HC00（株式会社東芝セミコンダクター社のデータシートより抜粋）

入力		出力
A	B	Y
L	L	H
L	H	H
H	L	H
H	H	L

多入力ゲート

この例は3入力NANDの74HC10ですが、全入力がHのときのみ出力がLになるという意味では74HC00と同じです。

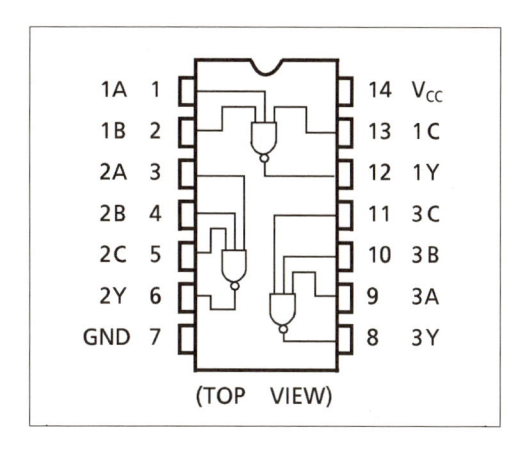

74HC10（株式会社東芝セミコンダクター社のデータシートより抜粋）

入力			出力
A	B	B	Y
L	L	L	H
L	L	H	H
L	H	L	H
L	H	H	H
H	L	L	H
H	L	H	H
H	H	L	H
H	H	H	L

3入力ですから入力の組み合わせは8通りあるので真理値表は大きめです。なお、3入力があるのですから当然4入力とか8入力もあります。8入力ですと入力の組み合わせは256通りあるので、とてもとても大きな真理値表になります。ページを潰すのには最適なのですが、怒られそうなので止めておきます。あまり面白いモノでもないですしね。

以上で基本ゲートは終わりです。が、先にちょっと触れた通りICには電源を供給しなければいけませんよーなどといったドロ臭い（？）話も必要です。というわけで次は実際にIC（74HCシリ

ーズ）を使う場合の具体的な説明です。ロジックのみに興味がある方は読み飛ばしてもかまいませんが、CPUに限らず何かの製作を考えている方とヒマな人は目を通したほうがよいと思います。難しい話でもないので、とりあえず雑学として覚えておけばイザというときに…ま、あまり役には立たないかもしれませんが。

Chapter3　デジタル回路の基礎の基礎

Chapter3
3. 実際の回路

ロジックICを動作させるためには、ロジックな入出力以外に電源も接続しなければなりません。当たり前ですね。他にもいくつか注意事項を説明しますが、本書の回路のレベルであれば気を付けるべき点はそれほど多くありません。

使わないピン

例として下図のような回路を動かすとします。

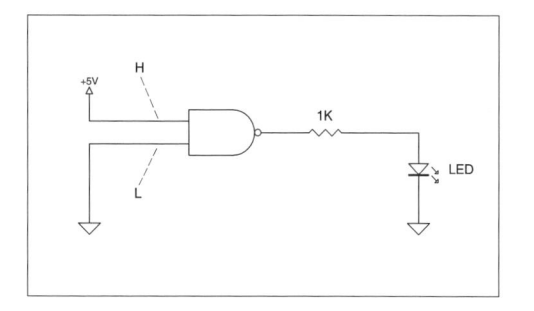

サンプル回路

NANDゲートにHとLが入力されるので出力はHとなりLEDが点灯するわけですが、ただそれだけです。この回路には特に機能とか意味はないです、全然。

で、NANDの2つの入力にそれぞれHとLを入力するわけです。Hは図の通り＋5Vへ接続すればよいのはわかると思いますが、LはOVなのですから何も電圧を与えなければよいわけなので、わざわざOV（GND）へ結線しなくてもかまわないように感じるかもしれません。

確かに普通の感覚で考えると、何も繋げていない入力ピンはOVになるように思えます。そりゃあそうですね。どこにも繋がっていないピンの電圧が5Vだったりしたなら、これはちょっとしたミステリーです。…ま、実際回路を作っていると多くのミステリーを体験できるのですけどね。

で、本当に「どこにも繋がっていない」かというと厳密には配線以外の経路、例えばICとか基板の表面に付着した僅かなゴミや人の汗などで電気的にはごくごく微妙に繋がっていたりします。ホントに「微妙」です、数Ωとか数KΩではなくて数GΩのオーダーとか、かなり非常識（？）な値です。GΩはわかりますよね。$10^9 Ω$です。ところが74HCシリーズ（というかCMOS全般）

の入力も負けず劣らず非常識に高感度です。高感度という言い方は適切ではないのですが、nA（10^{-9}A）オーダーの電流にも反応します。つまり我々の常識の範囲外で勝手にゴミで配線されて勝手にICが反応するわけです。

我々の回路をゴミごときに好き勝手にされて黙っているわけにはいきませんから、人類が意志を表明することが必要です。つまり明示的に配線すればよいのです。もしL（0V）に固定したいのであれば、0Vにガッチリ結線することで我々の決意を奴らに見せつけるわけですね。

入力端子の解放に関して注意がもう1つ。例えばNANDゲートに74HC00を使用する場合、これにはゲートが4つ入っていますから残りの3つのゲートは余ることになります。で、余った3つのゲートはまったく使用しないので入力がHでもLでも関係ないわけですから放置しておけばよいかというと、コレもちょっとマズイです。

74HCシリーズ（というか、これもやはりCMOS全般に言えますが）に中途半端な電圧（HでもLでもない中間の電圧…2Vとかね）を入力すると消費電力が異常に増大することがあります。詳しいメカニズムはこの本の守備範囲外となるので省略しますが、入力がどこにも繋がっていない状態（解放）だと先の話のようにゴミ経由で勝手に中途半端な電圧が入力されてしまうことがあるので、結果として妙に電力を消費する回路になってしまったりするわけです、気を付けてください。ですから使わないゲートの入力端子もとりあえず（HでもLでもよいので）固定することが必要です。要するにGND（グランド）か+5Vに繋いでおけばよいのです。ちなみに出力はオープン（放置）でオッケーです。

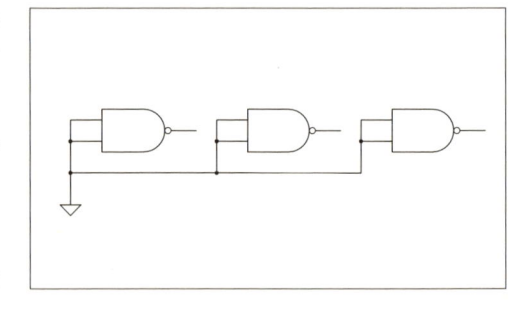

使ってないゲートの処置

また、製作時にはICソケットを使用したほうがよいです。製作中の半田こての熱や静電気からICを守ることができますし、誤ってICを壊してしまった場合の交換も楽です。値段も数十円ですし。…って、ICそのものより高かったりするんだよなぁ。

ICソケットの例

静電気はどんなときに犯行に及ぶのか

静電気の話が出ましたが、えーと、ご存知とは思いますがICは静電気に弱いです。いや、最近ではずいぶんと強くはなったのですが、「まったく気にしなくても絶対に壊れない」というレベルでもないので最低限の気遣いは必要です。でも相手を理解できていなければ気の遣いようがないですね。

原則は静電気を発生させない（溜めない）ことです。まさか発泡スチロールの上で作業する人はいないと思いますが、プラスチックなど絶縁性の高い物の上での作業は避けてください。あと一番静電気を発生するのは多くの場合、人間です。人間は本来なら比較的電気をよく通すので静電気は溜まらないハズなのですが、スリッパなどを履くと大地から絶縁されて要注意危険人物になってしまいます（注：これは静電気に対する考え方の話なので「スリッパを履かなければOK」という意味ではないです）。

もう1つ重要なことは静電気をICに流さないことです。例えばあなたが今、ICを手に持っているとします。ここであなたがスリッパを履いて厚手のじゅうたんの上を歩き回れば、あなたはバリバリに帯電します、静電気超満タンって感じです。しかし、これだけなら手に持っているICは壊れません。次にあなたはICを机の上に置こうとします。ICと机の表面の距離がだんだん近づいていきます。そして机とICの足の先端が数ミリになったときにパチッと放電が起きます。人間に貯まっていた静電気がICのチップ経由で放電するわけです。

ニンゲンに貯まった
静電気が
IC経由で机へ放電

←よくわかってない
らしい。

多くのICは保護回路を内蔵してはいるのですが、もちろん保護にも限界があります。このような事態を避けるには「ICを経由しないで放電する」ようにすればよいのです。先の例ではICを机の上に置くより先に、人間が机に触れればOKです。つまり「ICが今置いてある場所」と「これから置かれようとしている場所」をあらかじめ電気的に接続（両方を人間が素手で触れる程度でよい）すればよいのです。一度触れさえすれば、その時点で静電気はすべて放電されてしまいます。そんな理屈です。

この理屈を理解した上でないと市販の静電気対策グッズはあまり役に立ちません。逆に理解していればグッズがなくても大丈夫です。なくても大丈夫なのですが便利な面もありますから、場合によっては購入したほうがよいかもしれません。ま、どっちにしても理解だけは必要です、というオチなんですが。

電源も必要です

次に5V出力の電源、これが必要になります。もちろんCPUを動作させる際にも使います。本書の回路で使用する74HCシリーズは消費電力の少ないCMOSで作られているので、ロジック回路自体に電流はほとんど必要ありません。ですからLEDを点灯するためとかラーメンタイマーのブザーの電流程度を用意すればよいことになります。たぶん100〜200mAもあれば十分だと思います（注：もちろんLEDを多数点灯するならば大きな電源を用意しなければならないわけなので、各自で必要な容量を計算してください）。

用意すべき電源ですが、あなたが「電源回路は何度も自作したことがある」という人でない限り、初めは市販品を使ったほうがよいと思います。とはいっても市販品にもイロイロあるわけで、そのままでは使用できないものも多いです。基本的には「5Vの安定化電源」ならOKなのですが、一応参考までに製品名を挙げておきます。

秋月電子のNP12-1S0523

コンセントに直接繋げられるので100V部分の配線が不要ですから初心者さんには安全だと思いますし、通販で購入できますし。ただ出力が2.3Aと大きめです。余裕があり過ぎるというかちょっともったいないです。蛇足かもしれませんが、いわゆる「ACアダプター」は安定化されていないものがほとんどなので原則として使用できませんから注意してください。

ここでちょっと電源の表記について。ご存じの通り電源にはプラスとマイナスがあるわけです。ACアダプターにもプラグの極性表示として＋と－が書かれています。しかし電圧の種類が増えてくるとプラスとマイナスだけでは表現しきれません。お馴染みのPCの電源などがそうですね。－12V、－5V、GND、＋3.3V、＋5V、＋12Vなどと書かれているはずです。GNDが基準の電位、つまり0Vです。＋5Vとか－12Vなどの各電圧値はこのGNDからの相対値となります。逆に言えば、基準（GND）をどこにするかで別の表記も可能です。

本書の回路はすべて5V電源のみで動作します。で、プラス側を基準（GND）とするか、または
マイナス側をGNDとするかという問題がありますが、74シリーズを使用する場合、多くの技術
者が漫然とマイナス側をGNDとしているので我々も漫然とそれに倣います（笑）。ま、とりあえ
ずあまり深く考えなくてもよいと思います。つまり、こうなります。

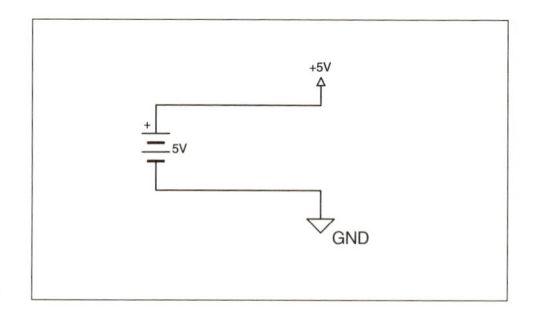

マイナス側をGNDとする

ここで今さらGNDの記号の話。よく使用され
ているのが図のようなものです。

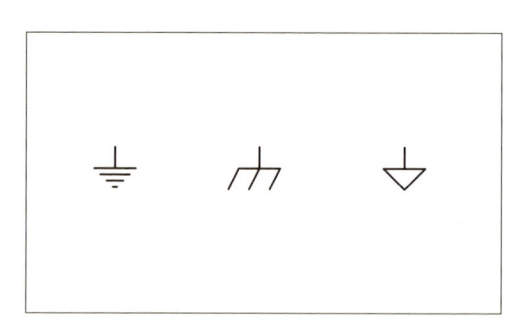

GNDの記号

このあたりの記号の使い分けは決まっているような、いないような感じです。デファクトスタン
ダードもあるような、ないような状況。実際、半導体メーカー各社のデータシートを見てもバラ
バラだったりします。本書では独断と偏見で3番目の記号を使用しますが、とりあえずどれも同じ
意味と思ってかまいません。もちろん明確に使い分ける場合もありますが、本書のレベルであれば
気にしなくて大丈夫です。相変わらずいいか
げんですが、一般的なPCもグランドはけっこ
ういいかげんです（注：グランドの話しを始
めると、それだけで〆十ページくらい必要に
なります。ネタとしては面白いんですけど）。

さて74HCの電源なんですが、データシート
ではVccとGNDという表記になっています。

VccとGNDピンが電源（株式会社東芝セミコン
ダクター社のデータシートより抜粋）

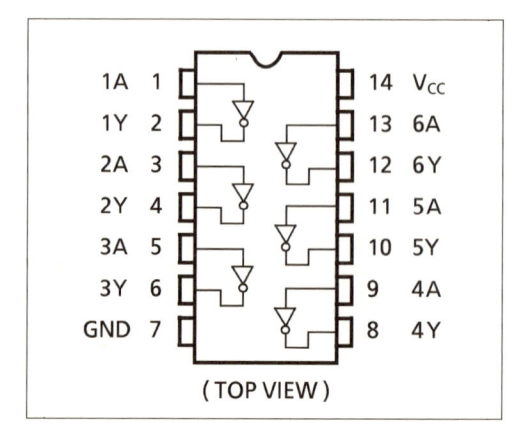

GNDはOKですね。よくわからないのがVccという表記なんですが、深く考えずに、ここには＋5Vを接続してください。Vccが何の略かというと…えーと、「そーいうもの」みたいな理解でもかまわないと思います。とりあえずプラス側に限らずICの電源端子はVxxと表記されることが多いということと、必ずしもVcc＝＋5Vというわけではないということは覚えていたほうがよいでしょう。実際、74HCシリーズも電源電圧が2〜6Vの範囲で使用可能ですからVcc＝＋2Vという場合もあるわけです。ややこしいですね。ま、本書の回路に限って言えばVcc＝＋5Vですから難しく考えることはないんですけどね。

さてこれでICに電源が供給されるわけですが、ちょっと問題が起きます。74HCシリーズの"HC"というのはHigh-speed CMOSという意味で、まぁ21世紀の今となってはあまり速いとは言えないのですが、それでも出力のスイッチング（H⇔Lの切り替え時間）はナノ秒オーダー、つまり10億分のン秒という速度を誇ります。30円のICだからといって甘く見てはいけないんです。

このスイッチングを行う瞬間にICは電力を必要とするのですが、さすがにここまで速いと電源（電源ユニット）が追いつきません。これは電源が悪いというよりは、おもに距離の問題です。PCの場合でもマザーボード上のチップと電源ユニットは数十センチは離れているわけで、これは我が家の石油ファンヒーターとサウジアラビアくらいの距離に匹敵します（あくまでイメージですが）。石油が切れてから注文してもサウジからの輸送に時間がかかるというか、その前に凍死ですね。そうならないために近所の石油屋のオヤジさんが在庫してくれているわけです。このとき重要なのは石油屋さんのレスポンスですね。オヤジ自体の応答速度も必要ですし、石油屋が近所にあることも重要です。石油屋の在庫量は「ほどほど」でかまいませんというか、サウジの石油埋蔵量と張り合う必要は全然ありません（笑）。

そんなわけで、ICのなるべく近所に応答速度のよい石油屋のオヤジというかコンデンサを配置します。容量（在庫）はさほど大きくなくても大丈夫ですので、通常は0.1μF程度の積層セラミックコンデンサを使用します（ICメーカーではおおむね0.01〜0.1μFを推奨しているようです）。コレをIC1個につき1つずつ、なるべく最短距離で配置してください（図中ではμをuと表記しています）。

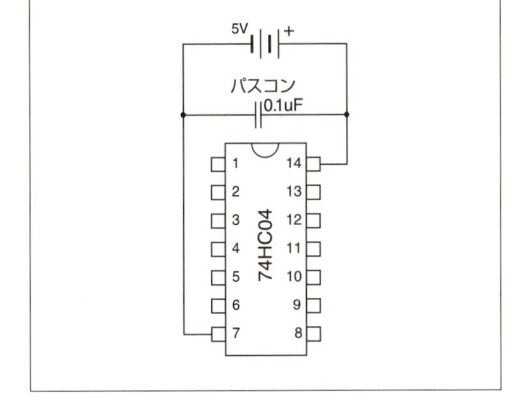

パスコン

このような目的で配置されたコンデンサは「パスコン」と呼ばれており（注：パスコンという名前の製品があるわけではないです、念のため）、PCの中のCPUとかメモリーモジュールでも数多く目にします。

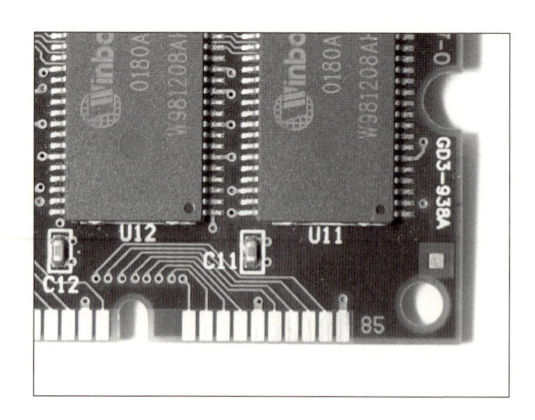

DIMMのパスコン（各ICの左下）

ね、見たことありますよね（注：蛇足ですが、メモリーモジュールには同じような形状の抵抗も載っていますので、モジュール上のチップ部品が全部パスコンというわけではありません）。というわけで、メモリーモジュール上のアレは「何だかよくわからない部品」じゃなくなったわけです。ちなみにパスコンは多少ケチった（省略した）程度ならば回路は一見動作してしまうのですが、もちろんケチった分だけ動作は確実に不安定になります。安価なメモリーモジュールの中にはバレない程度にパスコンをケチっているモノもあるようで、しかも「とりあえずは動作してしまう（たまにコケる）」わけですから逆に厄介だったりします。なお、DIMMの写真で使用されているのはチップ状の部品ですが、普通に我々が工作する場合には使いやすいリードタイプを使用します。

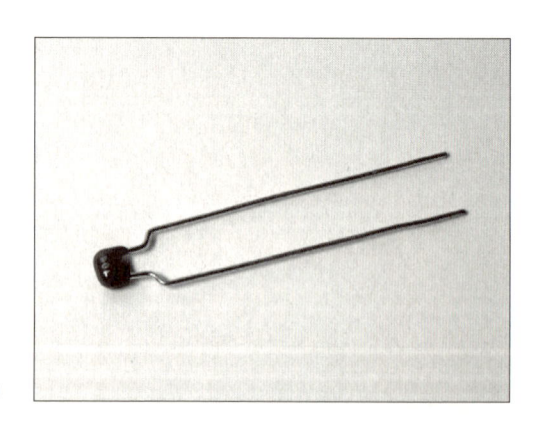

積層セラミックコンデンサ（リードタイプ）

あとパスコンとしてさらに基板上に1つ、100μF程度のコンデンサを配置します。これは国内の石油備蓄基地のようなものです。ほどほどの距離にほどほどの容量でほどほどの応答速度のコンデンサ、ということになります。本書の回路であれば安価なアルミ電解コンデンサで十分です。

電源電圧5Vで使用しますから5V＋αの耐圧のものであればOKで、入手しやすい10Vまたは16V耐圧品を使用すればよいと思います。なお、電解コンデンサには極性があるので注意してください。これを間違うと破裂したりするので、けっこう危険です。といっても「マイナス側」を示す派手なマークが付いてますから、注意さえしていれば間違えることはないでしょう。

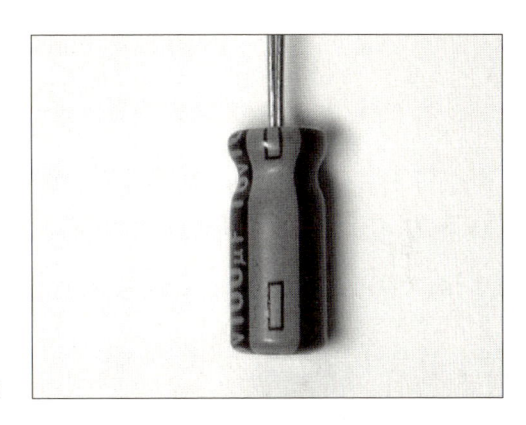

電解コンデンサの極性表示

ちなみに速度・距離・容量の違いで何種類かのモノに階層的に役割分担させるという手法は、皆さんお馴染みのキャッシュメモリーに似ています。

まとめとか

さて、ここまでの説明をまとめてみましょう。

・使わない入力ピンはHかLに固定する。
・ICの近くに0.1μF程度の積層セラミックコンデンサを配置する。
・基板に1つ、100μF程度の電解コンデンサを配置する。

したがって、先の回路は次図のようになります。

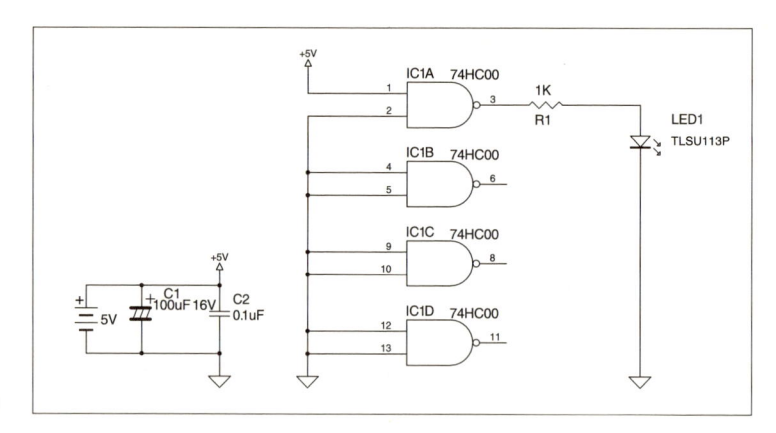

回路図

本書ではこんな感じの表記をします。抵抗・コンデンサ・ICなどの部品には部品名の他に部品番号を割り振ります。そうしないと同じ部品を多数使う場合に混乱しちゃいます。ちょっと変なのがICの部品番号です。1パッケージにゲートがいくつも入っているような場合には、例えば上の例のように74HC00（4つ入り）であればそれぞれにA〜Dを割り振っています。ただし、動作の理屈を説明するための回路図では部品番号などの表記はありません。また、ICへの電源の配線の表記は省略しています。参考までに、＋5VとGNDの実際の結線をわかりやすく書き加えたのが次の図です。

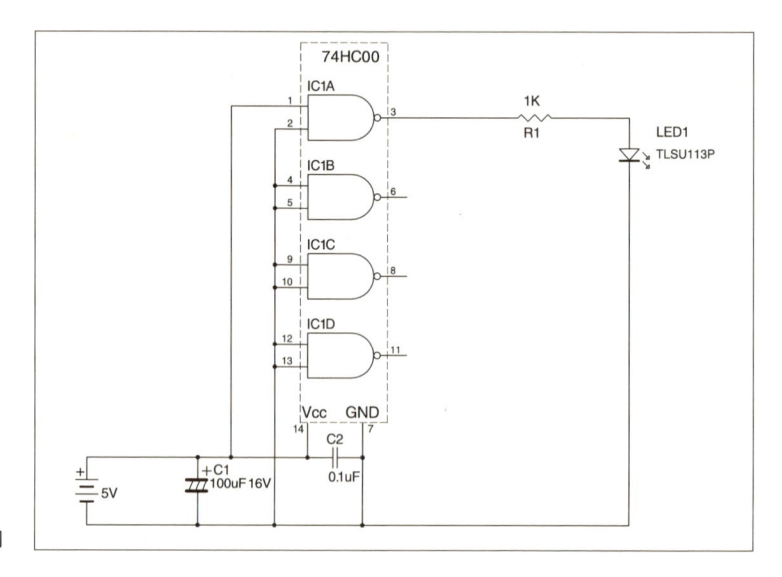

結線図

実際の配線時には電源も繋げなければならないので、このように結線することになります。また、先の説明の通り0.1μFはICの近くに配置しなければなりません。

なお、電解コンデンサの記号（この図では100μF）は普通のコンデンサとは異なり電極間に斜線が入っていたり極性の表記（＋のマーク）が付いていたりします。これは先ほどもお話しした通り極性を間違えると大変なことになる「クセあり」な部品なので区別してある、とでも思ってください。

電源の配線

次は配線の注意事項です。ここでも重要なのは電源です。ちょっと語弊がありますが電源以外、つまりデジタル信号は「繋がってさえいれば動く」（注：本書の回路の場合です。一般的には信号の配線も重要です）ので、とにかく＋5VもGNDも電源だけはしっかり配線する必要があります。

で、「しっかり配線」の意味を説明します。まずは充分に太いワイヤーを使用するということです。導体断面積は0.3平方ミリメートル程度を確保してください。…えーと、実は0.3平方ミリメートルというのはけっこう細いです。つまりは極端に細いワイヤーは使わないでね、ということです。ここでは断面積で言いましたが、実際に販売されているケーブルには太さの表記方法がいくつかありますから注意してください。

詳　細

汎用ロジックICとは全然関係ない話ですが、せっかくなのでケーブルの太さの表記法について。ケーブルの太さの表記法は導体断面積によるものと導体直径によるもの、そしてAWGナンバーによるものの3種類が主流だと思います。導体断面積というのは文字通りの意味で銅線部分の断面積です、外径ではありません。導体断面積の表記の場合、単位は平方ミリメートルです。例えば0.3平方ミリメートルならば「0.3（sq）」とか「0.3スケ」などと呼ばれます。スクエア（平方）の略ですね。導体直径で表記されている場合については説明不用ですね、適当に自力で換算してください。

一方、AWGは「American Wire Gauge」の略なのですが、例えばAWGナンバーがnの場合、おおよそ次のような関係です（注：私が勝手にでっち上げた換算式なのでオフィシャルなものではありません）。

導体断面積$\simeq 50.6 \times 10^{(-n/10)}$ 平方ミリメートル

例えばAWG22だと導体断面積は約0.32平方ミリメートルですから0.3（sq）相当、ということになります。なんでこんなにややこしいコトになっているかというと、AWGが導体「直径」の「対数」表記で「インチ」単位だからだったりします。

また、製品によっては複数の表記法で併記されている場合もあります。

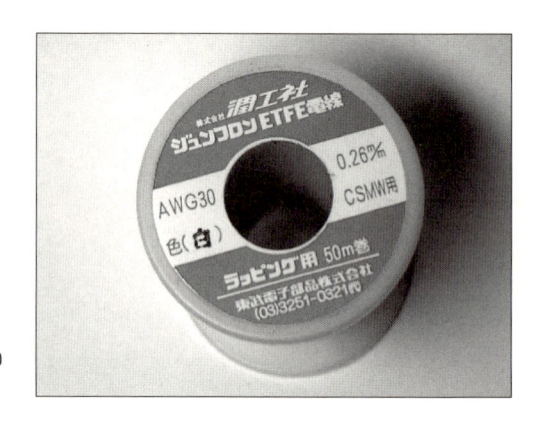

導体直径とAWGが併記されている例。AWG30で直径は0.26mmとなっている

この場合にはもちろん、都合のいい表記のほうを読めばよいです。

もう1つ重要なのは、電源の配線を網目のように行うことです。VccもGNDも。ちなみに私は電源パターン付きのユニバーサル基板を使用しています。今回のCPUのようにICを多く使用するような場合には便利です。

ユニバーサル基板の例

ただ写真の通り電源パターンが「くし型」なので（片面基板なので仕方がない）、「くし」の先端同士が繋がるように配線を追加しています。

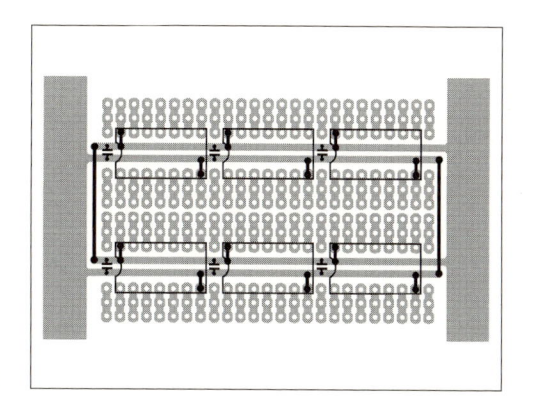

電源パターンを強化してパスコンとICを実装

ここまでに挙げた項目が守られていて誤配線さえなければ、まず問題なく動作するはずです。

CPU NO TUKURIKATA

CHAPTER 4

■リセットとクロック回路

　メモリーもI／OもCPUの支配下にあるわけなので、コンピューターの大ボスはやっぱりCPUということになると思いますが、そのCPUにとっても逆らえない相手がリセットとクロックです。リセットによりCPUはスタートし、クロックに合わせて1つずつ処理を実行します。また、リセットとクロックは（原則として）誰からも干渉を受けません。ですからホントは一番エライわけなんですが、その割にはリセットもクロックもCPUの仕事の内容には口を出しません。妙な連中です。これに比較的近い例が神様だと思います。神様は我々に何の口出しもしません。朝は納豆にしなさいとかOSはこまめにアップデートしろなどとは言いません。どう生きるかは我々の自由です。神様の仕業は2つだけ。我々がこの世に生まれてきたことと、一日一日が過ぎていくことです。

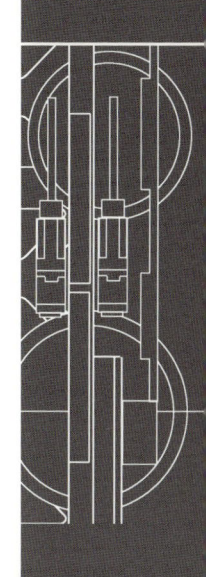

Chapter 4
1. リセットとスイッチ

PCを含めて世の中のほとんどのコンピューターには（間接的なものも含めると）リセットスイッチが付いています。もちろんリセットスイッチがCPUのリセット入力に直結しているだけというわけでもないのですが、かといって複雑な回路が使用されているわけでもありません、たいていの場合は。

ここはアナログな話ですが

とりあえず全回路図はこんな感じ。ただし、ここではいくつかの部品を省略しています。

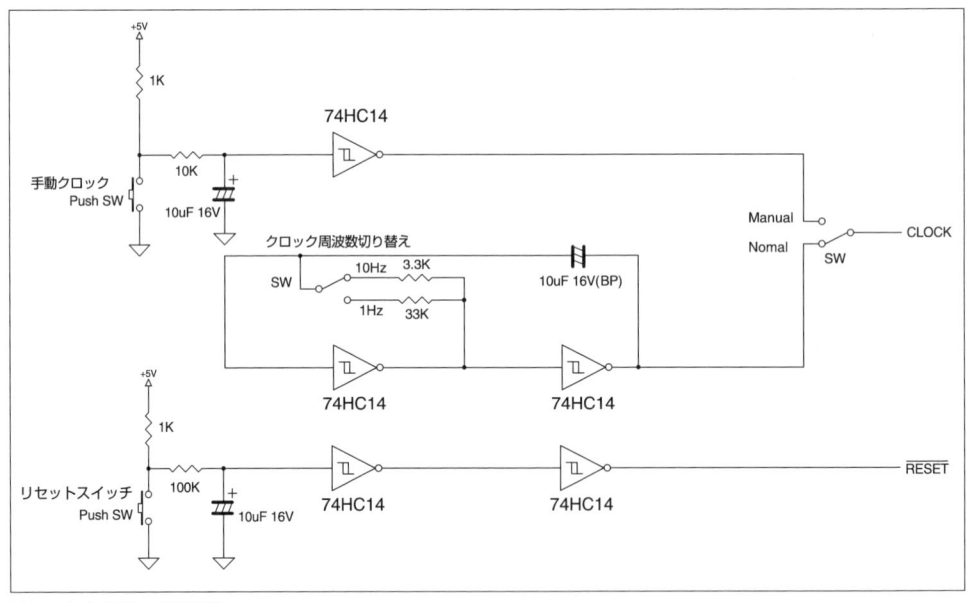

リセットとクロックの回路

回路「図」自体としては簡単なんですが、「動作」はアナログ的なのでけっこう説明が大変です。使用するICは1つだけ。初登場の「74HC14・シュミットトリガ・インバーター」です。一見74HC04（普通のインバーター）と同じですが、よく見るとヘンなマークが付いてたりしますね。とりあえず今は気にしないでください。

で、この章はアナログ回路の説明がメインです。もしあなたが「CPUのロジックにしか興味はな

い」というのであれば無理に読まなくてもよいと思います。だいたい人間というのは、そんなに一度にイロイロ覚えられませんし。ですから動作の理屈はともかく回路図の通りに作ってみて、それで動作してしまえばそれでもよいと思います。後から興味が湧いたら読めばよいのです（もっとも、うまく動作しなかった場合にはイヤでも読まなければならないんですけどね。ふふふ）。あ、でもプルアップのトコだけは読んでおいてください。あんまりアナログじゃないので。

まず最初は手動クロック回路です。普通のクロックはH→L→H→L→H→L→…をンGHzとかで繰り返しているわけで、CPUはコレに合わせて動作しますが、これでは速すぎてテスターでは追えませんね。ですからCPUの動作を確認するときにはクロックを遅くできれば便利ですし、1クロックだけ手で進めるみたいな芸当ができるともっと便利です。そんなわけで、普通のクロック信号の代わりにスイッチでHとLを出せるようにします。クロックの代わりですからHとLを出力できればよいだけなので簡単です。

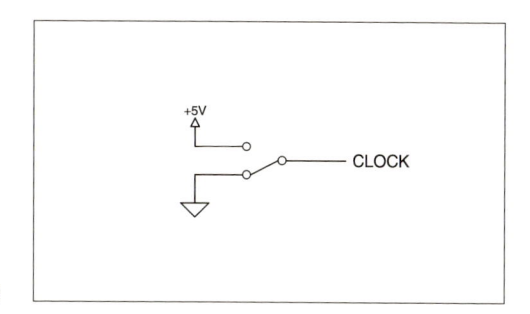

手動でHとLを出力する回路

一見、何の問題もないようですが、残念ながらこの回路ではうまく動作しませんというのが電子回路の深いところです。といっても水深10センチくらいですけど、この例は。

プルアップ

一般的なトグルスイッチの機械的な構造を簡単に描くとこんな感じです。

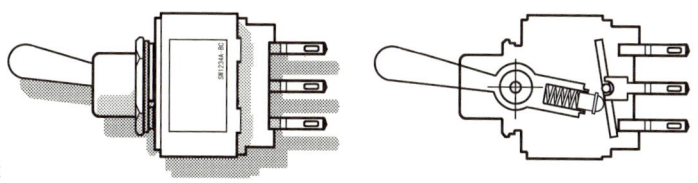

一般的なトグルスイッチの構造

ですからレバーを倒した方向と逆の端子がONになります。ちょっとややこしいかもしれませんが、構造を知っていれば間違うことはないでしょう。

トグルスイッチの接点はシーソーのようになっていますから、スイッチを切り替えるときに一瞬だけCLOCK信号はGNDにも5Vにも繋がっていない状態（オープン）になります。

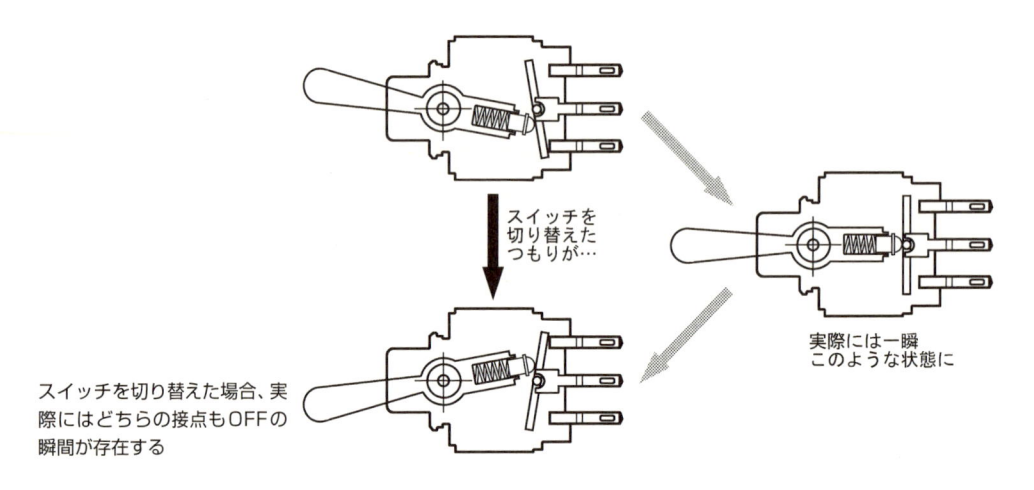

スイッチを切り替えたつもりが…

実際には一瞬このような状態に

スイッチを切り替えた場合、実際にはどちらの接点もOFFの瞬間が存在する

どこにも繋がっていない状態がマズイということはすでに説明した通りです。電圧が不定なので手垢とかノイズの影響などでHになったりLになったりすることがあります。信号機で言えば赤だか青だかわからない期間が存在することになるので、これを防ぐためにCLOCK信号を抵抗で＋5V（Vcc）に繋いでおきます。

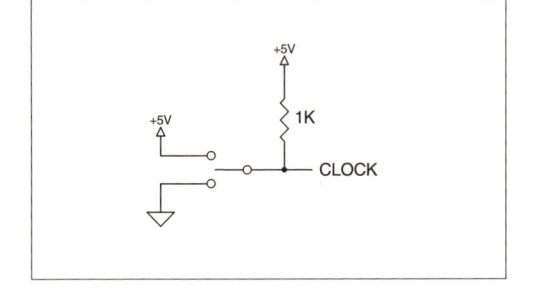

スイッチがオープンでも5Vが出力される

こうすればスイッチの切り替え途中で接点がオープンになっても電圧はフラフラしないで＋5Vに固定されます。これを「プルアップ」と言います。この場合はオープンになることを防止するだけの抵抗ですから、あまり大きな電流を流す必要はありません。「＋5Vに繋がっていることをアピールできれば充分」なわけです。で、アピールする際のライバルは誰かというと手垢とかノイズといった「いるんだかいないんだかわかんないような希有な存在」となるわけです。この程度の連中を相手に100Aの大電流で挑むのはドラネコ相手に戦略核ミサイルを使うようなものですから（もちろんドラネコを確実に撃退できると思いますが）適切ではありません。かといって手垢並みの抵抗値では無意味になってしまうので、普通はおおよそ1K～100KΩがよく使用されます。

詳　細

この回路のような用途に限らず、プラス電源側へ引っ張り上げる回路全般をプルアップと呼び、その際に使用される抵抗をプルアップ抵抗と呼びます（蛇足ですが「プルアップ抵抗」という製品があるわけではなくて、あくまで役回りの名称ね）。抵抗１本の簡単な回路なのですが、一応アナログなのでプルアップはけっこう奥が深いです。奥が深いのでここではかなり簡単な説明しかしていません。ちなみに信号がふらふらしなければよいわけですから、何も＋5Vへつり上げずにGNDへつり下げ（？）てもかまいません。これはプルダウンと呼ばれます。

しかし、これはよく考えるとムダがあります。この回路には次の３つの状態があるわけです。

①スイッチが＋5V側へONしているとき 　……………　CLOCK信号はH
②スイッチが切り替え途中でオープンのとき　…………　CLOCK信号はH（プルアップによる）
③スイッチがGND側へONしているとき 　……………　CLOCK信号はL

①と②はどちらも「Hを出力」ですから、この場合は①を省略することが可能です。

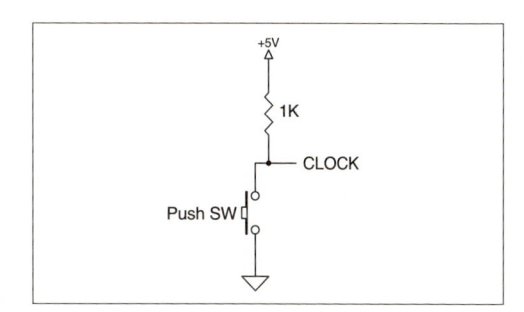

ムダを省いた

これでOKです。スイッチがONなら出力は0V、OFFなら5Vです。スイッチへの配線も2本で済みます。この「スイッチとプルアップ」の組み合わせは非常によく使われる回路です。覚えておきましょう。PCのリセットスイッチも配線が2本なのはご存じだと思いますが、たいがいコレと同じ回路です。

これでスイッチを切り替えるときに信号がフラフラすることはなくなりました。…が、これだけではうまく動作してくれないのです、ありがちな展開で申し訳ないのですが。

チャタリングの問題

当たり前ですが、スイッチというのは内部の接点同士が接触してONになるわけです。で、この接触する瞬間というのは大げさに言えば「接点同士の激突」なので 実際には激しくバウンドします。バウンドが収まるまでは接点はONとOFFを繰り返します。スイッチにもよりますが、バウンドが収まるまでには1〜10mSec程度の時間がかかることが多いようです。

ミリ秒というのは人間にとっては無視できるくらいの短い時間ですが、ンMHzとかンGHzで動作している電気回路にとっては気が遠くなるほどの長〜い時間です。例えばスイッチON時に接点同士の大激突でバウンドが3回起きた場合には接点がONとOFFを3回繰り返すわけですから、結果LとHが繰り返し3回出力されます。この場合、CPUとか電子回路は「スイッチが3回押された」と誤解してしまうわけです。人間はクロックを1つだけ出そうと思ってスイッチを1回押しただけなのに、CPUは3つのクロックがきたと誤解してしまうわけですから大問題です。この誤解の元となるバウンドを「チャタリング」と言います。接点が存在するスイッチ（つまり世の中のほとんどのスイッチ）ならば、必ずチャタリングが発生すると考えてもよいです。

そんなわけでスイッチというのは意外と厄介だったりします。身近なところではPCのキーボードのスイッチ、ここでもチャタリングは発生しています。つまり人間が「A」のキーを一度だけ押したつもりでも、実際には「A」のキーのスイッチの接点がバウンドした回数だけ「A」が入力されてしまうわけです。つまり、こんなっっふうううにいなっっってしいいいまいまああああっっっっすう。もちろん対策がされているわけで、どのようなことをしているかと言えば、要するに回路側の応答速度を人間並みに落としているのです。

PCのキーボードでは多くの場合、この「応答速度を落とす処理」をキーボード内のCPUがソフトウェアで行っていますが、今回の我々の相手はクロック信号なのでソフトでの処理はできません。ですから回路（ハードウェア）的に処理します。

回路的な対策というとデジタルフィルタという手もあるのですが、ここではCとRのアナログフィルタを使用します。このほうが回路が簡単ですし、これで十分という理由もありますが、本当の理由は次項の「パワーオンリセット回路」への伏線だったりします。…などと、いろいろ都合があって大変なんですよ。

CRのフィルタ

ここで再びコンデンサが登場するのですが、中学校では習っていない部品ですね。これは充電とか放電ができたりするのでなんとなくバッテリーみたいな性質ですが（実際バッテリーとしても使えるのですが）、どちらかというと「バケツ」と言ったほうがイメージ的に近いです。なんかまた面倒くさいモノが出てきたなー、などと思われるかもですが、実際のところコンデンサは本書で一番ムズカシイ部品だと思います。ロジックICよりもムズカシイと思います…とはいってもしょせんバケツなんですが。ちなみに回路図上などでは抵抗をRと書いたりしますが、コンデンサの場合はCと書かれます（余談ですが、Cはコンデンサのcではなくてキャパシタのcです）。

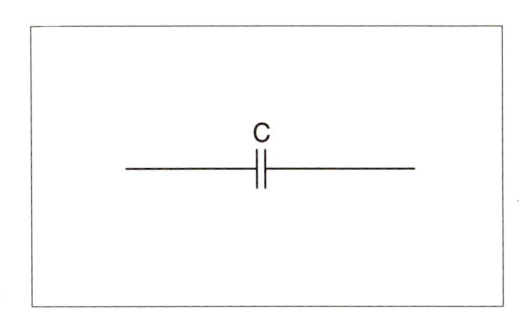

コンデンサの記号

さて、あなたはバケツの性質を真剣に考えたことはありますか？　…ま、普通は考えないですけどね。逆に「バケツのことが気になって仕方ないんだ」とか真面目な顔で話す人がいたらちょっとコワイので、とりあえずそこまで思い詰めずにバケツの性質を考えます。まずはバケツの特徴。

①バケツに水を入れると水位が上昇して水圧も上昇します。
②バケツに流れ込む水量が2倍なら半分の時間で満タンになります。
③逆に容量（底面積）が2倍のバケツならば満タンまでに倍の時間がかかります。

えーと、これらを見て「驚愕の新事実！」と感じた人はいませんよね？　ごく当たり前のことだと思いますが、だいたいこんな感じなんです。バケツとコンデンサ。

さて、C（コンデンサ）とR（抵抗）を使った回路の例です。

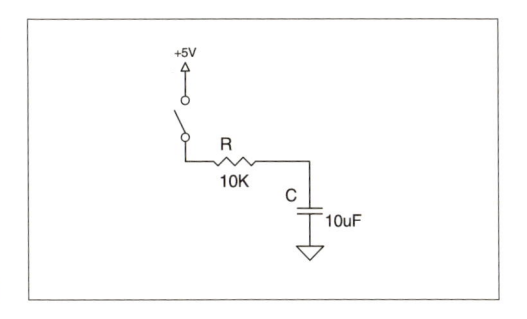

5Vから10KΩで10μFへ充電

初めの状態はCがカラッポだとします。ここでスイッチをONにするとCの電圧はどうなるか？という話です。スイッチONで5Vから10KΩを通った電流がCへ流れ込みます…と言っても慣れないとイメージが湧かないと思いますので、常套手段ですがコレを水とバケツで置き換えます。

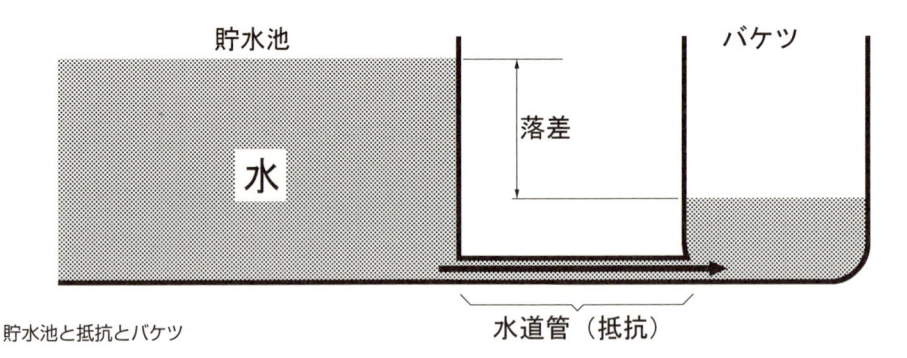

貯水池と抵抗とバケツ

これがどうなるかというと、当たり前ですが貯水池からバケツに水が流れ込みます。で、バケツの水位が上がっていくわけですが、永遠に上がるわけではなくて貯水池と同じ水位になると水の流れ込みは止まります。ここまでOKですよね。小学生レベルの話です。ではもう少し詳しく見てみます。

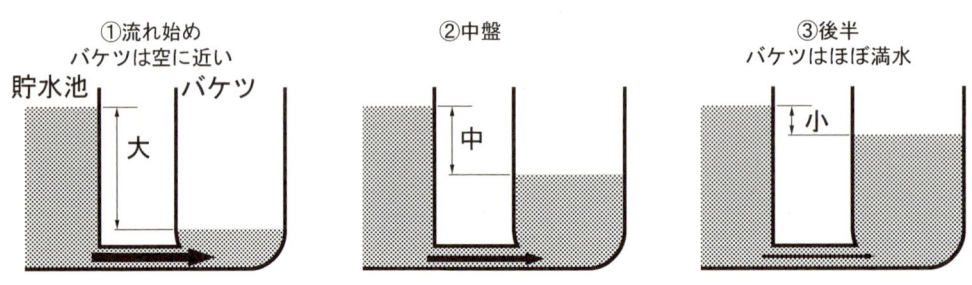

バケツに水が貯まるまで

① 水が流れ始めた直後、水は勢いよく流れ込みます。なんといっても貯水池とバケツの水位の差（落差）が大きいですから。流量が大きければバケツの水位の上昇ペースも速いです。どんどん上昇します。
② しかしバケツに半分まで水が貯まると落差は半分になります。抵抗は一定ですから流量は半分になります。バケツの水位の上昇ペースも半分に落ちます。
③ さらにバケツの水位が上昇し流量が減り、バケツの水位上昇ペースはますます低下します。

これらをまとめると、次のようなグラフになります。

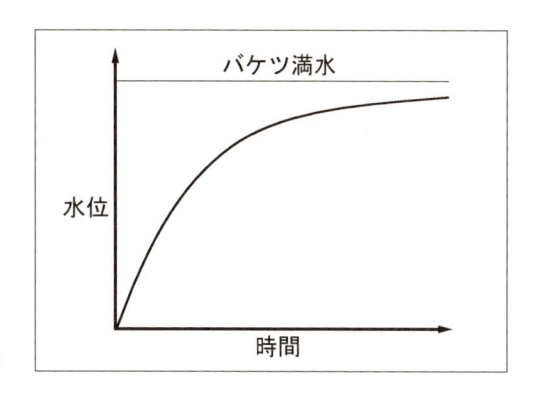

時間経過とバケツの水位（水圧）

イメージで描いていますからかなりいいかげんなグラフですが、だいたいこんな感じ。あとバケツの容量（底面積）が2倍の場合には水位の上昇ペースは半分になりますね。同じことですが、抵抗が2倍になれば流量は半分になりますから、やはり水位の上昇ペースは半分になります。義務教育の範囲（？）でわかるのはここまでですが、しかしそれでもかなりのところまでバケツの謎は解明されました。

で、次は「コンデンサの謎」編なのですが、皆さんが予想されている通り、バケツとまったく同じことです。バケツに貯水する代わりにコンデンサに充電するだけです。

①スイッチをONにして充電を始めるとコンデンサの電圧は上昇を始めますが、電圧が上がるに従い上昇ペースは落ちていきます。
②コンデンサの容量が2倍になれば電圧の上昇ペースは半分、つまり2倍の時間がかかります。
③抵抗値が2倍になれば電流は半分なので電圧の上昇ペースは半分、つまり2倍の時間がかかります。

②と③から、充電時間はコンデンサの容量値と抵抗の値に比例します。つまりこれらをかけ算すれば充電時間の目安になるわけです。この目安になる値を世間では「時定数」と呼びます。

時定数 [Sec] ＝ R（抵抗）[Ω] × C（容量）[F]

例えば10KΩと10μFですと、それぞれ10×10^3 [Ω] と 10×10^{-6} [F] ですから、次のように計算できます。

$$10 \times 10^3 \times 10 \times 10^{-6} = 100 \times 10^{-3} \text{ [Sec]}$$
$$= 100 \text{ [mSec]}$$

つまり時定数は100mSecとなります。この値はあくまで目安なので、100mSecで完全に充電されるわけではなくて「ほどほどに充電されたっぽい感じ」くらいです。繰り返しになりますが、コンデンサの容量が倍になれば充電時間（と放電時間）も倍になるのはノートPCのバッテリーと同じですし、抵抗が倍（＝充電電流が半分）になれば充電時間が倍になるのもバッテリーと同じですから、当たり前といえば当たり前のハナシでしかありません。とりあえず覚えておきましょう、時定数。単なるかけ算ですし。

さて、先ほどは「ほどほどに充電されたっぽい感じ」と言いましたが、実際の正確な充電のグラフはこうなります。

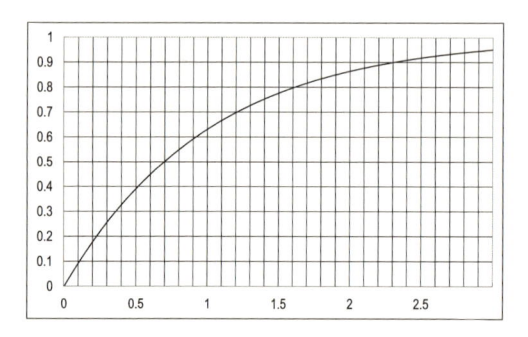

正確な充電のグラフ

縦軸は電源電圧を1としています。横軸は時間なのですが、単位は「時定数」です。つまり横軸の1とか2は時定数の1倍とか2倍の時間ということです。先の例では時定数＝100mSecでしたからそれぞれ100、200mSecに相当するので、例えばスイッチONから100mSec後だとグラフから0.63、これは電源電圧5Vの0.63倍ですから約3.2Vがコンデンサに充電された電圧ということになります。これが先ほどの「ほどほどに充電されたっぽい感じ」な電圧です。

コンデンサの説明はこんなところです。お疲れさまでした。今後は時定数と上のグラフで回路を考えていきます。

詳　細

前掲のグラフは「$1-e^{-t}$」という曲線ですので、関数電卓があれば正確な値を計算できます。で、普通の教科書ならこの偉そうな式がどこから出てきたのかという話になるわけです。

話は戻りますが、バケツに貯まった水の体積を時間で微分すると流れ込む水の量になるわけで、流れ込む水の量は水位差（＝バケツに貯まった水の体積から求まる）に比例しますから（つまり関係がループしてる）、これは微分方程式になります。が、微分方程式というのは最近では高校で

も習わない（らしい）ですので、当然本書でも説明はパスです。…いや、実は一応原稿を書いてはみたのですが―、まるで学生の答案のような無味乾燥なツマラナイ内容になってしまうわけです。ダメダメです。というか数学が苦手な私が書くことに無理があると思います。逆にこのへんの「ムズカシイ話」の優れた本はちまたにいくらでもあると思いますので、そちらを参照してください。

チャタリング防止

なんか前置きが長くて本来の目的を忘れてしまいそうですが、もともと我々はチャタリングの対策を考えていたのでした。チャタリングは電子回路の速度が速すぎるために起きた問題だったので、CRのフィルタで回路の応答を遅くして解決しようと企んでいたわけでした。

前出の回路図

この回路ではスイッチをONにしてもコンデンサの電圧はすぐには上がらず、ゆっくりと上昇していくことになるので、つまり応答を遅くできるわけです。しばらくは電圧は低い状態ですからLレベルとみなされます。で、グラフから時定数×0.7秒後に電源電圧の半分、つまり2.5Vまで充電されます。実際のHとLの境界線は2.5Vというわけではないのであくまでおおよその話なんですが、この回路は時定数×0.7秒だけ信号を遅延することになります。10KΩと10μFを使用した場合には時定数＝100mSecですから、次のようになります。

遅延時間≒0.7×100mSec＝70mSec

これは一般的なメカスイッチのチャタリングより充分に低速ですというか、チャタリングに追いつきません。というわけでチャタリングの問題はCRのフィルタで解決です。この逆の場合、つまり充電されているコンデンサを抵抗で放電する場合も考え方は同じです。

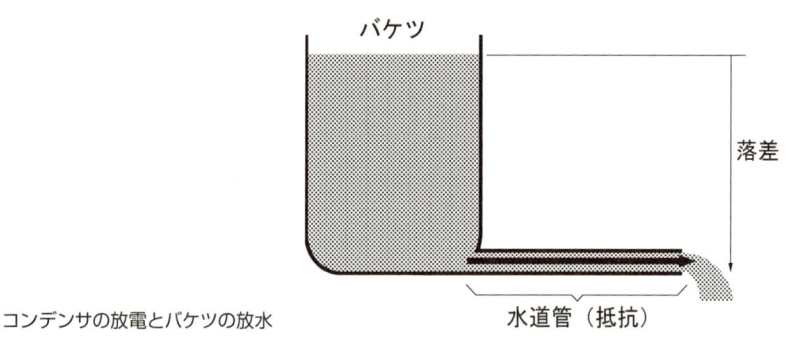

コンデンサの放電とバケツの放水

初めは電圧が高いので勢いよく放電しますが、コンデンサの電圧が下がるに従い抵抗を流れる電流も減るので電圧の下降ペースも低下していきます。ですから先のグラフと上下が逆になります。カタチは同じ。時定数も同じ。

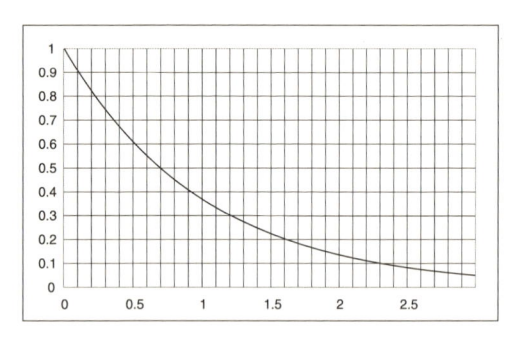

放電のグラフ

上下が逆なだけですから式は「e^{-t}」となります。ということで、CRフィルタによるチャタリング防止を行った回路です。

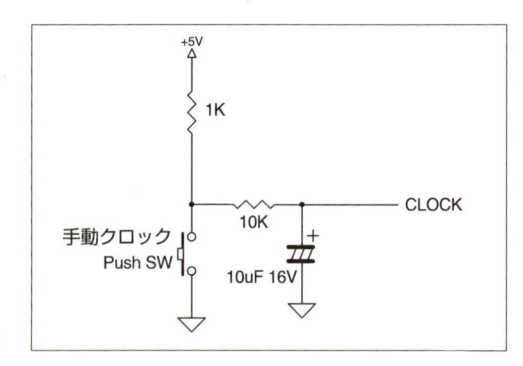

回路図

このままではわかりにくいかもしれませんから、スイッチOFFとONのそれぞれの場合の回路に分けて書いておきます。親切な本でしょ？

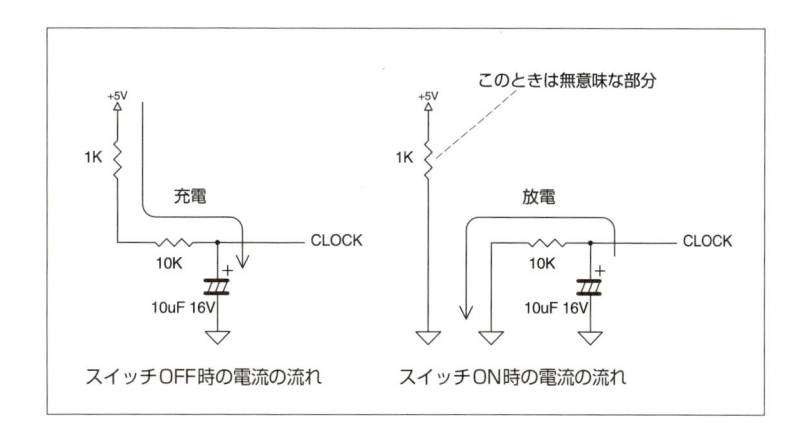

```
        +5V                            +5V     このときは無意味な部分
         △                              △
         │                              │
        ┌┴┐                            ┌┴┐
        │ │1K              充電        │ │1K           放電
        └┬┘          ┌──────           └┬┘       ┌──────
         ├──────┐    │                  ├──────┐ ↓       
                │    ↓                         │                 
               ┌┴┐ ──── CLOCK                 ┌┴┐ ──── CLOCK
               │ │10K  ┬+                    │ │10K  ┬+
               └┬┘ ━━━━                       └┬┘ ━━━━
                │  10uF 16V                   │  10uF 16V
                ▽                              ▽
       スイッチOFF時の電流の流れ           スイッチON時の電流の流れ
```

見てわかる通り、厳密には充電時は1Kと10Kの直列抵抗（＝11KΩ）で充電されるので時定数は若干長くなります。しかしここでは「応答速度を下げる」のが目的であって遅延時間が正確である必要はあまりないですから、これでまったく問題ありません。ちなみにここまでの話、それなりにややこしい部分もあったので理解に自信がない人はもう一度最初から読んでみるとよいかもしれません。

　　　これでチャタリングの問題は解決しました。が、しかし。

新たな敵…じゃなくて問題が発生してしまうわけです、お約束ですが。CRフィルタを付けたことによって信号の電圧変化がゆっくりになっているのですが、デジタルICは本来HとLのみを扱うように設計されているので、HとLの中間の電圧を与えるとマズイことが起きるのです。なんかもう、次から次にタイヘンですね。しかしこの問題を片づければ最後です。もう一息です。

シュミットトリガ

デジタルIC（ここでは74HCシリーズ）に0Vを入力すればLと認識されますし、5VならHと認識されます、当然ですが。中途半端な電圧、例えば3Vとか2Vとかでも強引にHとかLなどと判断します。というか、彼らにはHとLしかないから仕方ないんですが。どのように強引かというと、入力電圧が「ある電圧」より高ければH、低ければLと見なしているわけです。割と単純な奴ですね。この「ある電圧」を「しきい値」または「しきい値電圧」などと言います。英語だとThreshold Levelです。データシートなどではこちらの表記のほうが多いかもしれません。

要するにしきい値とはHとLの境界線なわけですが、入力電圧がちょうど境界線上、つまりしきい

い値電圧と同じだった場合に問題が起こります。信号機の「紫」ですね。ま、入力電圧としきい値電圧が完全に一致するなんてことは通常はあまりないのですが、先の例のように「電圧がゆっくり上昇する信号」の場合には必ずどこかでしきい値を横切りますから、その瞬間に問題が出るわけです（注：普通のまともなデジタル信号でもHとLが切り替わる瞬間にはしきい値を横切るわけですが、ホントに「瞬間」であればこのような問題はありません）。

で、その「問題」ですが、具体的には出力が不安定になるなどの症状が出ます。東芝のデータシートの表現を引用させていただくと「出力が発振ぎみになることがある」となります。つまりHとLがバタバタっと出たりするわけですね、たぶん。

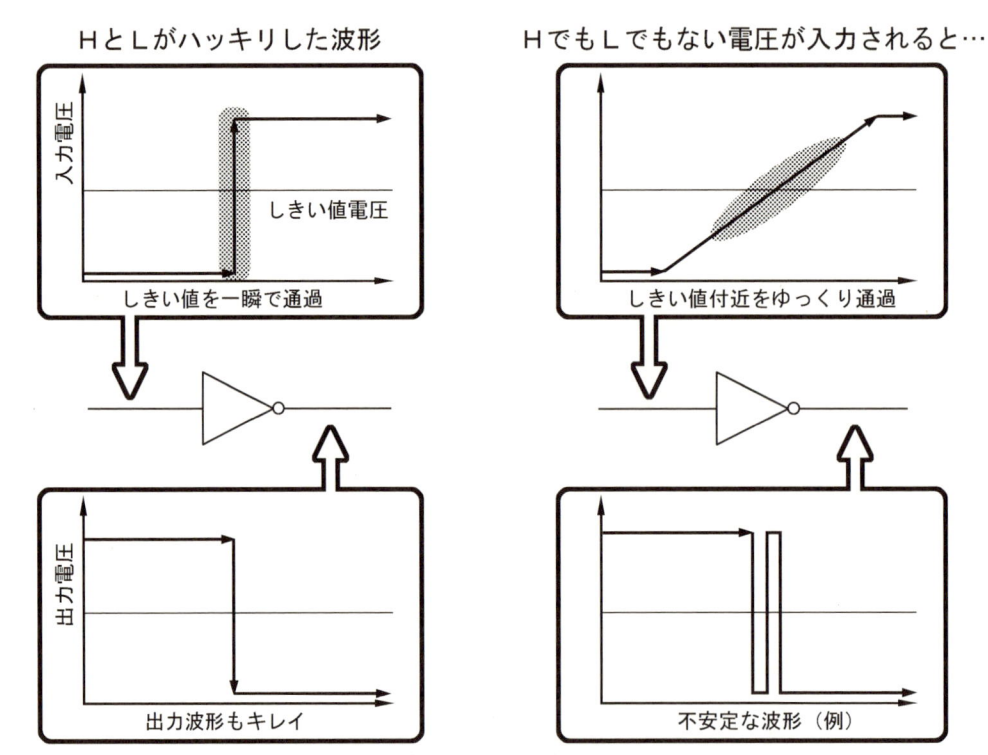

HとLがハッキリした波形

入力電圧／しきい値電圧／しきい値を一瞬で通過

HでもLでもない電圧が入力されると…

しきい値付近をゆっくり通過

出力電圧／出力波形もキレイ

不安定な波形（例）

しきい値付近で出力が不安定になる

せっかくスイッチのチャタリングを除去したのに、これじゃあ意味ありませんね。ちょっとがっかりですが、これは大事なことですから覚えておきましょう。

　　　立ち上がり（立ち下がり）の遅い信号をデジタルICに入力する場合には注意すること。

しかし安心してください。解決法は非常に簡単です。デジタルICの中にも中途半端な電圧を扱える例外さんがいたりするのです。それが今回使用している74HC14シュミットトリガ・インバーターです。

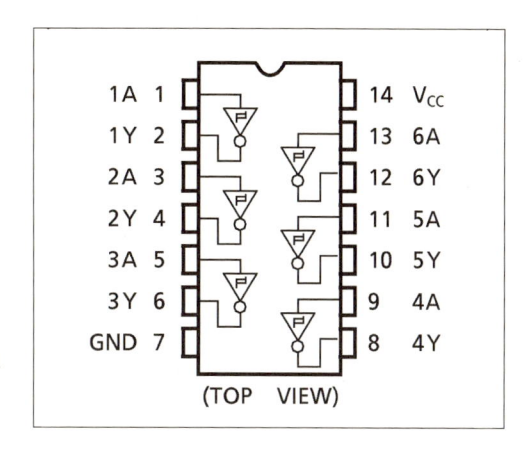

74HC14シュミットトリガ・インバーター（株式会社東芝セミコンダクター社のデータシートより抜粋）

一見ただのインバーターのようですね。ごく普通のインバーターである74HC04とピンの並びも同じですし実際にインバーターとしても使用できます。変な記号が付いていますが、これが「シュミットトリガ」タイプであることの印です。シュミットトリガは先にも書いた通り、ゆっくりした信号の中途半端な電圧を入力しても安定した出力が得られます。詳しい内部の仕組みは本書では省略しますが、このような信号を扱う場合にはシュミットトリガを使用する必要があることだけ覚えておいてください。

で、ゆっくりした信号は74HC14を通すことで「HとLがスパッと切り替わる」一人前のデジタル信号に整形されます。これでようやく手動クロック回路が完成です。

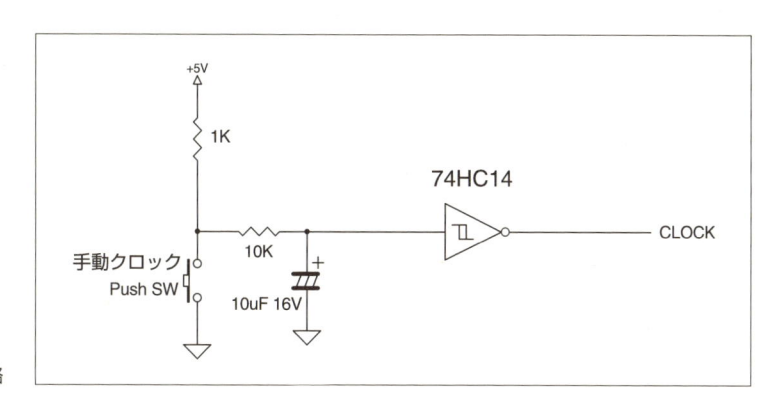

手動クロック回路

リセット回路

えー、お馴染みのリセットです。説明不要ですね。OSが飛んだときにお世話になるアレです。おそらく家庭用ゲーム機が普及した頃から世間的にもメジャーな存在になったわけで、今では一般の人でも「リセット」という言葉は知っていたりすると思います。誤解があるとすれば（PCに詳しい方ならご存じだとは思いますが）、コンピューターは電源投入時にもリセットする必要があるということです。

しかしPCは電源をONにした後にいちいちリセットスイッチを押さなくても勝手に起動します。これはリセット信号不要のCPUを使っているわけではなくて、電源ON時にリセット信号を自動的に発生させる機能（回路）がマザーボード側に載っているわけです。俗に「パワーオンリセット」と呼ばれていて、「電源を入れるだけで起動するコンピューター」には必ず付いていると思ってかまいません。マイコン洗濯機にもルーターにも付いています。ルーターはともかく洗濯機には負けたくないので（笑）、我々のCPUにもパワーオンリセットを付けます。

さて、これからリセット信号を作るわけなのですが、どんな信号を作ればいいのかまだ決まっていませんね。肝心のCPUが未だないというか設計すらしていない状態なので仕方ないのですが、とりあえず負論理、つまり「Lでリセットがかかる」という仕様にしてしまいます。Pentiumなどと同じですね。ですから、電源がONしたら一時的にLを出力する回路を用意すればよいわけです。

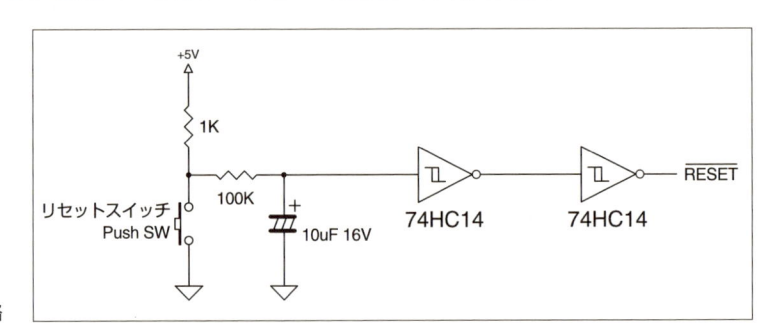

パワーオンリセット回路

なんか手動クロックと似たような回路ですね。まず最初に電源がOFFの場合、C（ここでは10μF）も空っぽです。空っぽですからCの電圧は0Vです。

電圧がONになるとRを通して電流がCに流れ込みますが、これは空っぽのバケツに水が貯まっていくイメージを…って、さっきの話とまったく同じですね。同じですから、おおよそ時定数×0.7秒だけ遅れてリセットは解除されます。ここでの時定数は101KΩ×10μF≒1秒なので、おおよそ0.7秒のリセットパルスを発生するようになっています（注：実際にはシュミットトリ

ガーを使用している関係でもう少し長いです)。実際にはリセット信号は0.7秒もいらないというか、もっと短くてもよいのですが、動作が確認しやすいように人間の速度に合わせました。これならテスターでもリセットの様子がわかります。

また、Cを放電するスイッチを付けました。これも手動クロックと同じ回路ですね。スイッチONでCを強制的に放電しますから0V、つまりLレベルとなるのでリセット信号が出ます。要するに普通のリセットスイッチです。ただ、この回路だとスイッチをONにした場合のCの放電もゆっくりと行われるので、放電が完了するまでの間はリセットスイッチを押し続ける必要があります。あまり格好よくないのですが、放電の様子が（ゆっくりしているので）確認できるのでこのようなことになっています。

なお、2段目は論理反転しているだけなので単なるインバーターでもよいのですが、別にシュミットトリガでイケナイわけでもないので、余っている74HC14を使用しています。

詳　細

ちなみに「1秒近くもの間スイッチをONにしなければリセットしない」問題は下図のような回路に変更すれば簡単に解消します。

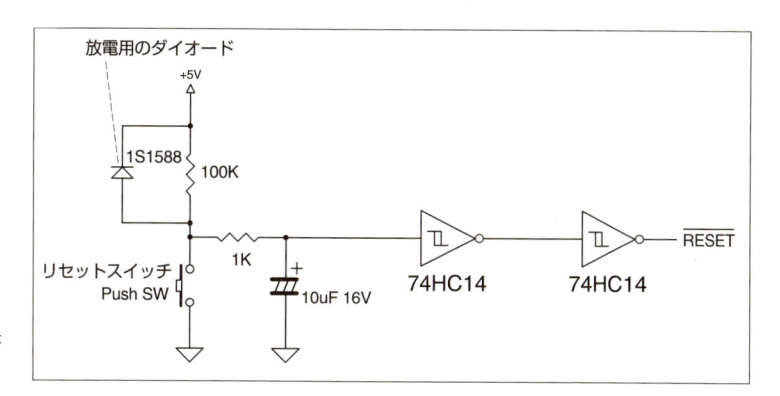

リセットスイッチの応答を改善した回路

といっても100Kと1Kの位置を交換しただけなんですけどね。Cの充電は101KΩ（100KΩ＋1KΩ）で行われる点は同じですが、放電は1KΩなのでかなり応答が早くなります。ですから「別に放電するとこなんて見たくねーよ」という方はこちらの回路のほうがよいと思います。

なお、本書の回路では電源を切った場合にC（回路図中の10μF）が放電し切るまでにやや時間が（数秒）かかります。Cの放電が完了していなければ、次に電源ONしたときにリセットが正

常に出力されません。ですから、いったん電源を切った後で再び電源をONにする場合には若干時間をおいてから、ということになります。

これを回避するには放電用のダイオードを追加すればよいので、追加場所を示しておきます。ただ、この回路自体はうまく動作するはずなのですが、今回のようなCMOSで構成された消費電力の小さな回路では電源を切ってから回路のあちこちのコンデンサの電力を使い切って実際に電源電圧（5V）がゼロになるのにも時間がかかりますので、あまりダイオードの御利益はありません。そんなわけで、本書では回路を単純にするためにダイオードを省略しています。

おまけ スイッチと電流と接点不良とPC

思いっきり地味な話題ですね、というのはともかく。本書でもスイッチをいくつか使用しています。お店にはさまざまな種類のスイッチがありますので、使い勝手に応じてトグルスイッチとかプッシュスイッチなどを使い分ければよいわけなのですが、このときに「スイッチに流せる電流値」に注意が必要です。…などと言うと大きな電流に耐えられるスイッチならば問題ないように思われるかもしれませんが、実際にはその逆だったりするのでわざわざオマケにするわけです。

スイッチというモノは、電流が少ない場合に接触不良（接点不良）を起こすことがあるのです、実は。もちろん電流が多すぎても火を噴きますけど、少なすぎてもダメなんです、単純にONとOFFじゃないわけです。特に大電流用の大きくて頑丈そうなスイッチほど小さな電流で接点不良が起きます。これは接点に使用されている合金の種類により得手不得手があるからで、要するに大は小を兼ねませんということです。ですから今回のような用途では「微少電流用」のスイッチを使用したほうがよいわけですが、これは店頭での確認は難しいかもしれないので、真面目に考える場合にはスイッチメーカーのデータシートを調べるしかないと思います。

共 通 仕 様			
電流容量 AC/DC共通	▶推奨範囲 0.4VA MAX. 28V MAX. （適用電圧範囲 20mV〜28V） （適用電流範囲 0.1mA〜0.1A） ▶最大 28V 0.1Aの場合　耐久性は 10,000回 ▶最小 20mV 0.1μAの開閉が可能です。 　（電流 0.1mA未満の場合、接触抵抗値の 　　規格値は適用を除外します）	耐 電 圧	AC 500V 1分間以上
		機械的開閉耐久性	100,000回以上
		電気的開閉耐久性	100,000回以上
		レバー倒れ角度(α)	28°±4°
		使用温度範囲	-25〜+55℃
接 触 抵 抗	80mΩ以下（20mV 10mAにて） （導電部抵抗を除く接点部は 50mΩ以下）	はんだ耐熱性	▶はんだごてをご使用の場合（基板取付けにて） 　温度 350℃以下　　3秒以内 ▶はんだ槽をご使用の場合 　温度 270℃以下　　5秒以内
絶 縁 抵 抗	DC500V 500MΩ以上		

● 0.1μAで使用可能なことが明記されている例（日本開閉器工業株式会社のGシリーズ／データ：日本開閉器工業株式会社）

- ただしLED同様、データシートで探したスイッチがお店で入手できるとは限らないので、なかなか難しい問題です。とりあえずモロに大電力用なスイッチは避けるようにしてください。

- ところで、PCの自作ではマザーボードにリセットスイッチを繋げることは知ってますよね？　で、マザーボードにも同じ悩みがあるというか、普通リセットスイッチはケースに付属してくるので、どんなリセットスイッチと出会うかはマザーボード（の設計者）にはわからないわけです。ひょっとしたら××製のヘタレなスイッチが繋がれるかもしれないわけですね。そんな心配が理由かどうかは断定できませんが、多くのマザーボードはリセットスイッチにやや多めの電流を流すようにしているみたいです。

- 一方、同じマザーボードでもジャンパーピンについては一般的にこのような配慮はされていない場合が多いようです。もともと引っ張り回す信号ではないので当然と言えば当然ですね。ですからジャンパー設定を簡単に切り替えられるようにとスイッチを繋げるような場合には、微妙な言い回しですが、細心の注意が必要です。最低限でも電力用のバカでかいスイッチは避けたほうがよいですが、たとえ微少電流用のスイッチを使用しても信号の性質上ダメなときもあります。ちなみにHDDのマスター／スレーブ設定のジャンパーピンも信号を引っ張り出してスイッチで切り替えたくなったりしますが、これも1mA程度しか流れていないことが多いようなので同様に注意が必要です。「たまにHDDが認識されない」という人のPCを見たら、HDDのジャンパーピンを引き出して「125V6A」などという豪快なスイッチで切り替えてた、ということもありました。

Chapter 4
2. クロックジェネレータ

PCでもお馴染みのクロックジェネレータです。普通は水晶発振子などを使ったりするのですが、ここでは超低速（笑）なクロックを簡単に作るためにコンデンサと抵抗による発振回路を使用しています。これも回路図自体はごくシンプルなのですが、アナログ的動作なので部品点数の割にはややこしいと感じるかもです。リセット回路の変形ですので前節が理解できていることが前提となります。

発振の原理

そういえば最初にクロック周波数を決めないといけませんね。とりあえずラーメンタイマーですからあまり高速に動作しても無意味ですので、ここでは1Hzとしました。激遅ですね。でも人間より速いと動作が追えないので、とりあえずこのようにしました。動作テストが完了したら、クロックアップ（笑）してもかまいません。どのくらいの高クロックに耐えられるのかという話は後ほどします。余談ですが、試作機には確認用と称してLEDがたくさん付いているのですが、クロックが遅いとLEDの点滅が目でわかるのでキレイで楽しいです、という立派な（?）理由もあるんですよ、1Hzには。

で、1Hzの発振回路。格好よく言えばクロックジェネレータです。

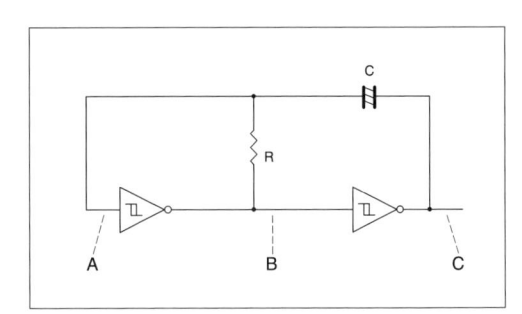

発振回路

このままだとちょっと動作がわかりづらいかもしれないですね。というか、どこから考えてよいのやらわかりませんね。A点の電圧を考えようとしても、抵抗とかコンデンサであちこちに繋がっていてややこしいです。Aの電圧がわからなければBもCもわかりませんね。困りました。逆にA点の電圧さえわかれば簡単です。論理反転ですからAの逆がBで、Bの逆がCとなるはずです。

というわけで、とりあえず仮にA点がLだった場合を考えてみます。Aの電圧がLならばB点はHとなりC点はLになりますから図のようになります。

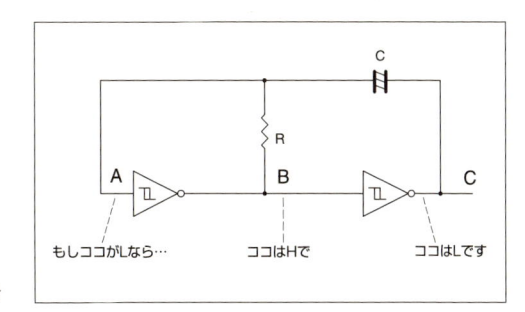

A点がLだった場合

当たり前ですがLは0VでHは5Vなので、つまりはこういうことです。

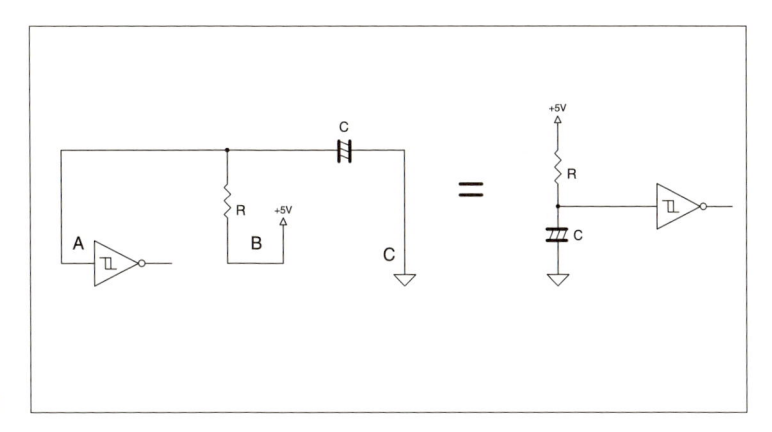

回路図

さらに見やすくしたのが上の右の図です。なんか見たことありますね、これ。ええ、リセット回路と同じです。抵抗を通して流れてくる水がコンデンサというバケツに…（以下略）です。

で、コンデンサの電圧が徐々に上昇して、やがてしきい値に達するとA点はHと認識されます、という動作もリセット回路と同じ。ちょっとインチキ臭いですが、わかりやすいようにここでも「しきい値＝2.5V」とします。つまりA点が2.5Vまで上昇するとHと認識されるということになります。もちろんこのとき、コンデンサには2.5Vが充電されています。

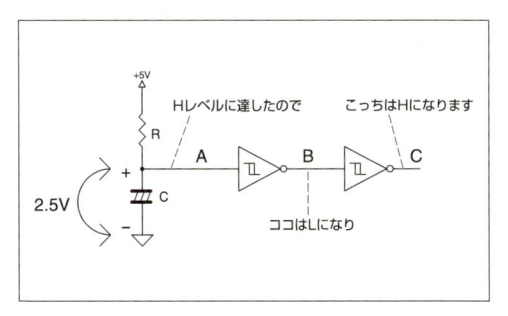

コンデンサに2.5Vが充電された瞬間

図の通り、A点がHレベルに達したということは、先ほどとは逆にB点はLに、C点はHに切り替わります。これを元の回路図で見るとこんな感じです。

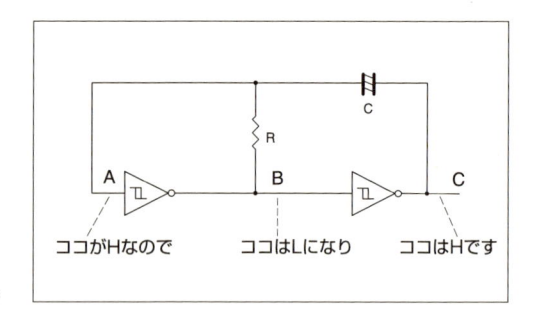

元の回路図で見る

同じように変形すると、次のようになります。

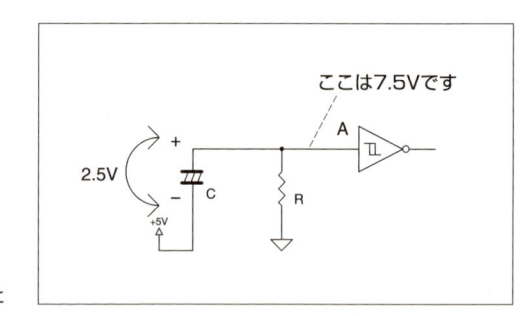

変形してみると

ここがミソというかカラクリの要所です。コンデンサにはすでに2.5Vが充電されているわけですが、この2.5Vが＋5V電源に上乗せされることになります。5Vの電源と2.5Vのコンデンサの直列繋ぎです。ですからA点の電圧は「5V＋2.5V＝7.5V」となります。水位25cmまで貯まったバケツを50cmの台の上に乗せたようなものですね。

先の図とは天地が逆ですね。逆ですから今度はコンデンサが放電することになります。どんどん放電してAの電圧が低下していき、やがてしきい値の2.5Vに達するわけですが、そうすると再びLと認識されて……つまり最初の状態に戻ります。元に戻ったので、またコンデンサへの充電が始まるわけです。コレを（電源が供給される限り）永遠に繰り返すというのが発振回路の原理です。なんとなく雰囲気はわかりましたか？　よくわからんという方は…とりあえず読み飛ばしてもよいと思います。興味の範囲内で楽しむのも大事です。

実際の発振波形

えーと、もうちょっと突っ込んだ話です。正直、趣味の入門書でここまで説明する必要は「？」だったりもするので、興味のある人と発振回路のトラブルでワラにもすがりたい人だけが読めばよいと思います。

さて、先のA点の電圧を実際にテスターで測ってみると－2.5Vから＋7.5Vの間で大きく振れています。7.5Vというと電源電圧よりも高いわけで純粋なロジック回路ではあり得ない話ですから不気味な感じもしますが、コレで正常です。理由は先ほど説明した通り、25cmの水位のバケツを50cmの台の上に置いたからですね。今度は話をここからスタートします。…①

7.5Vからの放電が始まりますから、つまり水位75cmからの放水と同じなのですが、ちょっと異なる点もあります。ここからはバケツではあり得ないコトが起きるわけです。ついにバケツ理論の破綻です。

バケツは水位がゼロ、つまり空になったらオシマイです。いくら落差があっても、カラのバケツからは水は一滴も流れません。が、コンデンサの場合には落差さえあればゼロを超えて放電することができるのです。放電した分の水位は確実に下がり続けますから、バケツの水位はゼロを超えてマイナス側へ突入していきます。かなりイメージしづらい「超バケツ理論」ってな感じですが、別に超負の超宇宙から超電子が超流入などというトンデモな話ではないので安心（？）してください。

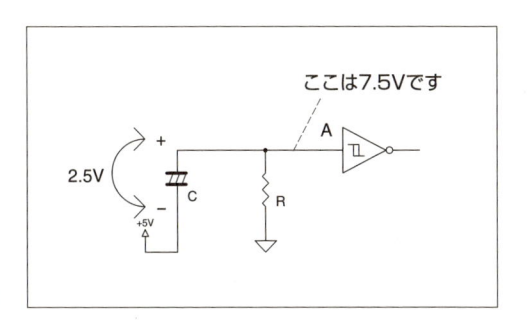

2.5Vから放電

つまりコンデンサの電圧は最初2.5Vから低下し続けて、やがて0Vになって、さらに－1V、－2Vに…と下がり続けます。もっとも、－2Vといっても＋5V電源に上乗せした電圧ですからGNDから見れば＋3Vです。ですから別に超魔術でもなんでもなくて、単に「高い所から低い所へ流れている」だけです。

このへん、ややこしいかもしれません。ややこしいかもしれませんが、そんな我々の想いにはおかまいなしにコンデンサは放電を続けA点の電圧は下がり続けます。そして、しきい値2.5V（コンデンサ自体の電圧は－2.5V）になったときに再び天地がひっくり返ります。…②

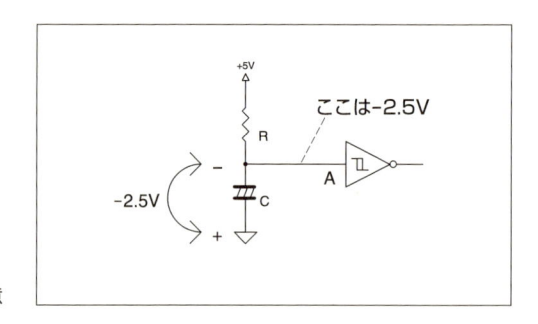

コンデンサの電圧の向きが逆になってる点に注意

ひっくり返って元通り…と先ほど説明しましたが、あれ、ウソです（笑）。コンデンサは－2.5Vに充電されていますから、ホントはA点は－2.5Vになるんです。水位が－25cm（？）のバケツを地面に置いたら当然バケツの水位は－25cmということです。ひっくり返った後は再び充電されますが、＋5Vから－2.5Vへ充電されるので、このときも落差は7.5Vです。A点が2.5Vになるまで充電が続くので、2.5Vに達した時点でまたまたひっくり返って元通り、というわけです。…③

①〜③までのA点の電圧の様子をグラフにすると、こんな感じです。

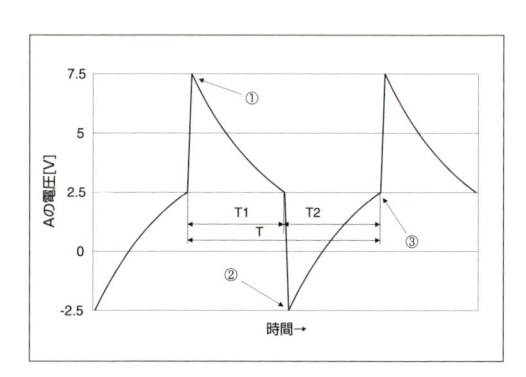

A点の電圧

なんかややこしさを象徴しているようなグラフです。曲線部分はリセット回路で出てきた充放電の曲線と同じものなのですが、「ひっくり返る」という動作があるので、その瞬間に電圧が5Vだけジャンプしています。

さて、ここでクロック周波数を計算してみます。グラフの通り、放電の波形と充電の波形は対称で「T1＝T2」です。つまり1Hzのクロックを得たい場合にはT＝1秒にすればよいので、T1＝0.5秒になるようなCとRの値を選べばよいことになります。

ここでT1というのは（GNDに対して）7.5Vに充電されたコンデンサが2.5Vまで放電する時間、つまり33.3％まで放電する時間ですから、前節の式から

$e^{-t} = 0.333$

という関係なので

$t = -\log_e 0.333 ≒ 1.1$

つまりCとRの時定数の1.1倍がT1ですから、発振周期Tは時定数の2.2倍ということになります。

$T ≒ 2.2CR$

ただし、今回の回路ではインバーターとして74HC14シュミットトリガーを使用しているため周期はこれよりも若干長くなり、

$T ≒ 3.0CR$

くらいです。ですからR＝33KΩ、C＝10μFだと発振周期はおおよそ1Hzとなります。とはいっても抵抗とコンデンサにも誤差がありますし、74HC14の特性のバラツキもけっこうなものですから、実際の発振周波数はピッタリ1Hzにはならないと思います。かなりアバウトだと思ってください。まぁ用途が用途なので多少の誤差は問題ないはずですが、どうしても気になる方は抵抗の値を微調整してください。なお、今回の回路はスイッチでR＝3.3KΩに切り替えることでクロックを10Hzにもできるようにしてあります。

詳　細

説明に出てこなかった抵抗が数個、実際の回路図には追加されています。74HC14の入力側の100KΩは保護抵抗で、発振動作時とか電源OFF時などに74HC14の入力端子を保護しています。また、クロック部の74HC14の出力側の100Ωはクロックのスイッチング速度を落とすための抵抗で、クロック信号の配線の引き回しによるトラブルの可能性を少しでも低減するのが目的です…が、あくまでオマジナイ程度というか、よほど長くてキタナイ配線でもなければ100Ωはなくても問題なく動作します。

なお発振回路にさりげなくシュミットトリガーを使用していますが、これは普通のインバーター（74HC04など）を使用してもほとんどの場合動作します。趣味の小物であれば無理にシュミットトリガーにこだわることもないと思います。

完全に余談ですが、1Hz程度の発振回路としては555というタイマー用ICが昔からよく利用され、現在でも工作記事で目にすることがあります。ただ、これは（デジタル回路のクロックとしてそのまま使用するには）出力波形の品質が適当ではないことがありますので、もし他の目的で使用することがあるかもしれない方は注意が必要です。

無極性電解コンデンサ

この発振回路には10μFのコンデンサを使用しています。通常このくらい大きな容量ですと電解コンデンサを使用するわけですが、回路の動作で説明した通りコンデンサはプラスにもマイナスにも充電されますので、普通の電解コンデンサ（有極性です）では問題があります。で、あまり気が進まないのですが無極性の電解コンデンサを使用しています。ノンポーラ（NP）とかバイポーラ（BP）などとも言われています。普通の電解コンデンサよりも若干入手しづらいかもしれませんが、困るほどではないはずです。

詳　細

今回の回路ではR＝33KΩ、C＝10μFという組み合わせにしていますが、1Hzが得られればよいわけですから時定数が同じになる組み合わせ、例えばR＝3.3MΩ、C＝0.1μFでもOKです。この場合には積層セラミックコンデンサ（無極性です）が使用できますし、実際に（なんとか）問題なく動作すると思います。ただしこの場合には3.3MΩで充放電を行うことになりますから、テスター（特にアナログの）で波形を見ることはできなくなります。例えば標準的な内部抵抗20KΩ／Vのテスターを10Vレンジで使用すると200KΩしかありません。つまり、テスター棒を当てたとたんに動作が変わってしまうわけです（デジタルテスターではこのような問題は起きづらいのですが、その代わり応答速度の問題があるのでやはり読めないです）。

CPU NO TUKURIKATA

CHAPTER 5

■ROMを作る

本来ならばコンピューター全体の大雑把な仕組みを説明してから各部の詳細な話、というのが優等生的な流れだと思います。ま、優等生は企業の重役になったりするわけなので考え方がトップダウン的なのかもしれません。ちなみに私自身は優等生でも何でもないというか、とにかくわかったトコからどんどん作ってしまうタチです。単にアタマがよくないだけかもしれませんが、とりあえず重役にはなれないのは間違いないですね。そんなわけで、ROMの話です。

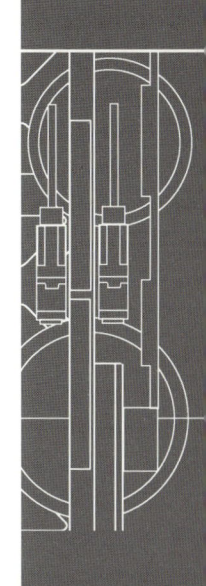

Chapter 5
1. ROMというのは

ROMとはプログラムを格納する場所です…って、非常に誤解を生みやすい表現です、これ。「いわゆるROM」には複雑な家庭の事情があるので簡単に説明しておきます。

ROMとはプログラムを格納する場所ですか？

ROM（Read Only Memory）というのはご存じですね。PCのBIOSがROMに格納されていますよね。もっとも最近のBIOSはフラッシュメモリーを使用しているのでリードオンリーという名前にもかかわらず書き込み（アップデートね）もできてしまうので、あまりROMと言う気がしないんですが、それでもアップデートという「特別なとき」以外は書き込まないワケなので、まあROMではあります（注：現在のフラッシュメモリーには書き換え回数に制約があるので、完全に自由な書き込みができるわけではないという意味ではROMと言えるかもです）。

で、なんでBIOSの格納にROMとういデバイスを使用しているかという話ですが、実はリードオンリーである必要は全然ないですというか、むしろ自由に書き換え（書き込み）ができるデバイスのほうが便利なわけです、BIOSアップデートの例のように（注：誤って書き替わらないような工夫は必要ですが）。つまりリードオンリーなメモリーは不便です。あまりイイことないのです。一方それとは別に「BIOSは不揮発性でなければならない」ということもご存じですよね。内容が消えてしまえばPCは起動できなくなります。ですからBIOSを格納するメモリーとしては「書き込みができる（＝リードオンリーではない）不揮発性なメモリー」がベストということになります。できればROMなんて使いたくないわけです。

しかし、かつて不揮発性のメモリーといえばROMしか存在しなかった暗黒時代があったんです。というか、つい最近までそうでした。リードオンリー（書き込みができない）なのは不便だけど不揮発性だから仕方なく使うという、つまり「リードオンリー」というのは特長ではなくて制約だったわけです。そんな歴史的背景により不揮発性メモリーをROMと呼ぶことが多いです。定義上はヘンなんだけど。

一方、洗濯機のマイコンのような組み込みシステムの場合はアプリケーションは固定です。洗濯機のマイコンに電子レンジのプログラムをロードできる必要はありません。また、洗濯機ではプ

プログラムをHDDからロードすることもできませんから、つまり「洗濯機プログラム」はあらかじめ不揮発性のメモリー上になくてはならないです。で、現在の地球人は不揮発性メモリーをROMと呼んでますから「プログラム＝ROM上」となるわけなのです（多くの組み込み用ワンチップマイコンでは「プログラム＝ROM上」を前提にチップが設計されています。逆に言えばプログラムは内蔵のROM上にしか格納できない構造のマイコンも多いです）。ですから、ワンチップマイコンとか小規模のシステムでは「ROMとはプログラムを格納する場所です」という説明になるんですが、誤解を生みやすい表現です。

さて本書のCPUですが、なるべく「標準的なコンピューター（というか標準的なワンチップマイコン）」として理解できるよう、「プログラムはROMに格納」することにします。もちろんリードオンリーである必要はないわけですが、不揮発性のメモリーのほうが便利です、電源ONで即プログラムが動作しますから。そんなわけで、実際に使用するデバイスを決めます。

使用するROM

PCのBIOSの場合ですと、ご存じフラッシュメモリーが使用されている例が多いと思います。昔から使われているUV-EPROM（紫外線消去型のROM）もかろうじて現役です。これらは今回のような小規模なCPU用としては十分過ぎるくらいの容量と速度を持っていますので基本的にはどちらでもまったく問題なく使用できますが、どちらのデバイスも購入時には内容がまっ白だったりするわけです。ですから、これらのデバイスを使用する場合にはROMライター（書き込み器）が必要になります。

もちろんライターを個人所有している人も世の中にはいるとは思いますが、自分でROMをガンガン焼いてるような超人なヒトはこんな入門書は読まないはずですから、「ROMライターなんて持っていません」というのを前提としなければならないと思います。まぁ、ROMライターというのは決して高価なものでもないのですが、気軽に買えるほど安くもありません。また「とりあえず書き込める」程度であればライターの自作もさほど難しくはありませんが、とはいっても初心者が間違いなく確実に製作できるモノでもありません。

困りましたね、これは。せっかくフラッシュメモリーのような安価で便利なデバイスが存在するのに書き込みができないです。そんなこんなで悩んだ結果、

ROMをDIPスイッチで自作することにしました。

たぶん、これが一番トラブルが少ないでしょう。例によって動作原理をできるだけ説明しますので、トラブルが起きても自己解決できるはずです。大丈夫です。そんなに難しい回路じゃないです。難しくはないんですけど、配線はちょっとタイヘンかも。

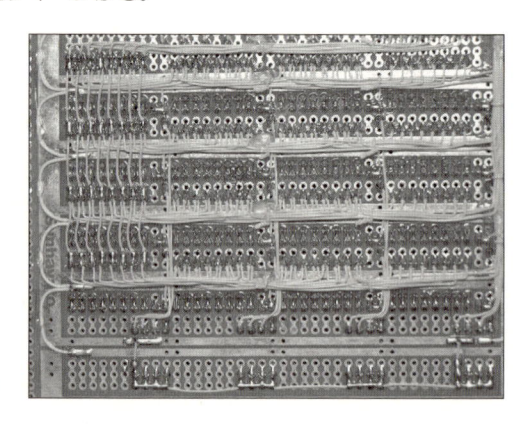

けっこう大変な配線の様子

ちょっとコレはナンですねというか、ひたすら真面目に配線しちゃった例です。実際にはちょっとだけ別の方法もあります。

ROMとして必要な機能

必要な機能とは言っても、ROMの立場からすれば、CPUからのリクエストにより記憶しているデータを吐き出すわけですから、どちらかというと「CPUから要求される機能」と言ったほうがよいかもしれません。

一般的にCPUは一度に読み取れるビット数が限られています。例えばPentium4なら64bitですね。これが太古の昔のCPU、例えばギリシャ神話にも登場する（ような気がする）Z80なんかだったりすると僅か8bitしかないわけですが、いずれにしても限られたビット数、つまりメモリーの一部分しか読み込めませんという点では同じです。もちろんこれは我々が設計するCPUでも同じことで（肝心のCPUの設計がまだ先の話だったりするわけなのですが）、8bitが読み込みの単位となります。

そんなわけで、CPUは「一度に全部は読めないから、あそこだけ見せて」といった感じでROMにお願いしなければなりません。

私「いやぁ、さすがに一度で全部は持って帰れないからさ、とりあえず1巻だけ貸しちくり」

すると特撮マニアの友人は古いビデオテープを1本だけ貸してくれます。テープには「ゴッドレンジャー・1～8話」と書かれています。つまりテープ1本には8話分が録画されているわけですね（8話というと3倍モードですね、関係ないですが）。ちなみに全128話なのでテープは全部で16本あるらしいのですが、さすがに全話見るのも辛そうです。聞いた話では、「お師匠サマが登場する41話以降が面白い」らしいです。ならば次回友人の家に行ったら6巻目を借りよう…とか考えるわけです。

このとき「6巻目を貸して」と伝える必要がありますが、全16巻の中から指定するので、これは4bitの情報です。つまりデジタルな信号が4本必要。もし全1024話（ちょっと嫌かも）でビデオテープ128巻（かなり嫌かも）だと信号は7本必要ですね。

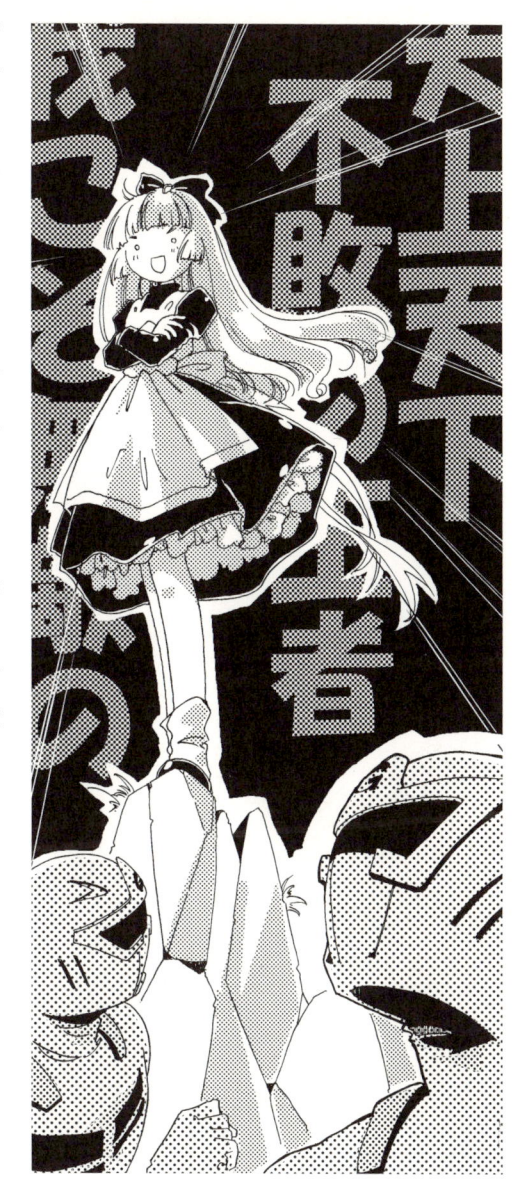

…ROMの話に戻ります（汗）。ビデオテープならn巻目ですが、ROMの場合にはn番地と表現します。ROMに対して「n番地のデータをくれ」と伝えると、指定された番地の8話分…じゃなくて8bit（本書のCPUの場合）が吐き出されるわけです。この「番地を指定する」信号をアドレスバス、吐き出されるデータを流す信号をデータバスと呼びます。

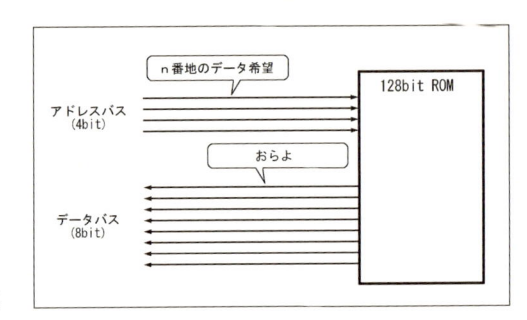

アドレスバスとデータバス

こんな感じ。ただし番地は0から始まる点がビデオテープとは違ってたりするのですが、PCに慣れている方にとっては常識だとは思います。図のような128bitのROMから8bit単位でデータを読み出す場合には0番地〜15番地が存在することになりますから、アドレスバスは4bit分必要です。参考例として256KbitのUV-EPROMである27256を見てみましょう。

STマイクロエレクトロニクス・27256（STマイクロエレクトロニクス株式会社のデータシートより抜粋）

図のQ0〜7の計8つの端子がデータを吐き出す端子ですので、8bit単位での読み出ができる点は同じです。容量は256Kbit（262144bit）ですから0番地〜32767番地、つまり15bitのアドレス信号が必要となります。実際に図でもわかる通り、A0〜14の計15本がアドレスバスです。以上がROMの概要ですが、そんなに難しい話はなかったと思います。

私「この前貸してくれたヤツ、今度は6巻貸してくれよ」
友「あー、師匠の話か。すげーぞアレ。素手で巨大ロボット倒すからな。いいぞー、持ってけー」
私「ところでさ、あのテープさぁ」
友「あん？」
私「ケツのほうに何かヘンなアニメみたいのが入ってたぞ、妙なカッコの女の子が魔法…」
友「あれイイだろ！？な、イイだろ！？見るか！？全話あるぞ！劇場版も！DVDで！！」

…勘弁しちくり。

1bitのROM

ROMの構造というのはメカなスイッチに置き換えるとわかりやすいです。

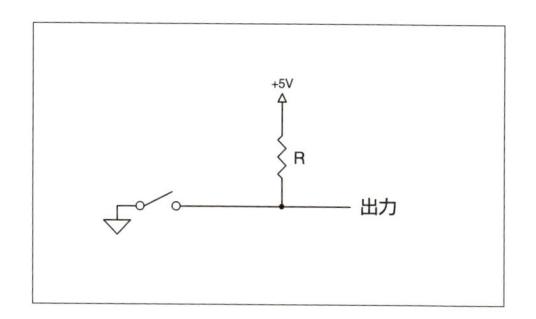

1bitのROM

これが1bitのROMです。スイッチがONかOFFかで1bit。電源を入れても切ってもメカニカルなスイッチは消えません、ずーっとON（またはOFF）のままですから不揮発性ということになります。

とはいっても実際にメモリーICの中にメカニカルなスイッチを作るのは大変なので、昔はヒューズが使われていました。…ええ、ICの中（シリコン上）にヒューズが集積されていたわけです（ヒューズというより「配線」のイメージですが）。当然新品の状態ではスイッチON（ヒューズが切れていない）の状態です。で、スイッチをOFFにする代わりに外部から大電流を流すことでヒューズを無理矢理焼き切っていたわけです。なかなか豪快というか野蛮なカンジですが、一度焼き切れたヒューズは二度と元には戻らないので、これは不揮発性のメモリーということができるわけです。冒頭で「スイッチに置き換えるとわかりやすい」などと言いましたが、置き換えるも何も「スイッチそのもの」ですね、これでは。そんなわけで「ROMというICの中にはスイッチがいっぱい入っている」というイメージは、それほど間違ってはいないと考えてかまわないと思います。

ちなみに先の「ヒューズ型ROM」は不揮発性である反面、書き直しとか消去ができないという問題がありました。当たり前ですね、ヒューズですから切れたらオシマイです。これはその後登場するUV-EPROM（紫外線で消去が可能）で解決します。これは数年前まではPC用の拡張カードなどにも多数使用されていたりもしたので見たことがあるかもしれません、パッケージ中央に窓があるヤツです。

UV-EPROMの例

これはヒューズをフローティングゲートなFETに置き換えたものですが、書き込みと消去方法が
ヒューズと異なるだけで通常の読み出し動作自体はスイッチと同じです。

ビット数が多いときの問題点

さて、ICというのはシリコンウエハーのごく表面に作られる関係上、ほぼ平面的な構造をしてい
ます。当然メモリーICにも同じことが言えますから、平面状（2次元）にメモリーセル（スイッ
チ）を並べたような構造になっています。というわけでスイッチを並べてみましょう。

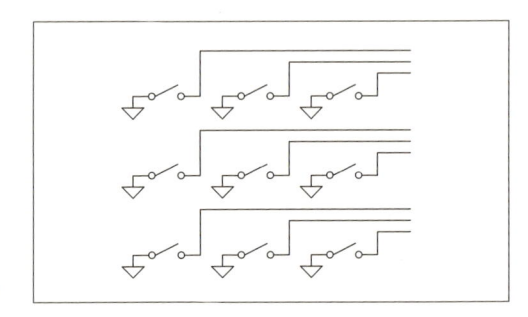

9bitのROM

一応並びましたね。ところがこの方法、メモリーセルの数が増えると困ったことになります。

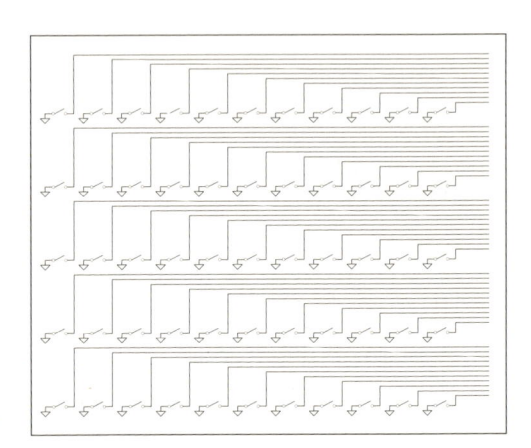

bit数が多いROM

なんか配線ばかりが場所を取ってしまってますね。当然IC上の配線でも同じことが起きますし、
特に最近のICは集積度が高いためメモリーセルの数が多いですから大きな問題です。なんとか配
線を減らす必要があります。

まず気が付くのは「すべてのデータを一度に読み出すわけではない」ということです。つまりメ

ガビット級のメモリーであっても一度に読み出されるのは「指定されたアドレスの8bitだけ」とかです。そこで次図のような結線が考えられたのです。

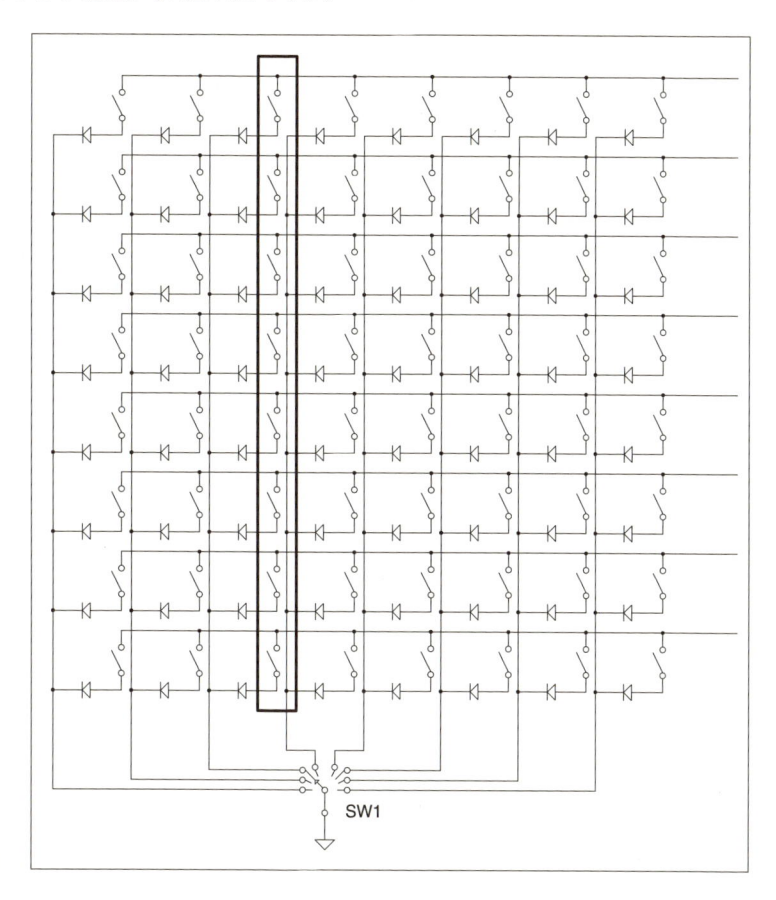

効率的な結線方法

何やらスイッチと直列にダイオードが入ってますが、とりあえず無視してください。上の図ではSW1により左から3列目のスイッチ8つだけがGNDに繋がっていますが、その他の列のスイッチはGNDから切り離されてどこにも繋がっていません。まったく無意味にぶら下がっているだけなので「死んでいる」状態です。その結果、3列目の「生きている」スイッチの状態だけが出力されることになります。もちろん実際のメモリーIC上ではSW1は電子回路化されていますが、まぁ同じようなものです。このようなタテとヨコに結線することを行列結線…とはあまり言わないんです。普通はカッコよく「マトリックス」とか呼びます（って、単に英語にしただけですが）。

で、ダイオードの働きについて説明します。繰り返しになりますが、ダイオードは電気の流れを一方通行にする「記号を見たままの通り」のデバイスです。次の図はマトリックスにダイオードが入っていない場合の回路ですが、この場合には困ったことが起きます。

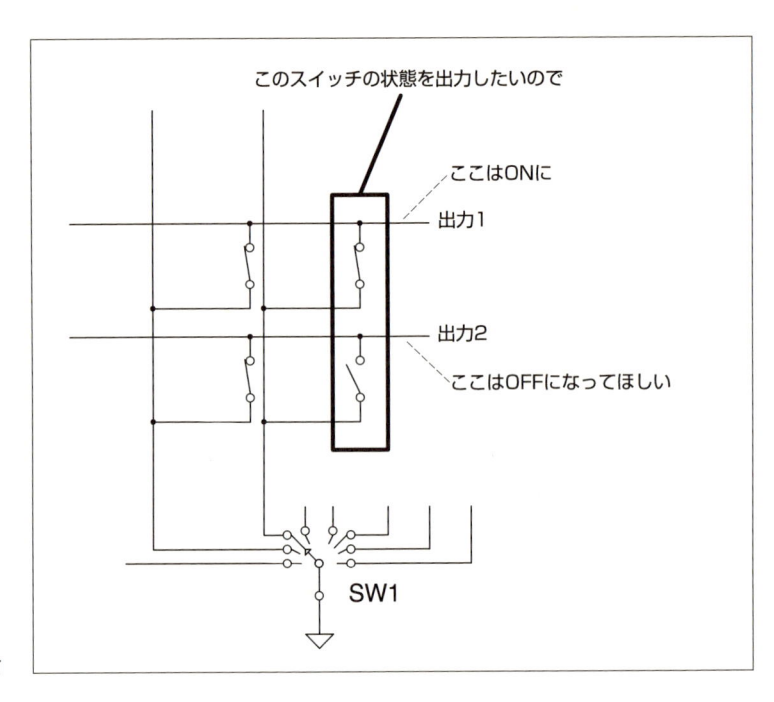

ダイオードがない場合

マトリックスからスイッチを4つ抜き出した絵です。この図ではSW1により現在は右側の2つのスイッチが選択されている状態です。右下のスイッチはOFFですから、出力2はOFFとなってもらいたいわけです。ところが…

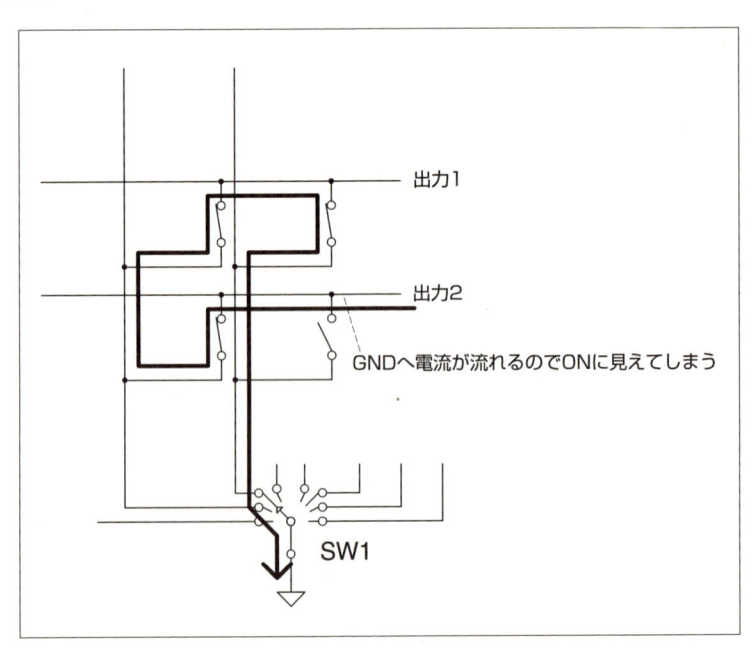

出力2の状態

このように、実際には運悪く左側のスイッチがONだったりするので電流はありがたくない経路で迂回して流れてしまい、出力2はONとなってしまいます。つまり右下のスイッチの状態が正しく出力されないわけです。このとき電流は、

　ヨコ線→別のタテ線→別のヨコ線→タテ線

といった経路で流れています。本来我々が希望するのは、

　ヨコ線→タテ線

という電流の流れだけですから、この問題を解決するためには逆方向の電流、つまり「タテ線→ヨコ線」方向の電流を断てばよいわけです。

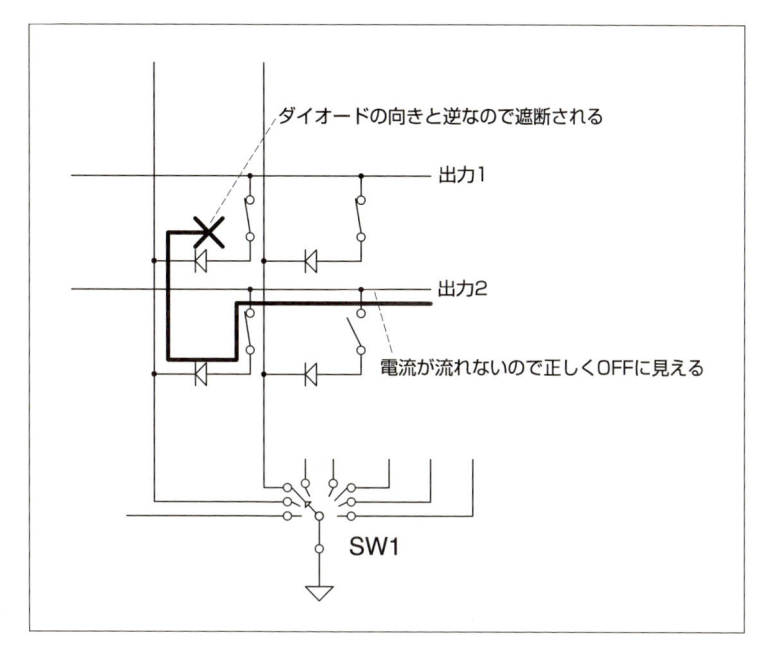

ダイオードで遮断

これでめでたしめでたし、ですね。

余談ですが、多くのPCのキーボードのスイッチが同じようなマトリックス式です。キーボードのスイッチは109個とかそのくらいはありますから、これら1コ1コとコントローラー（実体はマイコン）を配線していたら大変ですし、コントローラーに入力端子が109本も必要になってしまいます。が、例えばこれを11×10のマトリックスにすれば先のメモリーと同じく非常にシン

プルな配線で済むわけです。ですからキーボードとメモリーは（ある意味）よく似た構造だったりするわけです。

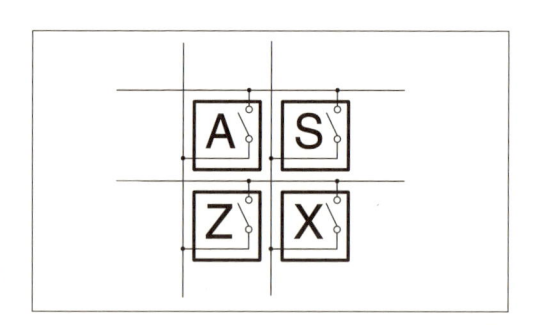

キーボードマトリックスの考え方（実際の結線を示すものではない）

詳　細

キーボードの場合にはダイオードを一部省略していることがあります。キーボードの場合には（基本的には）同時にONになるスイッチが1つだけですから、先のような問題は起こりづらいので省略が可能という事情があります。もちろん同時に多数のキーを押すと問題が起きますが、そういう危なそうなキー（Shiftキーとかね）にだけはダイオードを入れたり別配線（マトリックスにしない）にしたりします。

…とまぁ、ここまでがROMに関する世間話だったわけですが、だいたいおわかりでしょうか？そろそろ設計の話に移りますよ。

Chapter5
2. ROMの回路

ここではROMの具体的な回路を考えていきます。ようやく「ロジック」らしいICが登場したりもするので少しは知的っぽくなりそうな予感ですが、しょせんDIPスイッチのカタマリでしかないというのが実態なので、結局「予感」だけで終わる予感です。

メモリーセルの材料128人前

ここまではROMのメモリーセルをスイッチに置き換えて説明してきたわけですが、実際にコレを製作する場合にはメモリーセルとして何を使うかという大問題がありました。

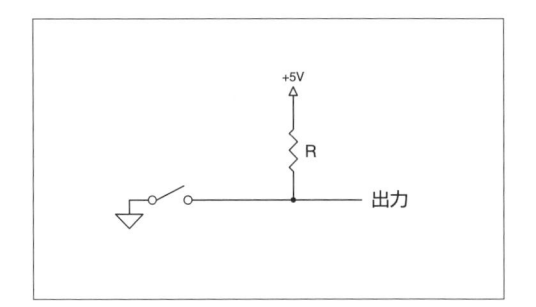

1bitのROM。これをどうするか？

例えばUV-EPROMのメモリーセル、これは単体で入手できるものではありません。もちろん既製のROM（UV-EPROMとかフラッシュメモリー）を使用してしまえば入手も製作も楽なのですが、先にお話しした通りROMライターとか消去のための紫外線光源を用意する必要がありますし、書き込んだデータ（ここではプログラムのこと）の変更もけっこう手間です。正直なところ、なかなかよい方法がないです。

よい方法はないのですが、それでも一応最善かな～？　というのが前述の「本当にスイッチを使ってしまう」方法だと思います。メモリーセルとしてDIPスイッチを並べるわけですね。これならROMライター不要、消去も書き換えも簡単ですし、何よりも動作が理解しやすいハズです。というか単なるチカラ技なんですけどね。ただし今回のROMに限らず、規模が小さい仕事（？）ではチカラ技が正解である場合も多いです、という言い訳で勘弁してください。

そんなわけで、メモリーセルはスイッチで代用することにしました。ですから前節の回路例がそのまま使用できます。ただし回路例では出力はHとLではなく、スイッチのONとOFFでした。

これをHとLにするには前章で出てきた「プルアップ」を行えばよいわけです。つまりスイッチOFFならプルアップ抵抗により電圧はHとなり、逆にONならば「GNDへON」するので、つまり0V（Lレベル）ということになります。このままでもいいのですが、スイッチONでLレベルです、というのはちょっと馴染みにくいと思いますので（慣れるとそうでもないんですが）、出力側で論理反転することにします。

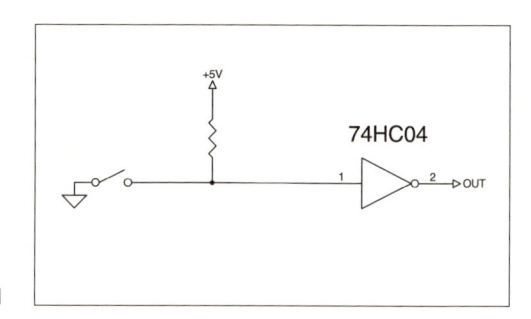

プルアップとインバーターを追加

これで「ONでH」になります（注：実はこれ、バッファとしての役割も兼ねているんですが、説明は省略します）。

8bit出力

さて、先のマトリックスな回路図はスイッチが64個ありましたから64bitのROMです。一度に8個のスイッチの状態の出力ができるので8bit出力×アドレス8つ、つまり8バイトのROMということになります。

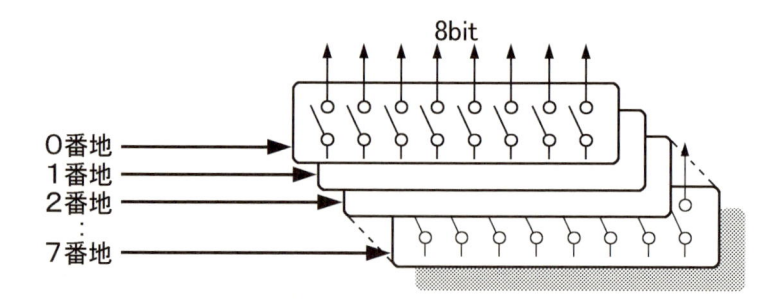

今回製作するCPUの命令も8bit長になる予定ですので、このままでOKです。つまり先のマトリックスな回路例がそのまま使えます。ただ、16ステップまでのプログラムを実行できるようにする関係で記憶容量を2倍に拡張します。ですからアドレスは0～15番地までの16バイト、という構成になります。

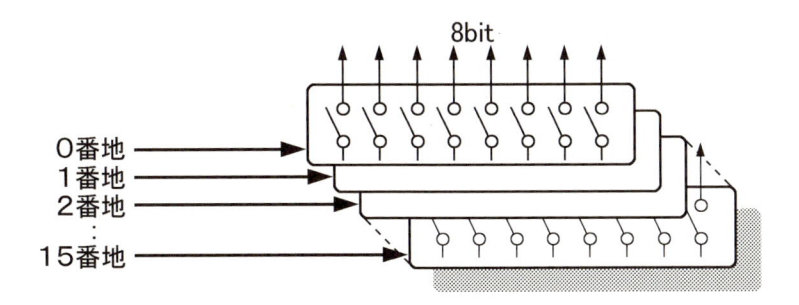

16バイトのメモリーなので、アドレスの指定（アドレスバス）に4bitが必要となります。

実際のROMの回路

では実際のROM部の回路です（次ページに掲載）。DIPスイッチとダイオードのカタマリですが、回路自体は単純です。ただ配線作業が面倒くさそうです。…ホントに面倒くさいので最初から「メモリーをフル実装」である必要はありません。CPUの最低限のテストだけであれば2命令（2バイト）程度をメモリーできればOKなので、最初はアドレス0と1の計16bit（DIPスイッチ2個分）だけ実装すればよいでしょう。というか、いきなり128bit分の配線をしたら本来の目的であるCPUが完成する前に根性が尽きちゃいます。CPUが動作したあと、ヒマなときにでも「メモリーの拡張」をすればよいと思います。

図面のA0～3がアドレスバス、D0～7がデータバスです。データバス側の74HC540は先ほど追加したインバーターです。インバーターですから74HC04（インバーター6回路入り）でもよいのですが、74HC540はちょうど8回路入りなので8bit分が1つのICで済みます。

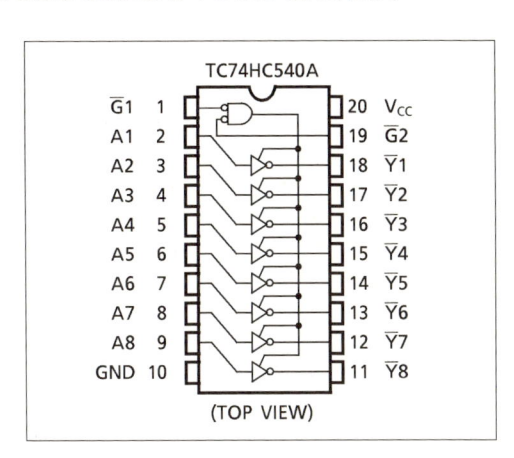

74HC540（株式会社東芝セミコンダクター社のデータシートより抜粋）

Chapter5 ROMを作る

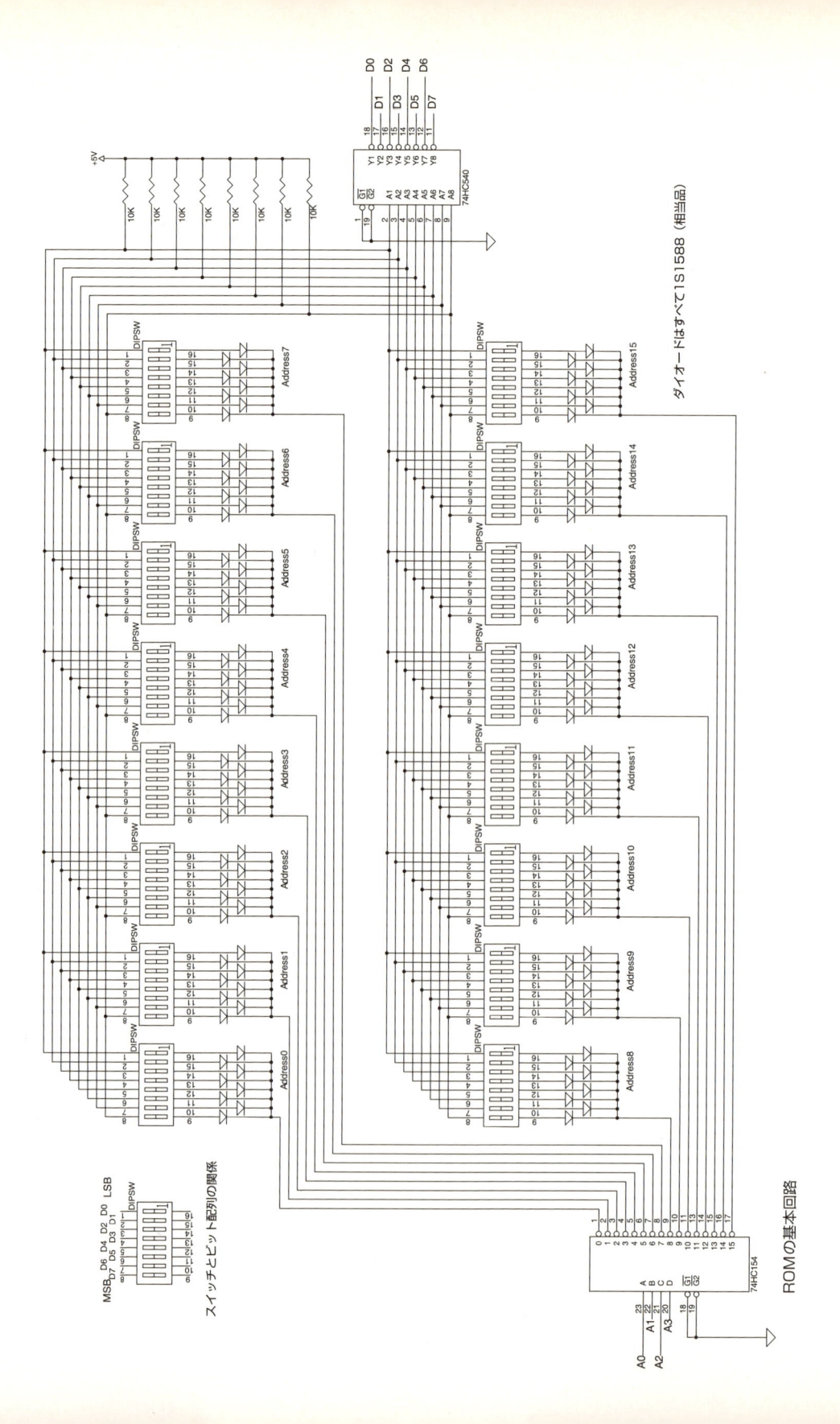

スイッチとビット配列の関係

ダイオードはすべて1S1588（相当品）

ROMの基本回路

$\overline{G1}$と$\overline{G2}$をLレベルにすると74HC540の出力が有効になります。「有効」という言い方が微妙ですが、今回この端子は使用しないのでLに固定しておけばOKです。ちなみにこれらをHにすると74HC540の出力は「H」でも「L」でもない第三の状態「OFF」となりますが、これはおもにコンピューターのバスドライバなどで使用される機能です。そんな立派な機能が付いていたりするので、本来であればこのような使い方はもったいないのですが（やや価格も高いですし）、今回は組み立てやすいことを優先してみました。もちろん、74HC04のような「普通のインバーター」で代用してもかまいません。

詳　細

今回のCPUのデータバス（D0～7）は正論理なのでHレベルのときに「1」です。インバーターである74HC540の出力側が正論理ということは、入力側は逆に負論理ということになります。ですから、負論理を示す回路図面の○印は74HC540の入力側に付けるべきだったりします。…ま、動作としては同じなので、あくまで作法として。ただ（入門書として）データシートの記号と回路図面の記号が違っていると戸惑うこともあると思いますので、今回の回路図では74HC540に限らずデータシートと同じ記号で統一してあります。

アドレスの選択

今までの回路例ではSW1が普通のメカのスイッチだったわけで、おかげでずいぶんインチキっぽかったのですが、ようやくこれをICに置き換えました。これでなんとなく回路らしくなった感じですね。で、SW1の役目ですが、これは「N番目のタテ線をONする」ということでした。

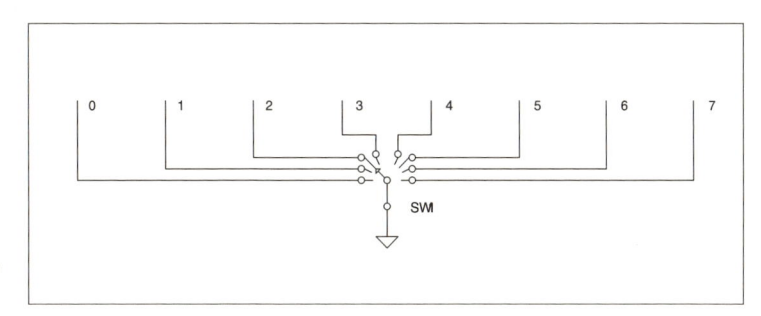

スイッチ（番地が8つの場合）

このスイッチをICに置き換える、つまりアドレスバスの指示に従ってこのスイッチを切り替えればよいわけです。これから説明するのは、そんな回路です。

肝心な「CPUからの指示」ですが、ご想像通り二進数で指定されます（今回のCPUはアドレスバスもデータバスも正論理ですので、以下の説明は正論理を前提として進めます）。例えばCPUが「3番地をアクセスしたいです」という場合のアドレス信号はこんな感じ。

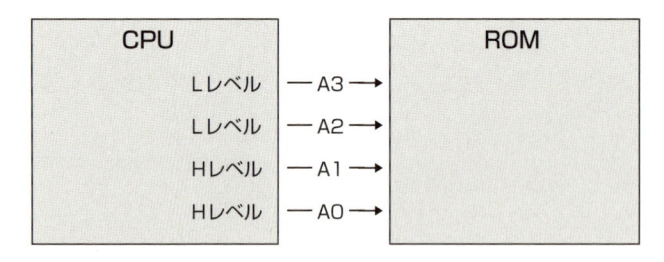

```
CPU                          ROM
  Lレベル    — A3 →
  Lレベル    — A2 →
  Hレベル    — A1 →
  Hレベル    — A0 →
```

ここではA3信号が最上位ですので「LLHH」となります。つまり「0011」ですから10進数なら「3」です。けっこう単純というか原始的な感じすらしますが、PCも含めて世間のCPUの基本はだいたいこんな方法なんです。テスターでも簡単にわかりますよね、クロックさえ止まっていれば。

さて、この2進数を先ほどのスイッチONに変換します。上の例のように「3番地」が指定されたのならば、スイッチの代わりに「タテ線3をON」すればよいことになります。これを表にするとこうなります。

アドレス（括弧内は二進数）		
0 (0000)		タテ線0をON
1 (0001)		タテ線1をON
2 (0010)	変換	タテ線2をON
3 (0011)	→	タテ線3をON
⋮		⋮
15 (1111)		タテ線15をON

つまり、4本の信号を16本にバラす（？）わけですが、この変換を一発で行うのが74HC154です。

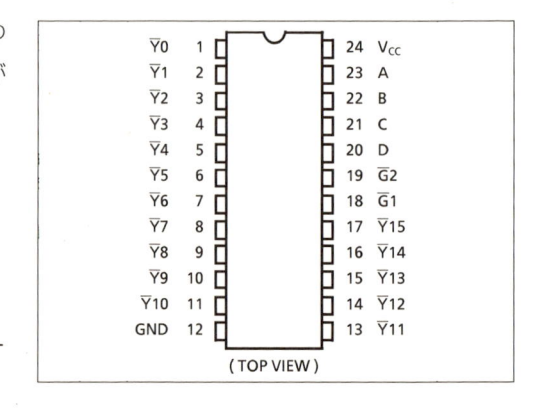

```
         ___
Y̅0   1 |   | 24  Vcc
Y̅1   2 |   | 23  A
Y̅2   3 |   | 22  B
Y̅3   4 |   | 21  C
Y̅4   5 |   | 20  D
Y̅5   6 |   | 19  G̅2
Y̅6   7 |   | 18  G̅1
Y̅7   8 |   | 17  Y̅15
Y̅8   9 |   | 16  Y̅14
Y̅9  10 |   | 15  Y̅13
Y̅10 11 |   | 14  Y̅12
GND 12 |___| 13  Y̅11
        (TOP VIEW)
```

74HC154（株式会社東芝セミコンダクター社のデータシートより抜粋）

INPUT						SELECTED
$\overline{G1}$	$\overline{G2}$	D	C	B	A	OUTPUT(L)
L	L	L	L	L	L	$\overline{Y0}$
L	L	L	L	L	H	$\overline{Y1}$
L	L	L	L	H	L	$\overline{Y2}$
L	L	L	L	H	H	$\overline{Y3}$
L	L	L	H	L	L	$\overline{Y4}$
L	L	L	H	L	H	$\overline{Y5}$
L	L	L	H	H	L	$\overline{Y6}$
L	L	L	H	H	H	$\overline{Y7}$
L	L	H	L	L	L	$\overline{Y8}$
L	L	H	L	L	H	$\overline{Y9}$
L	L	H	L	H	L	$\overline{Y10}$
L	L	H	L	H	H	$\overline{Y11}$
L	L	H	H	L	L	$\overline{Y12}$
L	L	H	H	L	H	$\overline{Y13}$
L	L	H	H	H	L	$\overline{Y14}$
L	L	H	H	H	H	$\overline{Y15}$
X	H	X	X	X	X	NONE
H	X	X	X	X	X	NONE

X : Don't care

74HC154の真理値表（株式会社東芝セミコンダクター社のデータシートより抜粋）

やたらに大きな表ですが、落ち着いて読めば非常に単純です。先ほどの表とまったく同じです。InputのA〜Dに二進数を入力すると、Outputの$\overline{Y0}$から$\overline{Y15}$が順番にLになっていきます。それだけです。説明するのも楽で助かります。なお、真理値表で「Selected Output（L）」となっていますが、これは「選択されてLとなる出力は」くらいの意味です。このへんの表記の方法はけっこうバラバラなので、内部等価回路と照らし合わせてメーカーの意図を適当に読み取る必要が多々あります。

なお$\overline{G1}$と$\overline{G2}$入力ですが、通常Lにして使います。表の下のほうの2行に注目してください。

L	L	H	H	L	L	$\overline{Y12}$
L	L	H	H	L	H	$\overline{Y13}$
L	L	H	H	H	L	$\overline{Y14}$
L	L	H	H	H	H	$\overline{Y15}$
X	H	X	X	X	X	NONE
H	X	X	X	X	X	NONE

X : Don't care

$\overline{G1}$と$\overline{G2}$の入力（株式会社東芝セミコンダクター社のデータシートより抜粋）

要するに$\overline{G1}$と$\overline{G2}$の片側または両方がHだと$\overline{Y0}$〜$\overline{Y15}$のすべてがHになります。これはこれで非常に便利な機能なんですが、今回は使用しません。つまり両方Lに固定します。

詳　細

74HC154からはHとかLといった「電圧」が出力されますが、元々の我々のROMの回路では16接点のスイッチつまり「ONとOFF」だったわけで、どうしてこれらが置き換え可能なのかという話をします。

まず74HC154（に限らず、多くのデジタルIC）の出力、これはHとL（つまり5Vと0V）が出力されるのですが、内部的にはこんなふうになります。

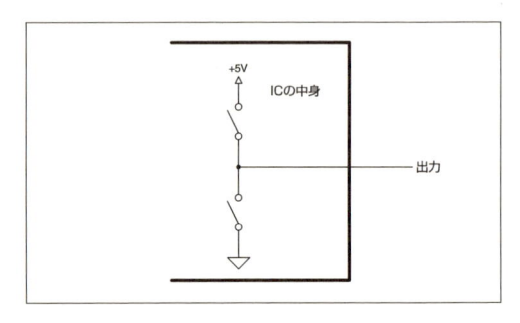

一般的なデジタルICの出力回路（相当）

上側のスイッチがONならば5V（Hレベル）が出力されて、下側のスイッチがONなら0V（Lレベル）。単純すぎて「…ハァ？」って感じですが、実際こんなモンです、地球人のテクノロジーなんて（ただし地球人を甘く見てはいけないぞ）。

スイッチONの場合を考えてみます。これは74HC154のLレベル出力に相当しますから、つまりGND側スイッチがONの状態です。

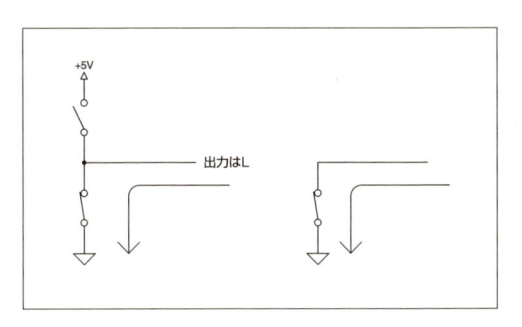

Lを出力したIC（左）と本物のスイッチのON（右）の比較

これらはまったく同じことですね。説明不要ですね。さて、問題はスイッチOFFの場合です。74HC154の出力はOFFじゃなくてH、つまり5V側スイッチがONということになります。

Hを出力したIC（左）と本物のスイッチのOFF（右）の比較

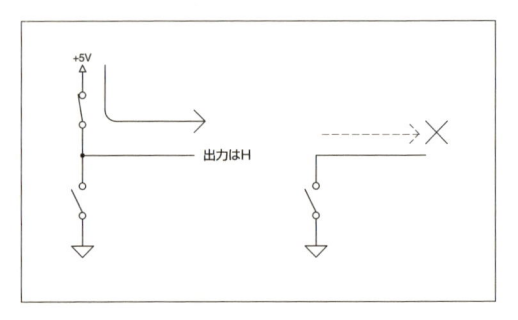

…これはまったく違いますね、74HC154の場合には5Vを「出力（電流が流れ出る）」してしまいますが、スイッチのOFFはただただひたすらオープンです。この解決法は簡単で、つまり電流が「流れ出ない」ようにすればOKなのですからダイオードで阻止できます。

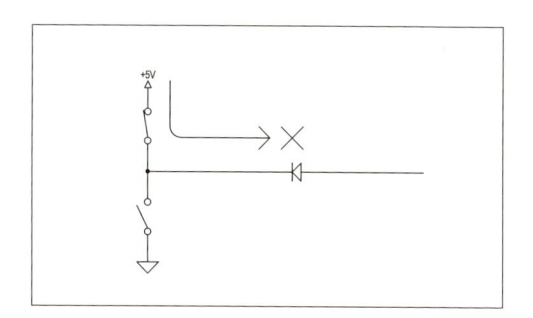

ダイオードを追加する

これでスイッチとまったく同じ動作になりました。つまりダイオードさえ追加すればスイッチと完全に置き換え可能なワケなのです。…が、よく考えたらダイオードはすでに付いてますね、DIPスイッチ側に。つまりSW1をそのまま74HC154で置き換えてもOK、ということになるわけなんです。

74HC154の中身

「74HC154の動作は真理値表の通りです。中身なんかどうでもよいのです」と割り切ってしまうのならばここは読まなくてもよいのですが、デジタル回路の1つのパターンとしてけっこうよく出てくる構成なので、ちょっと説明しておきます。

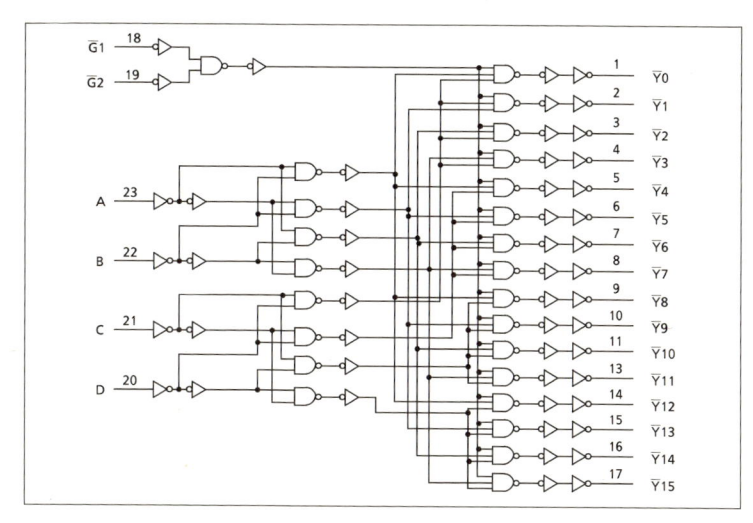

74HC154の中身（株式会社東芝セミコンダクター社のデータシートより抜粋）

けっこうなゲートの数ですね。ようやくロジック回路っぽくなってきたわけですが、さすがにコレは複雑なので拒絶反応を引き起こす人もいるかもしれません。まぁ、中には喜ぶ人もいるかもしれませんが（注：CMOSゲートの制約上、必要以上にわかりづらい回路になっています。74LS154などのほうが素直な回路なのでホントはそっちの中身がお薦め）。とりあえずもう少し小規模で理解が容易な2bit入力の回路の例です。

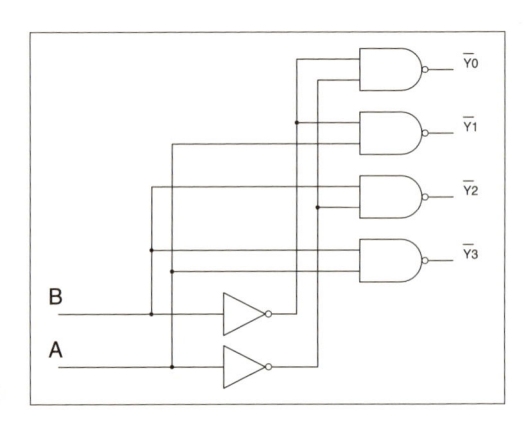

2bit入力の回路例

入力AとBへ二進数の00〜11（十進数の0〜3）を入力すれば、それに応じて$\overline{Y0}$〜$\overline{Y3}$の1つがLになるという、74HC154のスケールダウン版です。真理値表は次のようになります。

入力		出力			
B	A	$\overline{Y3}$	$\overline{Y2}$	$\overline{Y1}$	$\overline{Y0}$
L	L	H	H	H	L
L	H	H	H	L	H
H	L	H	L	H	H
H	H	L	H	H	H

簡単な回路なので、これなら自力で充分追えると思いますし、仕組みさえわかってしまえば後は何bitになっても同じことです。好みもあるとは思いますが、この程度のロジックであれば論理式でグチャグチャ説明したり証明したりするより目で追ってみるほうがよいと思います。というわけで、ここでは詳しい説明は省略するのが粋ってなモンです（…たぶんね）。あとせっかくですからビジュアル的にも覚えてしまいましょう、よく使うカタチですから。

この回路での注意

先ほどは「スイッチを74HC154で置き換えられるんです。同じなんです」みたいな説明を書きましたが、実は半分ウソです。アナログ的には微妙に違いがあります。微妙なので飛ばして読まれてもよいのですが、もしこの回路を製作するような場合にはちょっとだけ注意というか、動作確認するときに「あれ？」みたいなことになるので一応説明しておきます。

デジタル回路の基礎の章では「Lレベルは0〜0.3V程度」などと説明したことを思い出してください。実際に74HC154の出力のLレベルはその通りの電圧なのですが、今回の回路のように途中にダイオードが入った場合には、ダイオードの順電圧のおかげで電圧がそこまで下がりきらない事態になります。

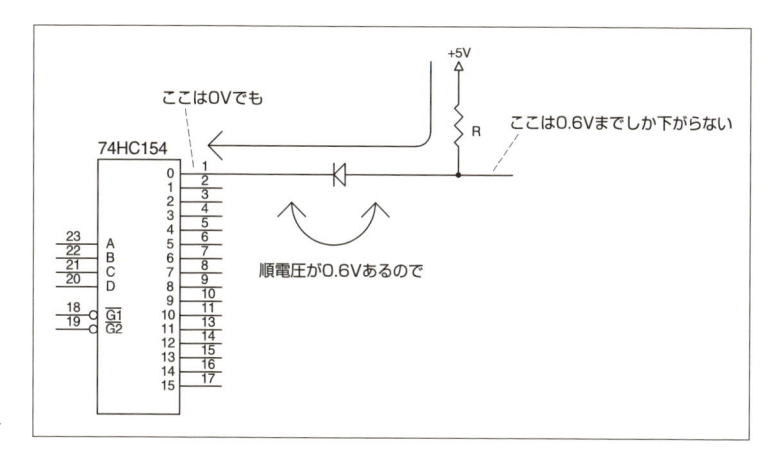

```
              +5V
               △
               │
   ここは0Vでも  R  ここは0.6Vまでしか下がらない
    ←─────▶│──┴──┄┄┄
  74HC154
     0  1
     1  2
     2  3
     3  4     ↑↓
  A  4  5   順電圧が0.6Vあるので
  B  5  6
  C  6  7
  D  7  8
     8  9
     9 10
  G1 10 11
  G2 11 12
    12 13
    13 14
    14 15
    15 16
       17
```
ダイオードが入った場合

順電圧はLEDの説明で出てきたのですが、覚えていますか？　これはLEDに限った話ではなくて、普通の発光しないダイオードにも存在します。

ただしLEDに比べるとずーっと小さい電圧です、約0.6Vとか（注：温度と電流により若干変化します）。今まで「ダイオードというのは一方通行デバイスです」と説明してきました。もちろん逆方向の電流は阻止されるのですが、実は順方向も完全にスルーというわけでもないのです。その結果、ダイオード越しの電圧は0Vにはならなくて、最悪だと1V近い電圧になってしまいます。1VをLレベルと言えるかというと、これがなかなかグレーなゾーンなのですが、本書の範囲なら（つまり74HCシリーズを5V電源で使用する限りは）問題ないと考えてよいと思います。

少しでも楽に製作する方法

そうです。地獄のDIPスイッチの配線です。回路自体は仕方ないとしても、作り方の工夫で少しは楽になるかもしれません。まずはダイオード。全部で128個もありますが、私はこんなモノをゲットしました。

入手したダイオード

中身はこんなです。

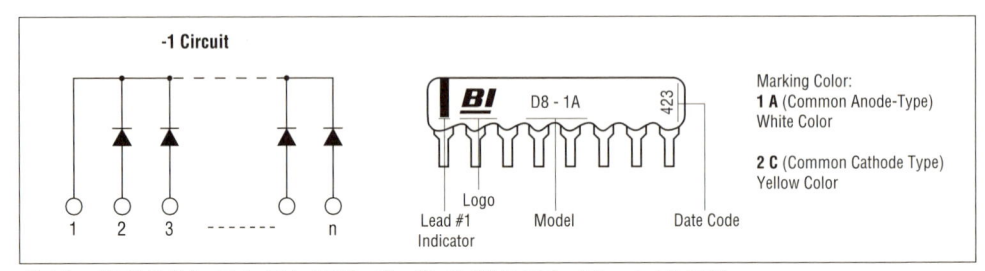

ダイオードの仕様（ビーアイ・テクノロジージャパン株式会社のデータシートより抜粋）

ダイオード8個が1パッケージに納まってる上に片側が結線されているので今回の回路にちょうどよいというか、よすぎて堕落しそうです。どこのお店にもあるというわけではないと思いますが、探す価値はあります。ちなみに私が入手したのはBI technology社のD9－1Cという製品で、ダイオードネットワークというのが商品名みたいですが、ダイオードアレイとか集合ダイオードなどと呼ばれることもあります。

あと配線自体を減らす方法もイロイロ考えました。残念ながら名案は浮かばなかったのですが、とりあえず1つの方法としてプリント基板を作ってしまうというのもアリかもしれません。回路全体をプリント基板で起こすのは大変なので（たぶん片面基板では無理）、スイッチとダイオードアレイの単調な繰り返し部分だけを作るわけです。

パターンの例

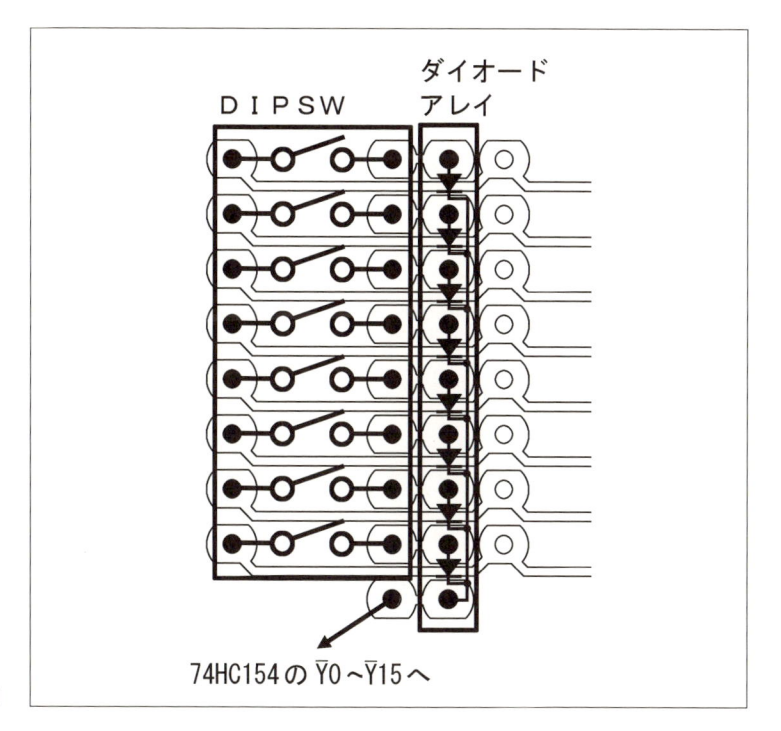

実装の例

74HC154 の $\overline{Y0}$〜$\overline{Y15}$ へ

当たり前なんですがプリント基板を製作する必要があるので、その分手間がかかるわけですから、全体の作業時間自体はあまり短縮できないかもしれません。それでもひたすら同じような配線作業を延々続けるよりもPC上でパターンを描いたりフィルムにプリントアウトしたり現像とかエッチングをしているほうが気分的に楽しいと思いますし、楽しいことは重要だと思います。

なおプリント基板の具体的な製作法などは本書では扱いませんので、他の書籍やネットで調べてみてください。基板・工具などについては老舗のサンハヤト株式会社のWebサイトが参考になります。基板用ドリルは少々値が張りますが（実売4000円くらい？）、その他は身の回りのモノで代用できることがほとんどですし、原理も作業も（多少の慣れが必要かもしれませんが）難しいものではありません。プリントパターンの作成もCADにこだわる必要はないわけで、要するに正しい寸法でプリンターから出力できればよいわけですからフォトレタッチソフトで描いても全然OKです。今回の「パターン例」はおもしろ半分でPhotoShopで描いてみたのですが（笑）、30分くらいで描けました。もっともフリーで使用できる基板CADも存在するようですので、ソフトをいじるのが好きな方はそちらをトライしてみるのもよいと思います。

CPU NO TUKURIKATA

CHAPTER 6

■CPUの設計準備

いよいよCPUの設計を始めるわけですが、その前にどんなCPUを作るのかということ、つまり仕様を決めなければなりません。で、仕様で一番大事なのは…CPUの名前ですね（笑）。というか、いちいち「ここで設計するCPU」とか「本書で製作するCPU」などと表現していたら逆にヤヤコシイです。ここでどんな名前を付けるかは単に趣味の問題ですから、自分で製作する場合には好きなクルマとかモビルスーツの名前でも付けちゃってください、GTRでもRX78でもHMX12でもOKです。

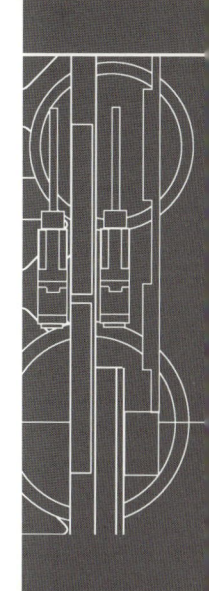

Chapter6
1. CPUの仕様

CPUの名称なんですが、ここでは無難に「TD4」としました。「とりあえず動作するだけの4bitCPU」です。あまりに無難で期待ハズレかもしれませんが―…一応は硬派な設計入門書ですし、この本は。

ようやくCPUの話になるわけですが

肝心のCPUの設計ですが、アナログ的な部分というか電気回路的な部分はすでに説明が終わったので、ここからはロジックの話が多くなります。ロジックというのはパズルみたいなモノなので自力で解くと面白いのですが、解き方を教わった後に「さあ、どうぞ」と言われてもあまり面白くないですし、解き方がアタマに入らなかったりします。…こんな本を書いておいてナンですが。

この規模のCPUで一番複雑でパズル的なのは「命令デコーダ」と呼ばれる部分だと思います。PCなどの最新CPUの話題なんかにも「デコーダ」とか「デコード後の命令をキャッシュ」などという記述が出てきますが、その「デコーダ」です。今回のTD4ではパズル的な「デコーダ」を極力単純にしました。つまり最低限の考え方のみの説明が目的です。考え方さえわかれば、後はみなさんが強力なデコーダを設計すればよいわけで、自分で解くパズルなのですから楽しいかもしれません。というか私は楽しかったです。なんたって自分でCPUの命令を決定する作業でもあるわけですから。長い人生とはいえ、滅多に体験できるものではありません。そんなわけなので、要するに「チョットややこしいハナシもあるかもだけど我慢してね」ということです。納得していただけたでしょうか？　…納得してほしいのですが。

勝手に仕様を決めさせていただきますが

話を進めちゃいますが、肝心の仕様がなくては始まらないので、とりあえず今回は私の独断で仕様を決めさせていただきました。単純な構造なので機械語の知識がある方であれば速攻で理解できると思います。よくわからない人はとりあえずココは読み飛ばして、次項の機械語の説明を先に読んでください。

レジスタ構成

前にもお話しした通り4bitCPUです。ですから演算とデータ移動は4bit単位で行われます。演算用のレジスタはAとBの2つで、ほぼ同等に使用できます。CPU外部にRAM（注：厳密に言えば本書のROMはRAMの一種ですが、ここでは慣例にならって読み書き可能なメモリーのことを便宜上RAMと呼んでいます）は接続できないので、AとBレジスタはメモリー兼用、どちらかというとワンチップマイコンなどの小規模なCPUに近い構成です。リセット直後はA・Bレジスタ共に「0000（二進数）」となります。

プログラムカウンタも4bitなので、プログラムは最大でも16ステップまでです。あまり長いプログラムは実行できないわけですが、もともと貧弱なCPUなのでバランスとしては問題ありません…ということにしてください。リセットによってプログラムカウンタは「0000（二進数）」になりますので、リセット解除により「0000」番地の命令から順に実行されます。

フラグはC（キャリー）のみです。加算命令でキャリーが発生すると「1」になりますが、加算命令以外のすべての命令にも影響されますので、Cフラグを参照する命令は加算命令の直後に実行する必要があります。

I/Oは単純なパラレルポートで、入出力ともに4bitです。CPUにI／Oが内蔵されるというノリもワンチップマイコンなどに近いです。リセット直後の出力ポートは「0000」です。

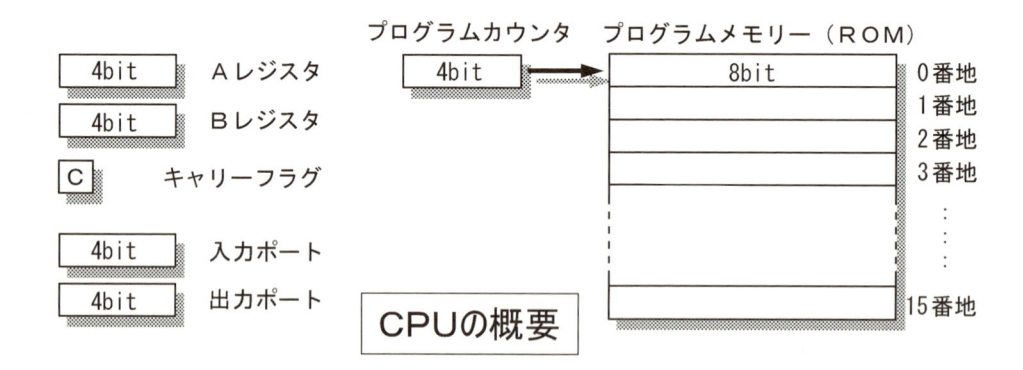

CPUの概要

4bit	Aレジスタ
4bit	Bレジスタ
C	キャリーフラグ
4bit	入力ポート
4bit	出力ポート

プログラムカウンタ：4bit
プログラムメモリー（ROM）：8bit、0番地〜15番地

命令フォーマット

すべての命令は8bitで構成されます。上位4bitがオペレーションコード、下位4bitがイミディエイトデータです。ただしイミディエイトデータが不要な命令の場合には、bit3〜bit0を「0」で満たす必要があります。

命令

| bit7 | bit6 | bit5 | bit4 | bit3 | bit2 | bit1 | bit0 |

MSB　　　　　　　　　　　　　　　　　　　　LSB
← オペレーションコード →← イミディエイトデータ（Im）→

命令一覧

算術演算はAまたはBレジスタとイミディエイトデータ（Im）間での加算のみ可能です。

  ADD A,Im （A←A＋Im）オペレーションコードは0000（以下二進数）
  ADD B,Im （B←B＋Im）オペレーションコードは0101

データ転送命令はイミディエイトデータまたはレジスタからレジスタへの転送が可能です。

・AまたはBレジスタへイミディエイトデータを転送
  MOV A,Im （A←Im）オペレーションコードは0011
  MOV B,Im （B←Im）オペレーションコードは0111

・レジスタ間の転送（Im＝0とする必要がある）
  MOV A,B （A←B）オペレーションコードは0001
  MOV B,A （B←A）オペレーションコードは0100

ジャンプ命令は絶対アドレスへのジャンプのみです。

  JMP Im オペレーションコードは1111

条件分岐はJNC（Cフラグがセットされていないときにジャンプ）のみで、必ず加算命令の直後に実行する必要があります。

  JNC Im オペレーションコードは1110

入力ポートからAレジスタまたはBレジスタへの転送が可能です。

  IN A オペレーションコードは0010
  IN B オペレーションコードは0110

Bレジスタのデータを出力ポートへ転送できますが、Aレジスタからの転送はできません。

  OUT B オペレーションコードは1001

イミディエイトデータを直接出力ポートへ転送することが可能です。

```
OUT Im        オペレーションコードは1011
```

いわゆるNOP命令は特に用意していませんが、命令「00000000（二進数）」は

```
ADD A,0
```

に割り当てられいるので、事実上のNOPです。

PCとの比較

PCに使用されているCPU（ここでは米インテル社のPentium4）と比較してみます。

	Intel Pentium4	TD4
汎用レジスタ	32bit×8	4bit×2
アドレス空間	32bit(4.3Gバイト)*2	4bit（16バイト）
プログラムカウンタ (Pentium4ではEIP)	32bit	4bit
フラグレジスタ	32bit	1bit
算術演算	浮動小数点演算が可能	4bitの加算のみ
動作クロック	1.4GHz以上*1	3MHz程度
トランジスタ数	4200万以上*1	約1500（推定）

参考：IA-32 インテル アーキテクチャ・ソフトウェア・デベロッパーズ・マニュアル
 *1：型式・コアにより異なる
 *2：さらに広い空間も扱える機能も持つ

相手がPentium4ではさすがに「比較にならない」わけですが、かろうじて比較表にはなっています。これはTD4が曲がりなりにもCPUとしての機能を備えているからです、などという論法は明らかにインチキなので騙されないように気を付けてください（でも実際それなりにはCPUなんですよ、これでも）。

Chapter6
2. 機械語とは

機械語（マシン語）の知識がある方は、ここは読み飛ばしてもかまいません。
ハンドアセンブルの経験がない方は読んだほうがよいかもしれません。
プログラムの経験がまったくない方は気合いを入れて読む必要があります。
お腹が空いている方は…とりあえず食事をしてください。

CPUと機械語

PC上でポピュラーな言語はC＋＋とかBASICとかのいわゆる「高級言語」なわけですが、これらの高級言語で書かれたプログラムはコンパイラなりインタープリタなりで最終的には機械語に変換される、というのはご存じだと思います。つまりTD4に限らず、世の中のCPUは基本的に機械語で書かれたプログラムしか実行できないのです。…という言い方は間違いではないのですが、えーと表現が逆です、CPUが直接実行できるプログラムを機械語と言うのです。ですから、例えばC＋＋のソースコードのテキストファイルを直接実行できるCPUがあれば、テキスト＝機械語となります。もちろんそんなCPUありませんけど。

CPUが直接実行できる命令（機械語）というのは、一般的には非常に単純です。TD4の例では

　　Aレジスタに3を代入

とか

　　Aレジスタに4を加算

とか。拍子抜けするほど単純です。ただし現在PCに使用されているCPUでも似たり寄ったりのレベルというか、もう少し高度な命令も実行できるわけですが、それでも

　　EBXレジスタの値をアドレスとするメモリーから32bitデータを読みとりEAXレジスタに代入

みたいなもので、決して「ウィンドウを開く命令」とか「廊下でヒロインキャラとぶつかるイベントが発生する命令」が用意されているわけではありません（笑）。

さて、これからCPUを設計するわけですが、そもそもCPUがどのようなモノであるのか、何を行う機械なのかを知らなければ設計はムズカシイと思います。ですから機械語の理解は必須です。例えば自動車を見たこともないという人には自動車を設計できません。辞書に載ってる「原動機の動力で車輪を回転させ、軌条や架線によらないで走る車（大辞林）」だけでは何のことかサッパリなわけで、これで設計するのは不可能です。何もないところから設計できるのは、たぶんノイマン大先生のような天才と呼ばれる人たちだけだと思います。

そんなわけで、ここでは機械語について簡単に説明するのですが、ソフトウェアは実際に組んで動作させてみないとなかなか身に付かないと思いますし、だいいち動かして試してみないとつまらないと思います。が、肝心の「試すためのCPU」がまだありません、というか、これから設計するわけですから。仕方ないのでWindows上で動作するTD4エミュレータを用意しました（巻末掲載のWebサイトからダウンロードできます）。特に機械語（ハンドアセンブル）に不慣れな方は、なるべく自分でプログラムの動作を試してみてください。

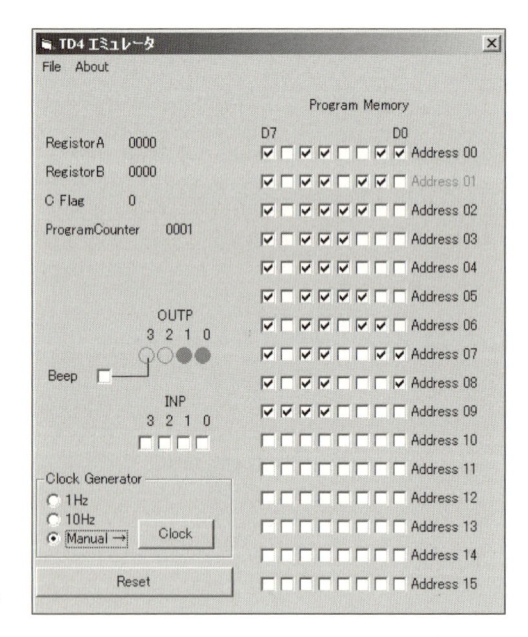

TD4エミュレータ

なお、以下は特に断らない限りTD4についての説明です。基本的にはTD4も一般のCPUと同じなのですが、世の中には個性的なCPUが数多く存在しますし、TD4にも個性（というほど立派なものではありませんからクセという表現のほうが適切だと思いますが）があるということだけはちょっとだけ気にしておいてください。

処理単位は4bit

TD4は4bitCPUなので処理は4bitで行います。4bitというのは二進数の「0000」から「1111」までを扱えるということですから、十進数でいうと0〜15までということになります。この4bitの値を実際に記憶するのがレジスタです。4bitの値を記憶するのですから、レジスタももちろん4bitで構成されています。TD4はAとBの2つのレジスタを持っています。

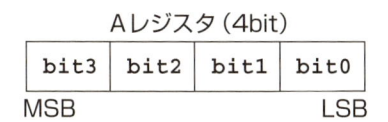

```
        Aレジスタ (4bit)
      ┌────┬────┬────┬────┐
      │bit3│bit2│bit1│bit0│
      └────┴────┴────┴────┘
      MSB               LSB

        Bレジスタ (4bit)
      ┌────┬────┬────┬────┐
      │bit3│bit2│bit1│bit0│
      └────┴────┴────┴────┘
      MSB               LSB
```

それぞれのビットには番号が振られていて、上位から順にbit3、bit2、bit1、bit0です。ですから、

```
0100
```

は「bit2が1」ということになります。ちなみに図のMSBとは最上位bit、LSBは最下位bitという意味です。

で、レジスタに値を代入したり演算を行ったりするのがCPUの仕事なわけですが、これらの指示を「命令」といいます。TD4ではすべての命令が8bitで構成されています。

数値の転送命令

例えば「Aレジスタに0001（二進数）を書き込みたい」とします。

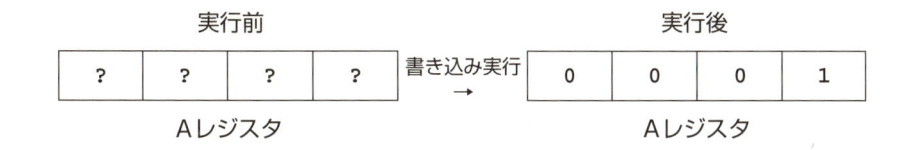

```
      実行前                            実行後
  ┌──┬──┬──┬──┐  書き込み実行  ┌──┬──┬──┬──┐
  │? │? │? │? │      →        │0 │0 │0 │1 │
  └──┴──┴──┴──┘                └──┴──┴──┴──┘
      Aレジスタ                      Aレジスタ
```

この命令では元のAレジスタの内容は上書きされます。上書きですから、Aレジスタの元の内容が1だろうが0だろうがおかまいなしなので図では「？」としています。この場合にTD4では、

00110001

という命令を使用します。上位4bitの「0011」が「Aレジスタに書き込む」という機能の意味で、下位4bitの「0001」が実際に書き込む値です。ですからこの命令の下位4bitの値だけ変えて、例えば

00111111

という命令をを実行すれば、これはAレジスタに「1111」が書き込まれることになります（ちなみに一般的には「書き込む」ではなくて「転送」と表現されることが多いので、以降、本書でも「転送」と表現します）。同様に「Bレジスタに0110を転送」する場合には

01110110

という命令を使用します。上位4bitの「0111」が「Bレジスタに転送する」という機能の意味で、下位4bitの「0110」が実際に転送する値です。つまりTD4の命令は、

命令の機能4bit＋数値4bit

の計8bitで構成されているわけです。TD4ではほとんどの命令がこの構成です。この「命令の機能4bit」は一般に「オペレーションコード」と呼ばれます。また「数値4bit」は単にデータと呼んでもよいのですが、「データ」というだけだと名前が紛らわしかったりしますので、通常は「命令に組み込まれたデータ」であることを明示するために「イミディエイトデータ」と呼びます。これらをまとめると、こんな感じです。

命令

bit7	bit6	bit5	bit4	bit3	bit2	bit1	bit0

MSB　　　　　　　　　　　　　　　　　　　　　　LSB
← 　オペレーションコード　→ ← イミディエイトデータ (Im) →

命令のフォーマット・その1

繰り返しになりますが、TD4の命令は8bitで、上位4bitがオペレーションコード、下位4bitがイミディエイトデータです。

例外はイミディエイトデータが不要な命令の場合です。詳しくは後で説明しますが、このような場合の命令フォーマットは次のようになります。

命令

bit7	bit6	bit5	bit4	bit3	bit2	bit1	bit0

MSB　　　　　　　　　　　　　　　　　　　　　　　　LSB
← 　オペレーションコード　→ 　0　　0　　0　　0

命令のフォーマット・その2：イミディエイトデータが不要な場合

つまりbit3〜bit0を"0"で埋める必要があります。どうでもいいのですが「イミディエイトデータ」って言葉、字数が多くてタイヘンなので図などの中では今後は「Im」と略します。面倒くさいと言えば、いちいち「イミディエイトデータをAレジスタに転送する命令」と日本語で書くのも面倒ですよね。慣れるまではそれでもいいのですが、プログラムリストが

1　イミディエイトデータをAレジスタに転送
2　Aレジスタにイミディエイトデータを加算
3　AレジスタをBレジスタにに転送
4　もしCフラグが1ではない場合にはイミディエイトデータの番地へジャンプ
5　イミディエイトデータをBレジスタに転送
　　　︙

…書くのが面倒くさいというより、プログラムっぽくないですね、これじゃ（笑）。

先の命令、つまり「イミディエイトデータをAレジスタに転送する」命令ですが、1つの表現方法として記号化という手があります。

　　A←Im　　　　（Aレジスタへイミディエイトデータを転送という意味）

これは直感的にわかりやすいので各社のCPUのマニュアルにも載せてあることが多いのですが、命令の種類によっては記号で表現しにくいものもあります。例えば「何もしない」命令はどう表現していいのかけっこう難しいです、というか哲学っぽい話題になってしまいそうですね。

そんなわけで、一般的に使用されているのはBASICやC++と同じような英語(?)です。先の転送命令はLoadとかMoveとか、またはそれを略して書くわけです。どの単語をどう略すかは国際法で決められているわけではないので、各CPUメーカーが好き勝手に決めています。例えば同じような転送命令でも

 MOVE ……まんまMove(モトローラ68000系など)
 MOV ……Moveの略(インテル系CPUなど)
 LD ……Loadの略(Z80など)

…もう、ばらばらですね。とりあえずPCにも使用されているインテルCPUが一番馴染みがあると思うので、TD4もインテル表記に倣います。例えば先の「イミディエイトデータをAレジスタに転送する命令」、つまり

 A←Im

という命令は、

 MOV A,Im

と表現されます。ほら、ちょっとプログラムっぽくなりましたよね。気のせいかもしれませんが。もちろん、実際のプログラムでは「Im」の代わりに具体的な数値が書かれます。

 MOV A,1001 Aレジスタに1001を転送

こんな感じ。これがいわゆる「アセンブラで書かれたプログラム」です。ちなみに「MOV」などの命令を表す英単語というか略字を「ニーモニック」と呼びます。わかりました？

 「MOV」はニーモニック。
 「MOV A,1001」はアセンブラで書かれたプログラム。
 この命令は実際には「00111001(二進数)」となるわけで、これが機械語。

蛇足ですが、機械語は必ずしも二進数で表記する必要はありません。ビット数の多いCPUでは16進数のほうが読みやすいので、そのような表記も多いです。

レジスタ間転送命令

AレジスタからBレジスタへ、またはその逆にBレジスタからAレジスタへデータを転送します。転送というと転送元のデータがなくなってしまいそうなイメージですが、ちゃんと残ります。コピーと言ったほうがわかりやすいですね。例としてAレジスタからBレジスタへの転送の様子です。すでにAレジスタに"0001"（二進数）が入っているとします。

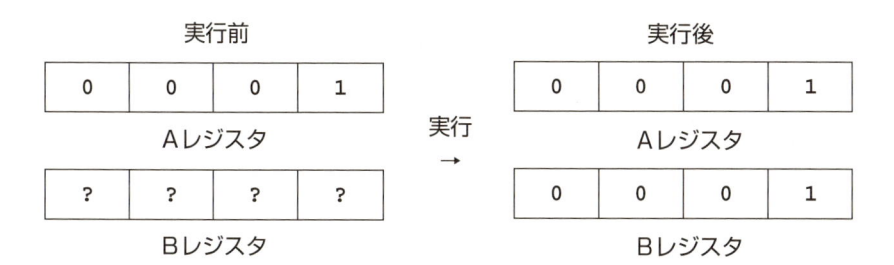

```
       実行前                          実行後
  ┌──┬──┬──┬──┐              ┌──┬──┬──┬──┐
  │ 0│ 0│ 0│ 1│              │ 0│ 0│ 0│ 1│
  └──┴──┴──┴──┘    実行        └──┴──┴──┴──┘
      Aレジスタ       →           Aレジスタ
  ┌──┬──┬──┬──┐              ┌──┬──┬──┬──┐
  │ ?│ ?│ ?│ ?│              │ 0│ 0│ 0│ 1│
  └──┴──┴──┴──┘              └──┴──┴──┴──┘
      Bレジスタ                    Bレジスタ
```

このようにAレジスタの値は変わらず、Bレジスタへコピーされます。これも簡単な命令ですよね。ちなみにアセンブラでは

MOV B,A　　　BレジスタへAレジスタから転送（コピー）

です。この命令のオペレーションコードは「0100」なのですが、よく見るとイミディエイトデータが不要な命令ですね。わかりますか？　「××という決まった値を転送」というタイプの命令ではないわけですから当たり前ですよね。ですからイミディエイトデータ4bitは不要、代わりに0で満たします。つまり機械語は

01000000

となるわけです。同様にBレジスタからAレジスタへの転送は

MOV A,B

となります。オペレーションコードは「0001」なので、機械語は次のようになります。

00010000

加算命令

今度は「Aレジスタに0011（二進数）を加算したい」とします。現在Aレジスタには「0001」という値が入っているとすると

```
   実行前              実行後
| 0 | 0 | 0 | 1 |  実行  | 0 | 1 | 0 | 0 |
    Aレジスタ        →        Aレジスタ
```

この場合には、

00000011

という命令を使用します。上位4bitの「0000」が「Aレジスタに加算してくれたまえ」というオペレーションコードで下位4bitの「0011」が加算されるイミディエイトデータです。アセンブラでは

ADD A,Im

です。Bレジスタに対しての加算も同様で

ADD B,Im

となります。このBレジスタに対する加算命令のオペレーションコードは「0101」です。

なんかオペレーションコードがたくさん出てきて面倒くさいですが、別の章で全命令のオペレーションコードをまとめてあるので、ここではあまり気にしなくて大丈夫です。それに全命令といってもTD4には12種類しかありません。つまり、すでに説明は半分終わってるんです。では残り半分の説明、頑張っていきましょう。

プログラム

先に説明したような命令を使って、例えば

　2＋3

という計算を行うとします。答えは当然「5」となるわけでCPUを利用するまでもないのですが、それを言ってはミもフタもありません。この複雑な計算の結果には人類の存亡がかかっているわけで、なぜなら…って、やっぱり無理がありますね、ストーリー的に。とりあえずこの「2＋3」を二進数で書くと

　10＋11（二進数）

です。この計算をCPUで行う場合には

1　まずAレジスタに0010を転送
2　次にAレジスタに0011を加算

といったように2つの命令を実行させればよいわけです（ここではAレジスタを使用しましたが、もちろんBレジスタを使用してもかまいません）。これはアセンブラで書くと

```
MOV A,0010
ADD A,0011
```

なので、実際の命令を二進数（つまり機械語）で表現すると次のようになります。

　1番目の転送命令……00110010
　2番目の加算命令……00000011

これでCPUに実行してほしい命令のリストができました。これらのリストを難しい専門用語で「プログラム」と言います…って、知ってますよね？

問題はこのプログラムをどうやってCPUに伝えるかです。TD4の場合は人間が手動でROMに書き込むというか用意することでプログラムを伝えます。TD4の命令は8bitなので、これを格納す

るROMも8bit単位で読み出せるよう設計しましたが、覚えてますよね？　上の例ではプログラムは2行でしたが、TD4のROMは8bit×16のサイズですから最大16行のプログラムまで実行できます。

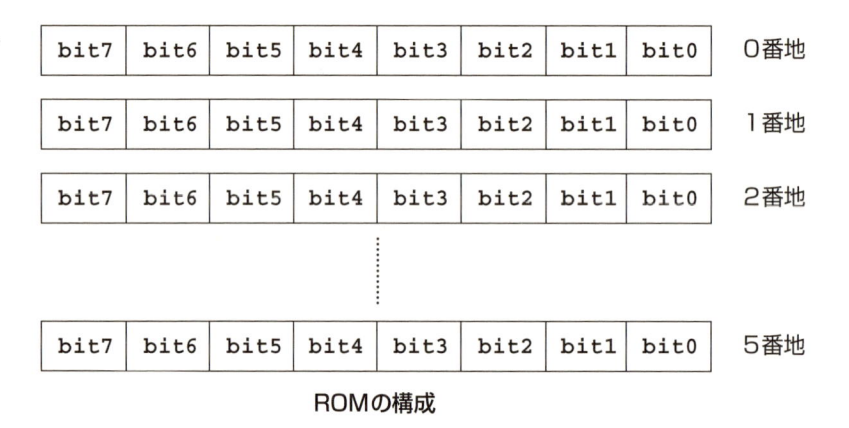

bit7	bit6	bit5	bit4	bit3	bit2	bit1	bit0	0番地
bit7	bit6	bit5	bit4	bit3	bit2	bit1	bit0	1番地
bit7	bit6	bit5	bit4	bit3	bit2	bit1	bit0	2番地
bit7	bit6	bit5	bit4	bit3	bit2	bit1	bit0	5番地

ROMの構成

図のようにプログラムの1行目が格納される場所を「0番地」と呼び、順に「1番地」「2番地」と続きます。…で、

　　CPU（TD4）は0番地の命令から順番に実行します。

つまり一番初めに実行したい命令を0番地に、次の命令を1番地に書き込んでおけばよいわけです。先のプログラムの例だと

　0番地　MOV A,0010
　1番地　ADD A,0011

とすればよいのですから、ROMには

0	0	1	1	0	0	1	0	0番地
0	0	0	0	0	0	1	1	1番地
?	?	?	?	?	?	?	?	2番地

と書き込めばいいのです。CPUにリセットをかけると0番地から順番に命令が読み取られて実行されます。ここまでOKですか？　できればエミュレータで一度確認してみるのがよいです。プログラムをセットした後にリセットをかけてから手動でクロックを進めてください。Aレジスタの値は予想通りですか？

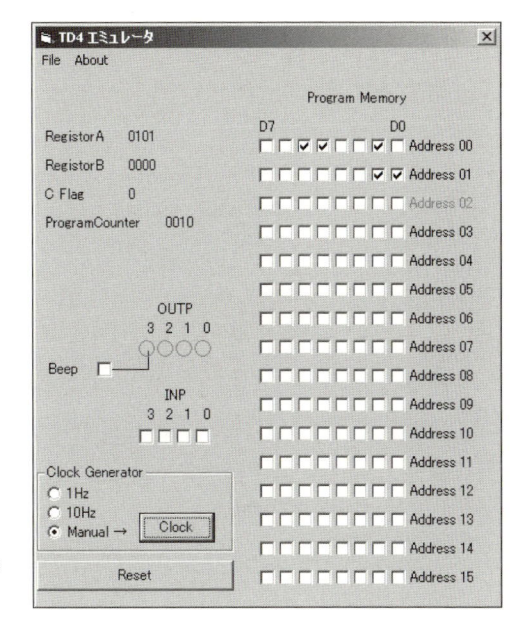

プログラム実行により、RegisterAの値が0101（十進数で5）になる

さて、2行目の命令つまり1番地の加算命令を実行した時点でこのプログラムは完了です。なんたって2行しかないプログラムですから。しかしクロックが供給され続ける限りCPUはさらに次の命令を実行しようとします。つまり2番地の命令を実行しようとしますし、さらにその次には3番地を…といった具合に人間の都合に関係なくカンガン突き進みます。2番地以降のプログラムがデタラメな内容であっても、CPUは真面目に解釈してカンガン突き進みます。せっかく計算した結果がAレジスタに入っているわけですが、これでは内容が破壊されてしまうかもしれません。いわゆる暴走ですね（注：人間から見た場合には暴走ですが、CPUの動作としては正常です）。

この「ガンガン実行してしまう」ことのないように、どこかでプログラムの流れを変える必要があります。

ジャンプ命令

先の説明の通り、CPUは0番地から順に命令を実行するわけですが、この順番を変更するためのジャンプ命令というのがCPUには存在します。例えば0番地に「3番地へジャンプしなさい」という命令を書き込んでおけば、1番地と2番地の命令を飛ばして3番地の命令を実行します。今回の例では2番地に「2番地へジャンプしなさい」という命令を書き込んでおくとジャンプ命令自身にジャンプしますから、再び「2番地へジャンプしなさい」という命令を実行することになります。いわゆる無限ループですね。これで暴走は止められます。

TD4のジャンプ命令は次のようになります。

```
JMP Im
```

Imはジャンプ先の番地です。JMPのオペレーションコードは「1111（二進数）」なので、例えば2番地へのジャンプであれば機械語は

```
11110010（二進数）
```

となります。先のプログラムにコレを追加してみましょう。

```
0番地   MOV A,0010
1番地   ADD A,0011
2番地   JMP 0010………2番地（つまり自分自身）へジャンプ
```

これもエミュレータで実際に2番地で無限ループとなるかどうか確認してみてください。

フラグと条件付きジャンプ（条件分岐）命令

突然ですが「9＋7」という加算を行うとします。これはTD4では次のようになります。

```
MOV A,1001 （Aレジスタに9を転送）
ADD A,0111 （Aレジスタに7を加算）
```

もちろん答えは16となりますが、これは2進数だと「10000」なので5桁（5bit）となります。

…が、TD4は4bitのCPUなのでAレジスタは4bit分しかありませんから演算結果も4bit分しか残すことができません。つまりAレジスタには演算結果の下位4bit分にあたる「0000」だけが書き込まれることになるので、結果だけ見ると「9＋7＝0」みたいな困ったことになります。ですから4bit分の演算結果に収まりきらなかった5bit目…つまり「繰り上がり」も重要な「演算結果」と言えます。

多くのCPUは演算を行った場合に本来の演算結果以外の「繰り上がり」等を追加情報として記録します。先の加算の例だと「結果は0000です。ちなみに桁上がりが発生しています。」といった具合ですね。この「ちなみに」情報には「結果がゼロです」とか「結果が負の数値です」等、いくつか種類が用意されているのが普通で、それぞれの「ちなみに情報」をフラグと言います。

TD4には「繰り上がり（キャリーと言います）」を示す「Cフラグ（CarryFlag）」のみ用意されています。加算の結果、桁上がりが発生すると追加情報としてCフラグは「1」となり、また桁上がりがなければCフラグは「0」となります。

さて、この「フラグ」を利用することで簡単な判断ができるようになります。例えば「Aレジスタの値が9以下か？」を判断したい場合には、Aレジスタに6を加算してみるという方法を使います。もしAレジスタが9以下、例えば9ならば

　9＋6＝15（二進数で1111）

となりますが、もし9以下ではない場合、たとえば10ならば

　10＋6＝16（二進数で10000）

つまり4bitに収まらずに繰り上がりが発生します。これは追加情報としてCフラグに残りますから、あとからCフラグの値（1か0か）をチェックすれば「Aレジスタの値が9以下か？」が判明するわけです。

…えーと、たかだか「Aレジスタの値が9以下ですか？」を調べるのに随分とややこしいコトをしているように思えますが、現在のコンピューターはこのような方法でしか値の大きさを把握することができませんし、これ以上の難しい判断はできないと思ってかまわないと思います、とりあえず。あとは使用する人間の工夫次第、つまりAレジスタで何を表現するかです、貯金残高とか愛の大きさとかね。

ま、ここではわかりやすいように貯金残高で考えます。…えーと、4bitで表現可能な貯金残高と

いうのも危機的に悲しい状況で、きっと空腹で死にそうな状態だと思うわけですが、そんなときに近所のスーパーの「卵の安売り！　1ヶ10円セール」を知るわけです。ここで私の人生は二つに分岐するわけで、もし貯金残高が10円以上なら「スーパーへGO！」となるわけですが、9円以下ならお買い物を諦めるしかありません。9円以下かどうかの判断の方法は先の例と同じです。

```
MOV A,貯金残高
ADD A,6　(2進数では0110)
```

これで判断結果がＣフラグに格納されます。つまり

貯金残高が9円以下ならばＣフラグは0
貯金残高が10円以上ならばＣフラグは1

ですね。ですからプログラムの流れとしては「スーパーへGO！」する前に

もしお金が足りないなら（つまりＣフラグ＝0なら）「あきらめる」へジャンプ

という処理を行う必要があるわけですが、この「Ｃフラグ＝0ならジャンプ」するのがJNC（Jump if Not Carry…キャリーがなければジャンプ）命令です。ジャンプするという動作自体は普通のJMP（ジャンプ）命令とまったく同じで、イミディエイトデータで指定されたアドレスへ飛ぶだけです。が、条件が成立しない場合（JNC命令ではＣフラグ＝1の場合）にはまったく何も行わずにそのまま次のアドレスの命令へ進みます。…ややこしいですね、私は今でもタマに間違えます（笑）。実際、条件分岐命令は機械語入門者が初めにつまずくトコらしいです、ややこしく感じるのが普通だと思ってください。

ところで先のJMP命令では無限ループしか作れなかったわけですが、条件分岐命令を使用すれば「4回だけループしたら抜ける（1～3回目はジャンプ、4回目はジャンプしないでループを抜ける）」ようなコトができます。

```
0番地　MOV A,1100    …まずAレジスタに1100（二進数）を代入
1番地　ADD A,0001    …次にAレジスタに0001（二進数）を加算
                    ここで結果が10000ならCフラグが1にセットされる
2番地　JNC 0001      …JNCで1番地へジャンプ
3番地　　：
```

なお、JNCのオペレーションコードは「1110」です。

プログラムカウンタ

さんざん説明してきた通り、CPUはROMの0番地から順番に命令を実行します。このとき「現在実行している命令の番地」を記憶しているのがプログラムカウンタです。0番地から順番に命令を実行するわけですから、つまりプログラムカウンタは命令を実行するたびに+1されます。そのため「カウンタ」の名が付いているわけです。また、CPUにリセットをかけるということはプログラムカウンタをリセットするというコトとも言えます。

実は、TD4のような単純なCPUではプログラムカウンタの存在を気にしなくてもプログラムは組めてしまいます。ただ、存在することだけは覚えておいてください。

I/O

さて、I/Oの意味はおおよそご存じだと思いますが、要するにINとOUTですね。いったいどのへんを境界線にしてINとかOUTとか言っているのかは世間的にもけっこうあやふやなのですが、とりあえずTD4にもI/Oがあります。というか、せっかくのCPUもI/Oがないと動いてるんだか止まってるんだか外からはよくわからないので面白くありませんから。PCなどに使用されている86系CPUはバスに各種I/Oをぶら下げる方式ですが、TD4ではCPUから直接I/Oが出ています。これもワンチップマイコンなど規模の小さいCPUで多く採用されている方式です。なお、I/Oの窓口はポートと呼ばれます。入力なら「入力ポート」、出力なら「出力ポート」となります。

入力命令(IN)

TD4には4bitの入力ポートがあります。例えばこの入力ポートにスイッチを繋げれば、プログラムからスイッチの状態を読むことができます。4bit分ありますから、普通のスイッチならば4つ繋げることができます。当然ですが、入力ポートは電圧入力ですのでスイッチのON/OFFを0Vまたは5Vに変換してからポートに接続する必要がありますが、この方法はすでに説明済みですからわかりますよね? もちろんデジタル信号であればスイッチ以外でもOKです。

TD4に用意されている入力用の命令は「IN」で、入力ポート(4bit)をAレジスタまたはBレジスタに転送します。アセンブラだと、

IN　A　　　　入力ポートをAレジスタに転送

となり、オペレーションコードは"0010"です。イミディエイトデータは不要なので、機械語では

　　　00100000

です。同様に

　　　IN　B　　　　入力ポートをBレジスタに転送

のオペレーションコードは"0110"なので、機械語は

　　　01100000

となります。

出力命令（OUT）

出力は4本、つまり4bitです。この4bitからHまたはLを自由に出力できます。ですから例えばLEDを4つ好きなパターンで点灯させることができますし、リレーを介せば100VのON／OFFもできます。そんなわけで 一番イタズラの範囲が広いのがこの出力ポートなわけですが、これを扱うのがOUT命令です。OUT命令は2種類が用意されています。

　　　OUT　B

これはBレジスタのデータが出力ポートへそのまま転送されます。Bレジスタが「0110」ならば出力ポートも「0110」となり、もし1で点灯するLEDが接続されていれば「消灯・点灯・点灯・消灯」となります。オペレーションコードは「1001」で、イミディエイトデータは不要です。

もう1つの命令がコレです。

　　　OUT　Im

まぁ、見たままというか、イミディエイトデータをそのまんま出力ポートへ転送します。手っ取り早くLEDを点けたり消したりしたい場合には便利ですね。オペレーションコードは「1011」となります。

では、I／Oの入出力プログラムの例です。

```
0番地   IN  B
1番地   OUT B
2番地   JMP 0000
```

入力ポートをBレジスタに転送し、それを出力ポートへ転送します。これを無限ループ。つまり入力ポートのスイッチの状態がそのまま出力ポートのLEDに反映されます。実際の機械語は以下の通りです。

0	1	1	0	0	0	0	0	0番地
1	0	0	1	0	0	0	0	1番地
1	1	1	1	0	0	0	0	2番地

これもエミュレータで動作を確認してみましょう。以上でTD4の命令の説明は終わりです。ようやく仕様が決まったので、次章からは実際の設計を始めます。

CPU NO TUKURIKATA

CHAPTER 7

■ 1bitCPU（らしきもの）

退屈な話ばかり続くのもナンですから、このへんで一発CPUというモノを作ってみることにします。とはいっても我々が扱えるのは単純なゲートの類だけですね、まだ。本来ならCPUより先にデータセレクタとかカウンタを勉強するのが順序なのですが、とりあえず手持ちの知識だけで回路を描いてみて必要になったら慌てて勉強することにします。いわゆる行き当たりばったりなのですが、「いつかは役に立つ」知識というのは、正直なかなかアタマに入らないものですし。

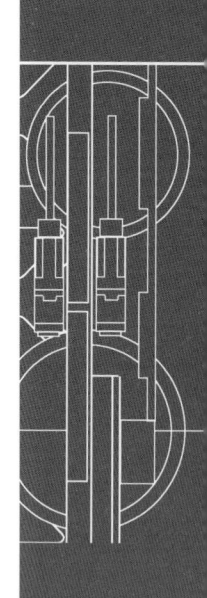

Chapter 7

1. フリップ・フロップ

これまでに登場したデジタル回路は、ANDとかORなどの「入力が××のときに○○を出力する」ようなノリでした。逆に言えば、○○を出力しているということは今まさに××が入力されているわけですね、リアルタイム（？）に。今のことは今決める、みたいな刹那的な回路です。これに対して本章で登場するフリップ・フロップは「記憶」を担当する回路です。彼女がなぜL（またはH）を出力しているかといえば、彼女が過去にそれを記憶したからなのです。過去を引きずっている少女とかいうと暗い感じですが、これが意外にドライな子だったりするわけで、半導体技術の進歩により最近では1秒間にギガ回オーダーでコロコロと記憶を変えてケロッとしてます。

フリップ・フロップ登場

「おら〜、おまえら席に着け〜。今日は転校生を紹介するぞー。あー、名前は…」
「フリップ・フロップです。えっと、バスケと料理と1bitの記憶が得意です。よろしくお願いしまーす」
「あー、とりあえず席は…山田の隣が空いてるな。おい山田、面倒見てやれよー」
「…ちっ、なんでオレが女の面倒なんか…って、おまえっ！　朝のイチゴ模様！？」

…残念ながらイチゴ模様ではありません、念のため。こんな模様というか記号です。今後のストーリー展開において非常に重要なキャラクターですから、顔と名前をしっかり覚えましょう。

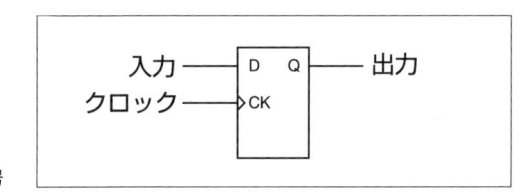

```
入力 ──── D  Q ──── 出力
クロック ──▷CK
```

フリップ・フロップの記号

さて、このイチゴ模様ちゃん…じゃなくてフリップ・フロップというのは簡単に言えばメモリーです。フリップ・フロップ1つで1bit、つまり1か0を記憶できます（ちなみにフリップ・フロップといっても何種類かあるのですが、ここでは「Dフリップ・フロップ」と呼ばれるものを使います）。

実際の動作

フリップ・フロップの動作ですが、「クロックがLからHに変化する（立ち上がる）瞬間にデータ（D入力）をキャプチャします」というコトになります。キャプチャしたデータは次に再びクロックがLからHに変化するまで変わりません…などと日本語でぐちゃぐちゃ書かれてもよくわからないと思います。というか私ならわからないです、日本語苦手だし（ちなみに英語はもっと苦手）。

要するにクロックが「LからHに立ち上がる瞬間」に動作するわけですが、これに近いものとしてはカメラのシャッターボタンがあります。シャッターボタンを押した瞬間にカメラは画像をキャプチャしますが、その後シャッターボタンを押し続けていても何も起こりません。一度キャプチャされた画像はその後被写体が動いても変化しません。で、シャッターボタンを離した瞬間にも何も起きません。蛇足ながら、シャッターから指を離し続けている間も何も起きません。

シャッターを押した瞬間をキャプチャする

シャッターを押したまま被写体を変えてもキャプチャされた画像は変わらない

シャッターを離して被写体を変えてもキャプチャされた画像は変わらない

　ただし、2度目にシャッターボタンを押した場合の動作が、カメラとフリップ・フロップではちょっと違います。当然ですが、カメラの場合にはフィルムが巻き取られて次の位置に（またはフラッシュメモリーの空き領域に）キャプチャされますが、フリップ・フロップでは「上書き保存」されます。つまり、前回キャプチャされた絵（データ）は失われます。1枚しか撮影できないデジカメみたいなものですね。なお、キャプチャしたデータはQから出力されます。

　　というわけで、クロックはシャッターボタンです。

　さて、このデジカメは1か0しか写りませんから（ある意味ホントのデジタルカメラですね）、つまり1bitだけを記憶できるということになります。ですから複雑な情報を記憶するためにはフリップ・フロップの数を増やす（＝bit数を増やす）必要があります。

　例えば半角の「A」という文字は（多くの場合）8bitの「01000001（二進数）」で表現されます。ですから、これを記憶するためにはフリップ・フロップというデジカメが8台必要です。この「デジカメ8台」は次のような回路図になります。当然8つのデジカメが同時にキャプチャしなければならないので、すべてのフリップ・フロップのクロックは接続されることになります。

　0もちろん1と0で表現できるものであれば文字だけではなくて数値も記憶できます。2進数で8bitですから、例えば0〜255までの数値を表現することができます。

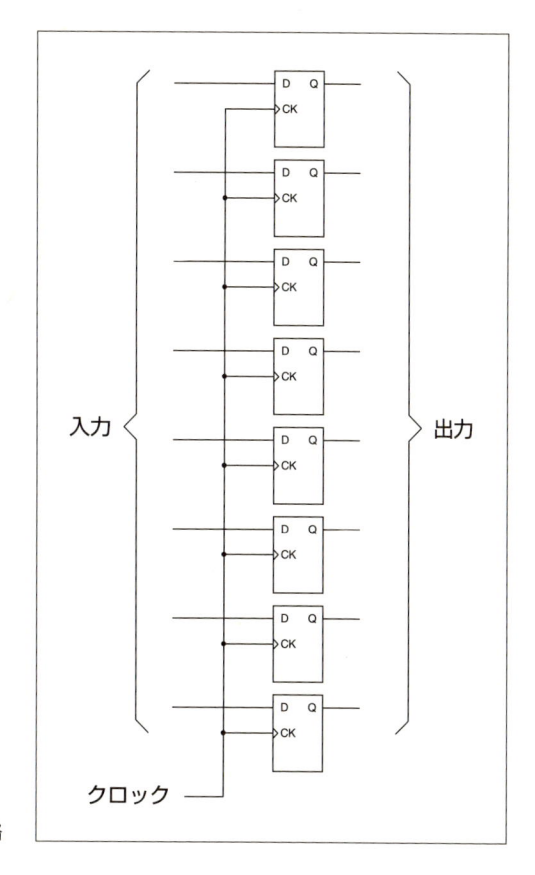

8bitの記憶回路

ちなみにTD4にはAレジスタとかBレジスタという4bitメモリー（？）がありますが、4bitですからそれぞれフリップ・フロップ4つで構成できます。

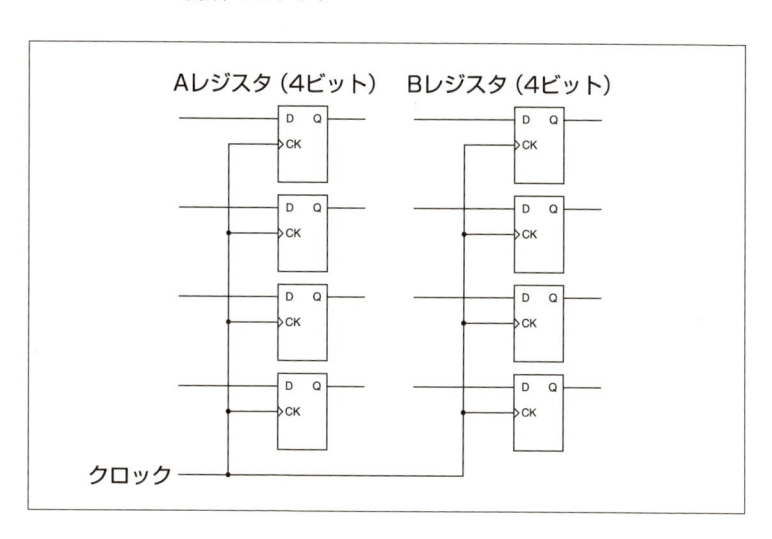

AレジスタとBレジスタ

参考までにフリップ・フロップICの例で74HC74です。74HC74の場合、フリップ・フロップが2個入ってます。

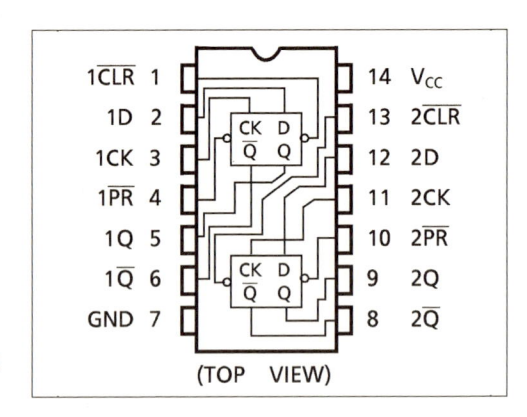

74HC74（株式会社東芝セミコンダクター社のデータシートより抜粋）

データの入出力がそれぞれDとQで、CKがクロックです。この計3本の信号は先の説明通りです。また、Q̄出力がありますが、これは単純にQを反転したモノが出力されると考えてください。つまりQが"H"のときはQ̄は"L"です（注：本書のような使い方であれば、このような理解でとりあえず十分です）。そういえばCLRとPRはまだ説明していませんでしたね。これらはそれぞれフリップ・フロップを記憶操作（笑）するための機能で、クロックに関係なく記憶を変えることができます。

CLR……記憶を強制的に0にする（クリア）
PR ……記憶を強制的に1にする（プリセット）

どちらも負論理、つまりLにすると発動してしまいますので、通常動作のときにはHに固定します。クロックで記憶できる上に記憶操作まで可能となるとけっこうややこしい気がしますが、実際ややこしいのでCPUのような回路ではこれらの機能はあまり使わないほうがよいと思います。本書ではPRはまったく使いませんし、CLRはCPUのリセット用に使うだけです。リセットですから、普通にCPUとして動作している最中には使用しないことになります、ご安心を。

詳 細

ここまで「クロックの立ち上がりでキャプチャ」と説明してきましたが、逆のモノ（下がるときにキャプチャ）もあります。本書では使用していませんが、74HC113などの多くのJ－Kフリップ・フロップなどが「立下りでキャプチャ」です。実際に使用されるような場合にはデータシートなどをよく確認してください。なお「立ち下がり」という言い回しは日本語としてちょっと変ですが、けっこう一般的に使用されているようでデータシートなどでも見かける表現です。

データの保持

フリップ・フロップのクロック（CK）は通常、その名の通りクロックに接続して使用します。もちろんこれはみなさんもご存じCPUのクロックのことです。CPUのクロックは（原則として）停止することはないわけですから、つまりフリップ・フロップというカメラのシャッターは定期的にかっしゃんかっしゃんと押され続けることになります。押されるたびに記憶は上書きされてしまいます。…が、これはちょっと困ります。記憶が保持できません。

先にお話ししたようにAレジスタとかBレジスタはフリップ・フロップで構成するわけですが、これはそもそも「値をメモっておく」ためのものですから勝手に上書きされると困ります。ずーっと同じ値でいてほしいのです。もちろんフリップ・フロップ相手に「今のままのキミが好き」などと言っても無視されますので何か方法を考えなければなりません。

一般的には「フリップ・フロップに自分の出力をキャプチャさせる方法」を使用します。デジカメで自分自身の液晶モニターを撮影するには鏡などを使う必要があって大変ですが、電気回路なら簡単です。

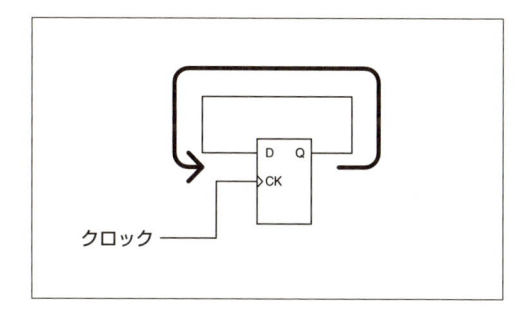

自分の出力をキャプチャ

ただ、このままだと永遠に同じデータを保持するだけで書き換えができません。ですから入力にセレクター（切り替えスイッチ）を付けて「新しいデータをロード（書き込み）」するのか「自分自身をコピー（保持）」するのかを選択できるようにします。

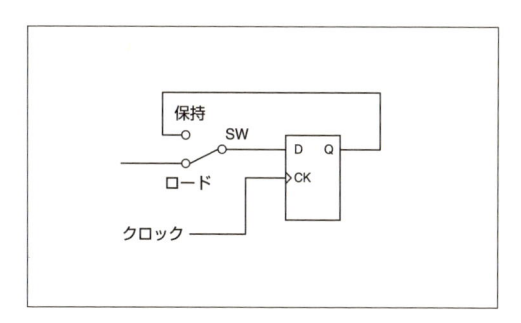

書き込みと記憶保持を切り替える回路

現実のCPUにメカニカルなスイッチは付けられませんので、実際にはロジックICで構成することになるのですが、それは後から説明します。

詳　細

この他にも「クロック自体を止める」という方法があります。クロックを止めてしまえばフリップ・フロップは完全に停止するので放っておいても値を保持します。とはいってもCPUのクロックを止めるわけにもいきませんから、フリップ・フロップの直前でブロックすることになります。

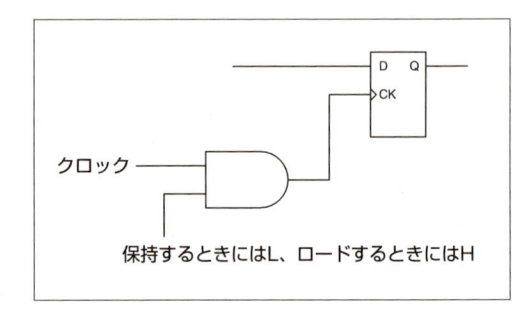

クロック信号の途中にゲートを入れる

これはクロック信号の途中にゲートが入っているのが欠点です。特に大規模な回路では多くのフリップ・フロップが使用されおり、これらすべてをいかに（タイミング的・論理的に）整然と動作させるかが問題となります。で、これらフリップ・フロップが何を基準に動作しているかと言えば、もちろんクロックです。ですからクロック信号自体をいじるのはあまりよくないことです、というのが、かなり大雑把な説明です（注：省電力化のためにブロックごとクロックを止めるということはあります）。ただし、今回のようなごく小規模な回路であれば実際にはどちらの方法でもよいとは思います。

Chapter 7

2. 1bitCPU

先に説明した通り、8bitレジスタというのはフリップ・フロップを8つ並べただけです。当然ながら32個並べれば32bitレジスタですね。つまり8bitCPUと32bitCPUに本質的な違いはありません。…などと、あらかじめ暗示をかけておくわけですね。そうでもしないと今後のストーリー展開、ちょっと無理があるので。

転送命令の正体

さて、TD4に限らずCPUにはデータの転送命令があります。というか、とても大事な命令です。例えば、

```
MOV A,B
```

これはすでに説明済みですからわかりますよね。BレジスタからAレジスタへデータを転送しなさい、という命令です。といっても元のBレジスタの内容がなくなるわけではないので、転送というよりコピーという表現のほうがよいかもしれません、というハナシは覚えてますか？

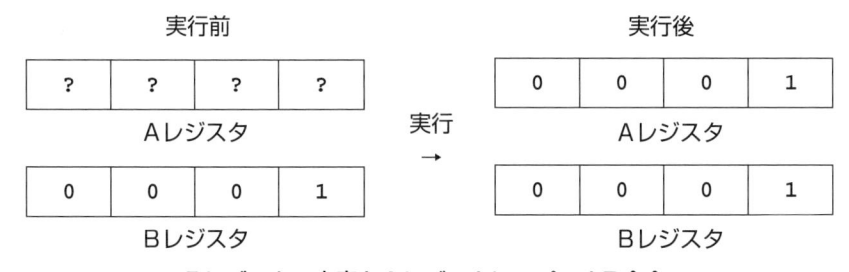

	実行前					実行後		
	?	?	?	?		0	0	0	1
	Aレジスタ				実行 →	Aレジスタ		
	0	0	0	1		0	0	0	1
	Bレジスタ					Bレジスタ		

Bレジスタの内容をAレジスタにコピーする命令

というわけで、まず移動命令を備えた「だけ」のCPUを考えてみましょう。最初なので、1bitのCPUということで説明します。

まずレジスタですが、これはもうわかりますよね、先ほどのフリップ・フロップを使用します。ですから1bitレジスタの回路図はこんな感じです。

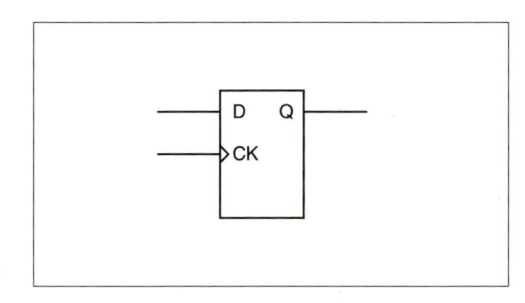

1bitレジスタ

…っていうか、単なるフリップ・フロップですが（汗）。さらに話を簡単にするために、まずはレジスタが1つしかないCPUを考えます。とりあえずAレジスタと命名しましょう、さすがに名前がないとかわいそうですし。

さて、すでにフリップ・フロップのデータの「保持」の仕方を説明しました。覚えてますよね。フリップ・フロップの出力を入力に戻してあげればよかったわけです。

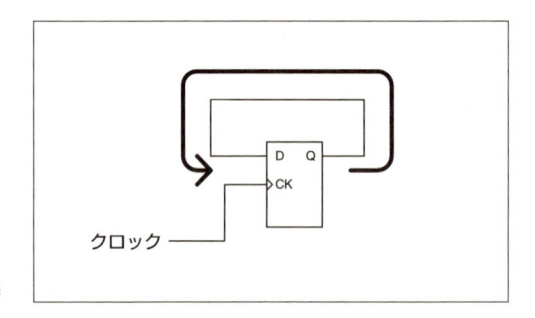

データの保持

これは「AレジスタからAレジスタへのデータコピーの命令」と考えることができます。つまり、

```
MOV A,A
```

という命令です。人類にとってはあまり意味のない命令だという気もしますが（汗）、クロックに同期して「AレジスタからAレジスタへのデータコピー」を実行しているわけです。ですから、かなり強引に考えれば

命令セットが「MOV A,A」のみという1bitCPU

と言うことができます。1クロックで1命令を実行するわけですね。というわけで、記念すべきオリジナルCPU試作1号機です。

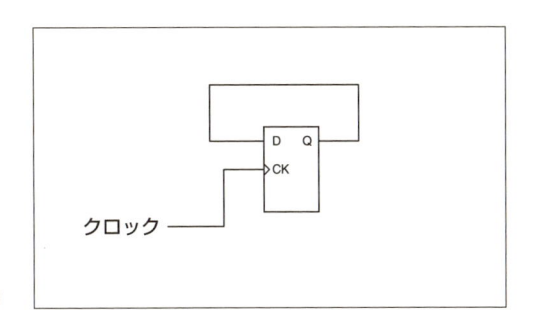

ただ１つの命令だけを実行できる1bitCPU

話の流れがかなりインチキくさいような気もしますが―、実際、世の中のCPUの基本回路（というか多くのデジタル回路の基本）はコレだったりします。この先本書を読み進めていって、もし途中で理解できなくなるようなことがあったならばここへ戻ってきてください。

迷ったらココに
戻って来るコト

演算が可能な1bitCPU

ま、アレですね、やっぱり演算くらいはできなきゃですね、CPUというからには。とはいってもレジスタが1つしかないので複雑なことはできませんから、もっとも単純な演算、つまり

  NOT A   Aレジスタの内容を論理反転

という命令を実行させることにします。論理反転はわかりますね、1なら0へ、0なら1へとひっくり返すことです。これはインバーターを使えばよいわけですから、こんな回路になります。

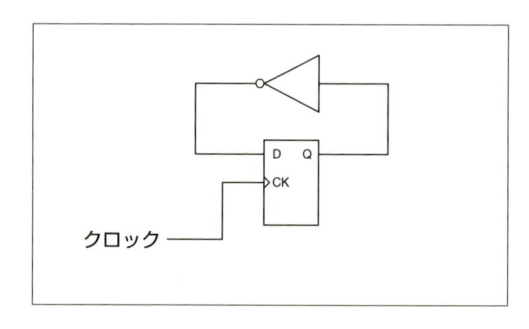

オリジナルCPU試作2号機。演算だってできる！

この回路ではクロックが立ち上がるたびにAレジスタの内容が反転します。これで我々は演算機能を持ったCPUをも手に入れたわけです。めでたしめでたしです。

…しかし、あんまり変わっていませんね、さっきの1号機と。インバーターが入っただけです。この「あんまり変わっていない」というコトは非常に重要です。もう少し考えてみましょう。

この「転送命令を実行するCPU」と「演算命令を実行するCPU」を比べてみます。これらをアセンブラで書けば

  MOV A,A   AレジスタをAレジスタに転送
  NOT A   Aレジスタの内容を論理反転

となり、かなり性質が違う命令に見えますが、実際の回路では

・AレジスタのデータをそのままAレジスタに転送している。
・AレジスタのデータをAレジスタに転送している。

ということになりますから、実は非常によく似た命令であることがわかります。どちらも転送命令がベースなわけで、転送の途中に演算回路があれば演算命令に化けるだけです。言い換えれば、演算命令は転送命令の一種、ということになります。

そろそろCPUの正体がわかってきましたか？　要するにCPUというのは

　　転送命令を繰り返すだけのロジック

なわけです。繰り返しになりますが、ここまでの話で重要なのは3点。

1　データの保持の方法。フリップ・フロップの出力を入力に戻してあげればクロックがきても同じデータを保持できます。
2　レジスタ間のデータコピーの方法。コンピューターが実行する命令の大半はMOVなどの転送系です。転送元のフリップ・フロップの出力を転送先のフリップ・フロップへ繋ぐ。で、クロックでコピー実行。重要です。
3　演算の方法。演算はソフトウェアから見ると転送命令とは別のカテゴリですが、CPUの回路としてはMOVなどの転送命令（として処理できる）の一種です。データを転送する途中で演算回路（上の例だとインバーター）を経由すればよい、ということです。演算命令と転送命令はほとんど同じ。これも非常に重要。

とはいえ、このままではCPUとしては使えません。言うまでもなく命令が1つしかないという問題です。これではプログラム不可能な、同じ命令を繰り返してひたすら爆走するだけのCPUです。CPUは命令に従って動作しなければなりません。次は、そのための仕組みを説明します。

おまけ　フリップ・フロップの仕組み

当たり前のように登場してしまったフリップ・フロップですが、中身はブラックボックスのままですね。参考までにブラックボックスの中身を次ページに掲載します。もちろんこれを理解する必要はありませんし、実際にフリップ・フロップをディスクリート（バラの部品を使用して）で組むことはほとんどありませんから、ブラックボックスという理解でもさしあたり問題ないです。

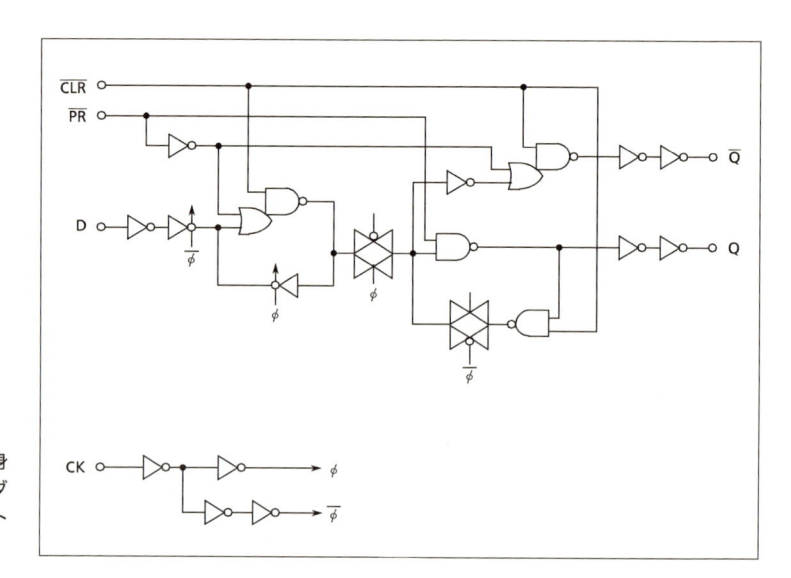

フリップ・フロップの中身
(株式会社東芝セミコンダクター社のデータシートより抜粋)

さすがに実際の回路は複雑ですから、単純化して考えます。まずは基本的な記憶回路です。

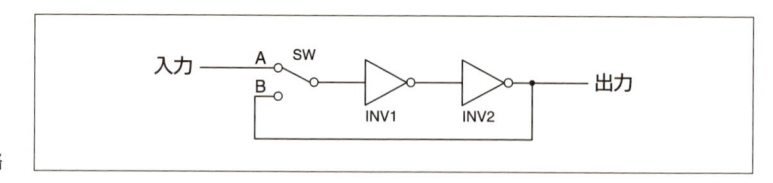

基本的な記憶回路

この回路でスイッチがA側の場合、これは入力を二重否定して出力するだけの回路ですから

　　入力＝出力

です。Hが入力されれば出力もHですね。この状態、つまり「Hが出力されている状態」でスイッチをB側に切り替えるとINV1にはHが入力されてこれが二重否定されますから、やはり出力はHになります。このHがさらにINV1に入力されて…というコトを未来永劫、永遠に繰り返します。つまり「Hを記憶した」ということになるわけです。もちろんLが入力された場合も同じですね。これが一応記憶回路の原理なのですが、見ての通りスイッチがA側のときには入力がそのまま出力へスルーしていますから、Dフリップ・フロップのような動作にはなりません。

Dフリップ・フロップのように「クロックの立ち上がりの瞬間に記憶」するようにするためには、次のような回路を使用します。

クロックの立ち上がりの
瞬間に記憶する回路（図
はクロックがLのときの
状態）

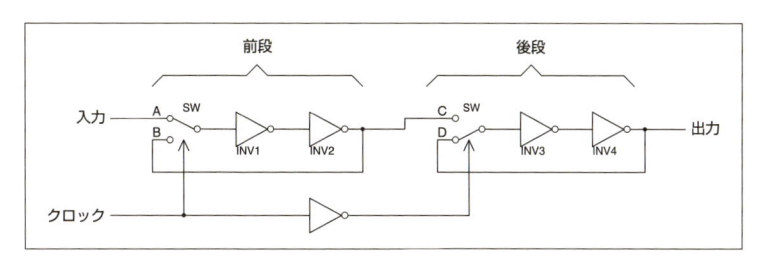

先の回路が2段になっています。スイッチはクロック（CP）で切り替わりますが、前段と後段で
は常に逆方向に切り替わります。仮にクロックがHのときに前段のスイッチはB側、後段はC側に
切り替わるとすると、クロックがLのときとHのときにはそれぞれ次のような状態になります。

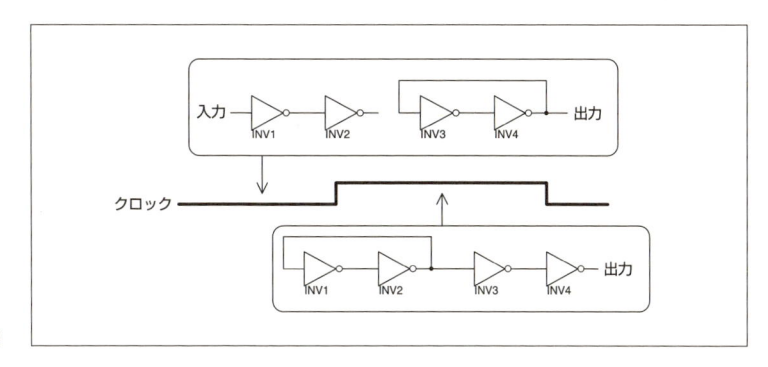

スイッチの状態

・クロックがLのとき、後段が保持動作なので入力がそのまま出力へスルーすることはありません。
・クロックがLからHへ切り替わる（立ち上がる）と後段の保持動作は解除されスルーとなりま
 すが、前段はクロック立ち上がり時のデータを保持します。つまり立ち上がり時の入力データ
 が前段に保持され、後段からそのまま出力されます。
・クロックがHからLへ切り替わる（立ち下がる）と後段は保持動作となるので出力は変化しま
 せん。つまりクロック立ち上がり時の入力データが引き続き出力されます。

ただし、実際にはスイッチの切り替えの瞬間に微妙な問題が付きまとうので、これほど単純な話
ではありません（この説明では単純化しているため、一部不正確さを含んでいます）。ですから
74HC74のように「何も考えずに使える完成品のフリップ・フロップ」を使用するのが無難です。

データの流れを変更する方法

何となく偉そうなタイトルですが、要するに切り替えスイッチのコトです、安心してください。で、先の1bitCPUでは

  MOV A,A

という命令を実行するための回路と

  NOT A

という命令を実行するための回路、つまり2種類の回路図を考えました。これを切り替えられるようにしたいわけです。

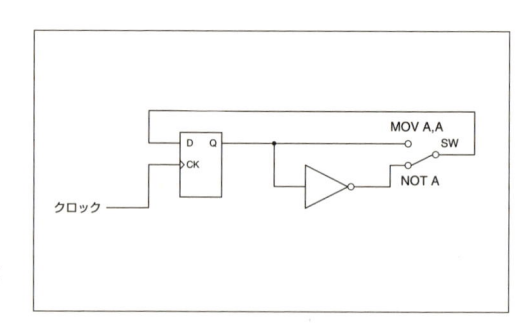

スイッチで2つの命令を切り替えられるようにした

スイッチを「MOV」側または「NOT」側にすることで処理の切り替えができます。簡単な仕組みですが、原理的にはこれでOKです。ただ普通のCPUのシリコン上にはトグルスイッチは付いていないですね（笑）。ですから人間がトグルスイッチを操作する代わりにデジタルな信号、つまりHとLでデータをスイッチする仕組みが必要です。割と簡単です、これ。

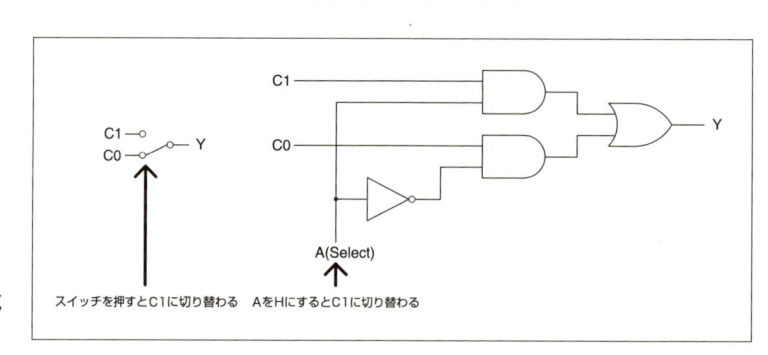

メカスイッチ（左）と電気式スイッチ（右）

入力C0とC1をAで切り替えてYに出力する例です。この回路を論理式で表現すると

$$Y = C0 \cdot \bar{A} + C1 \cdot A$$

なので、これを変形すれば

A＝0のときY＝C0
A＝1のときY＝C1

というのが教科書に書いてある（あまり面白くない）説明じゃないかと思うのですが、単純に「ここが1のときには、えーと…」などと信号を追ってもわかりますから好きなほうで理解しておいてください。一応、真理値表です。ま、これは見ての通りですね。

入力			出力
C0	C1	A	Y
L	X	L	L
H	X	L	H
X	L	H	L
X	H	H	H

このような複数の入力を切り替えるスイッチを「データセレクタ」と呼びます（注：ここでは使用目的と言葉の馴染みやすさからデータセレクタと呼ぶことにしましたが、ICのデータシートに「マルチプレクサ」と記載していたり「データセレクタ／マルチプレクサ」などと併記しているメーカーもあります。もちろん厳密には違う意味ですが、とりあえずそんな風に呼ばれると思ってください）。この例では2入力なので、2チャンネルのデータセレクタということになります。ま、回路さえアタマに入っていれば名前なんてどうでもいいのですが、いざデータシートを探すときに名前がわからないと不便だったりもします。ところが名前を覚えずに済むとてもよい方法があります。簡単なことです、この本を捨てないことです。

ところでスイッチといえば、こんなのもありますよね。

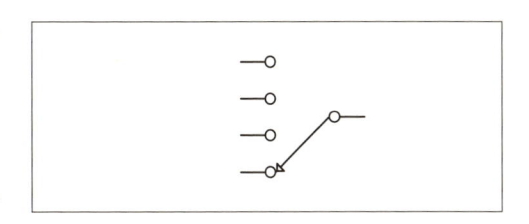

4接点のスイッチ

同様にデジタル回路でも4入力のデータセレクタがあります。ええと、4チャンネルデータセレクタですね。

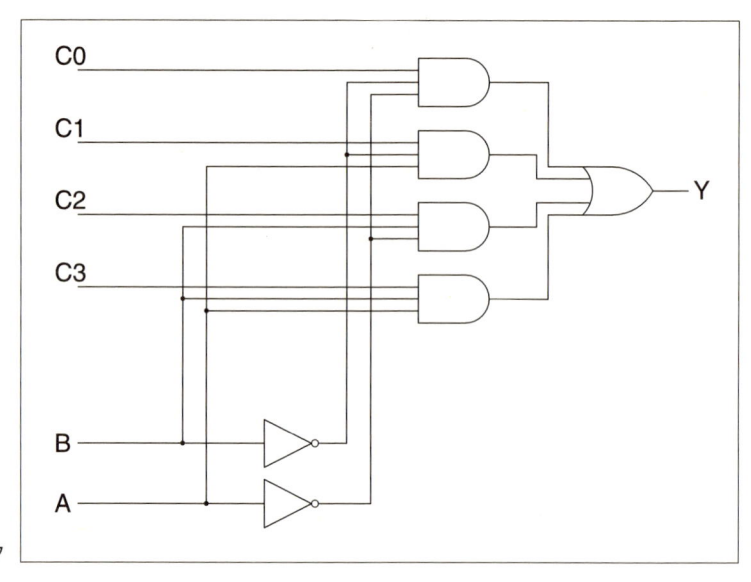

4チャンネルデータセレクタ

基本的には先の2チャンネルと同じです。4入力から1つを選ぶのでセレクト入力がAとBの計2bitになりますが、くどくど説明する必要もないですよね。2チャンネルのときに比べてゲートの数がやたらに増えてますけど、やってることは一緒です。でもゲートが増えてくると何となく「ロジックっぽい」というか、イイ雰囲気になってきた気がしませんか？　そうですか、しませんか。逆に配線作業が面倒くさそうでイヤな感じですか。それもそうですね。

ええと、実際に配線作業は面倒くさいですし、4bitCPUだとこれを4回路ぶん作らなきゃならなかったりします。けっこう大変です。私にもコレを配線する根性はありません。しかし安心してください、ちゃんと便利なICがあります。

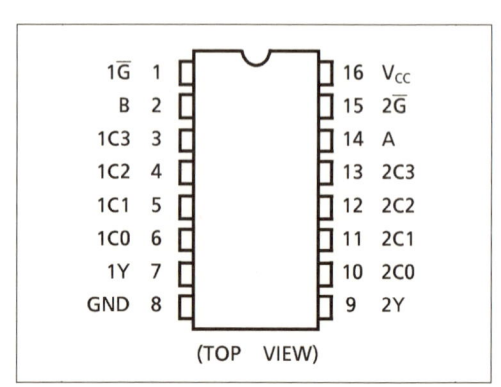

74HC153（株式会社東芝セミコンダクター社のデータシートより抜粋）

これは4チャンネルのデータセレクタの完成品です。しかも今ならお得な2つ入りですよ、奥さん（昔から2つ入りですってば）。2つ入りなので、デュアルな4チャンネルデータセレクタということになります。名前も偉そうでいよいよCPUっぽくなってきた気がしませんか？　そうですか、しませんか。がっかり。ちなみに74HC153の真理値表です。

SELECT INPUTS		DATA INPUTS				STROBE	OUTPUT Y	
B	A	C0	C1	C2	C3	$\overline{G}$	HC153A	HC253A
X	X	X	X	X	X	H	L	Z
L	L	L	X	X	X	L	L	L
L	L	H	X	X	X	L	H	H
L	H	X	L	X	X	L	L	L
L	H	X	H	X	X	L	H	H
H	L	X	X	L	X	L	L	L
H	L	X	X	H	X	L	H	H
H	H	X	X	X	L	L	L	L
H	H	X	X	X	H	L	H	H

X：Don't Care
Z：高インピーダンス

74HC153の真理値（株式会社東芝セミコンダクター社のデータシートより抜粋）

G入力（ストローブ）というのがオマケで付いてきますが、これをHにすると他の入力に関係なく出力を強制的にLにできるというのは真理値表の通りです。つまり、使わない人はGをLに固定しておけばよいのです。我々も今回は使いません。なお、切り替え方の話は203Pでします。

以上でデータセレクタ自体の説明は終わりです。電気式スイッチ、もうわかりましたよね。

●●●●●●●●●●●●●●●●●●●●●●●●●●●●●●

おまけ ドライブ能力とオーバークロック

データセレクタに限らず、回路の規模が大きくなると1つの出力で多数の入力をドライブする必要が出てきます。

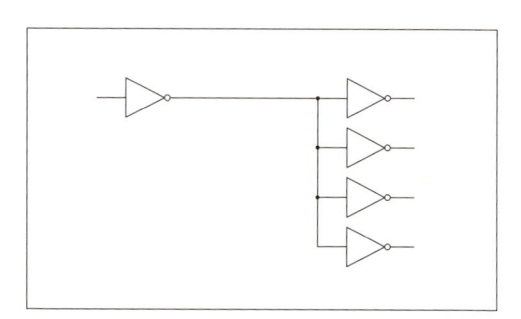

4つの入力をドライブする例（回路的には意味なし）

- さて、実際にはいくつくらいまでの入力ならドライブ可能なんだね？　という話です。

今回使用している74HCシリーズでは出力電流は4mAです（注：品番により異なります）。これに対して入力電流はほぼゼロ、スペック上の最悪値でも1μA程度ですから単純計算では4000個はドライブできることになります。

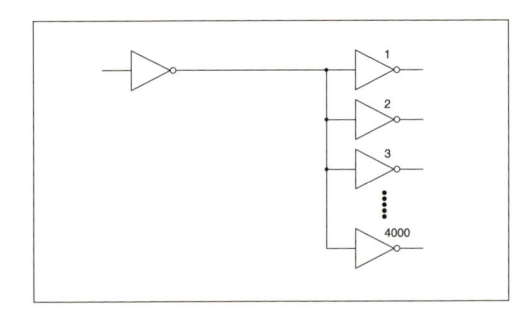

4000個の入力をドライブ可能？

実際には基板やICに付着した手垢やホコリなどを流れる電流の影響があるので4000個というのは現実的ではないのですが、それよりも交流特性に問題が出ます。ええと、つまり速度のことです。

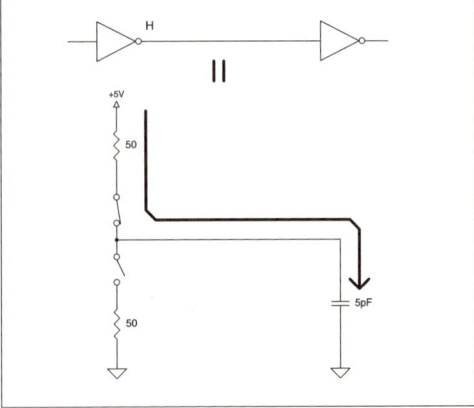

出力回路と入力回路（CMOSの場合）

ゲートの出力と入力は、おおよそこんな回路で置き換えられます。図の中のスイッチは、当然ながら実際にはトランジスタです。74HCの場合はR＝50Ω程度です（注：これも品番により異なります。例えば本書でも使用している74HC540では25Ω程度。また、出力電流や温度によっても変化します）。また、ゲートの入力というのはドライブする側からはまったくのコンデンサに見えます。74HCシリーズの場合おおよそ5pFなのですが、別にこのコンデンサが何かの役に立つというわけでもなくて、むしろ邪魔な存在です。邪魔なのですが、IC（というかトランジスタ）を作るともれなく付いてきてしまうのです、現在の地球人の科学力では。

で、このコンデンサがなぜに邪魔かというと、勘のよい方は気が付いたと思いますが、このCとRの回路というのは「スイッチのチャタリング除去」で出てきた遅延回路と同じなわけで、つまり回路が遅くなってしまうわけです。

図のようにHレベルを出力すると（上側のスイッチがONになっているのと同じ）5pFに5Vが充電されていきます。何度も出てきたCRの充電というかバケツに水です。例えば1つの出力で100個のゲートをドライブする場合には5pF×100＝500pFですので、

　　時定数は50Ω×500pF＝25nSec

おおよそこのくらいのオーダーで遅延が発生します。74HCシリーズの一般的なゲート応答速度が数nSec程度であることと比較すると、かなり大きな遅延です。いくらスイッチが高速にONしても充電だけで時間がかかってしまうわけですね。

そんなわけで、現実的にドライブできるのは10個程度が目安と考えてください、とりあえず。回路への理解が進めば状況判断ができるようになると思います。

我々には直接関係ないことですが、これはIC内部にも言えます。データセレクタの例でもわかるように、チップ上でも「いくつものゲートをドライブ」して頑張っているゲートが存在します。この場合にも同じように遅延が発生します。遅延はCRの積つまり時定数で決まってしまうので、これを少なくするためにはCを小さくするかRを小さくするかないです、当たり前ですが。

よくCPUを冷やすとオーバークロックに強くなるという話を聞きますが、これは温度が低いとRが小さくなるという特性をCMOSが持っているためです。

また簡略化のため先の図では省略していますが、当然配線そのものにも抵抗があります。我々が手で配線するような場合には関係ありませんが、最先端のCPUの場合だと配線が極端に細いので影響が出てきます。線が細くなると抵抗が大きくなりますから、ルールが小さくなるほど配線が細くなり抵抗が増大するので不利になります。対策としては抵抗率の小さい材料で配線すればよいのでアルミニウムの代わりに銅が使用されていたりもするようですが、銅の抵抗もゼロではないのであくまで延命処置ですから今後もこの問題では苦労しそうです。

なお、バケツに水を入れる回数、つまりクロック周波数が上がると当然ながらそれに比例して消費電流は増えます。一方、消費電力が増えればそれだけチップの温度は上昇しますから、先のR

- の値が大きくなるので速度は低下してしまいます。そんなイロイロな問題の中でバランスをとり
- ながらCPUのクロック周波数は高くなってきたわけです。他人ごとながら大変そうです。しかも
- 最近は水漏れがひどくて消費電流が下がりにくくなっているらしいです。
-
- …などなど、PCで起きている比較的身近な現象（？）を簡略化して説明するとこんな感じですが、
- あくまでこれはCPUの最大クロック周波数を制限する数ある要因の一部です、念のため。

● ●

Chapter 7
3. 切り替えスイッチを手に入れた我々が次に目指すもの

すでに我々は2種類の命令を実行できる1bitCPUを極秘裏に設計済みというか、「トグルスイッチで命令を切り替えます」というのがハズカシイので言えないだけ、というか。そんなわけで、とりあえずメカニカルな切り替えスイッチを電気回路に置き換える方法としてデータセレクタが登場したわけです。…というのが前回までのあらすじ。

電気式で命令を切り替えられる1bitCPU

その前にメカ式で命令を切り替えるCPUです。すでに出てきたヤツです。

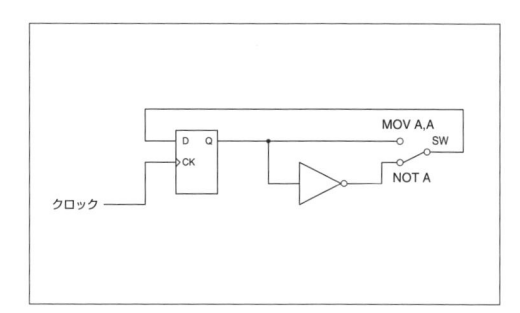

メカ式CPU

思い出しましたね？ ではさっそくメカなスイッチをICに置き換えます。

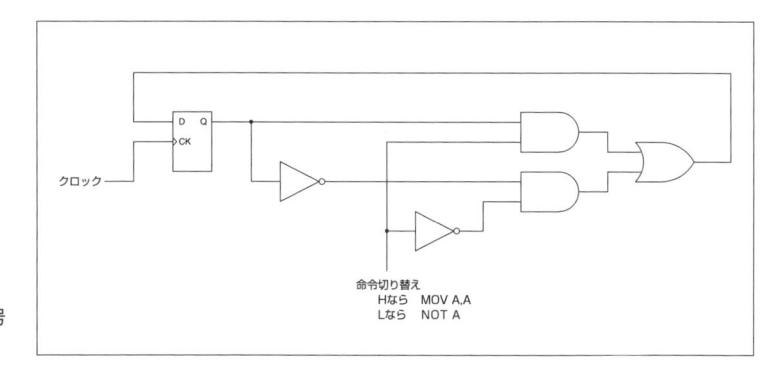

オリジナルCPU試作3号機（エレキ式）

ホントに「置き換えただけ」なのですが、コレがけっこう「それっぽい」というか、なかなかデジタルな回路らしい顔つきになってきたなー、などと私は思ったりしますけどね。

とりあえず「MOV A,A」と「NOT A」という2つの命令を実装した電気式のCPUになりました。後は命令を読み込むためのプログラムカウンタを付ければCPUの基本形が完成します…という流れの脚本もあるのですが、今回はもう少しCPUっぽい回路に仕上げてから次へ進みます。雰囲気重視です。せっかく我々はデータセレクタを手に入れたわけですから、まずはレジスタの数を増やすことにします。

複数のレジスタを持つCPU（これが普通ですが）

まず、レジスタが2つの場合を考えてみます。とりあえずAレジスタとBレジスタという名前にします。レジスタが2つですから転送命令としては

    MOV A,B　　　BレジスタからAレジスタへの転送（コピー）

などということを行うわけですね。コピーなのでBレジスタ（のフリップ・フロップ）の出力をAレジスタ（のフリップ・フロップ）の入力へ接続するわけですが、Bレジスタは自分の値を保持するために自身の出力を読み込まなければなりません。

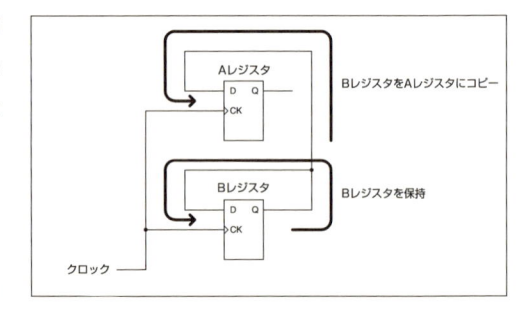

「MOV A,B」な回路

同様に

    MOV B,A　　　AレジスタからBレジスタへのコピー

の場合には、

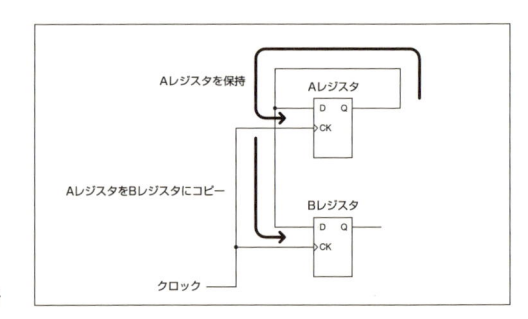

「MOV B,A」な回路

という流れになります。また、どちらでもない命令（例えばNOPなど）ではAレジスタもBレジスタも保持ですから

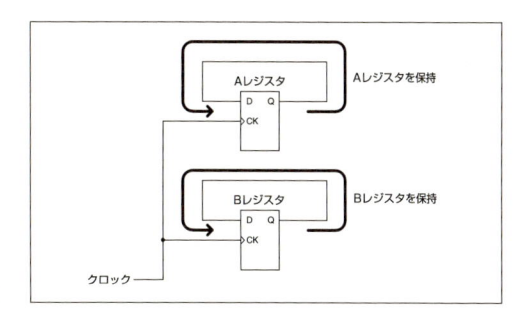

保持するだけの回路

となります。これらのデータの流れをスイッチで切り替えられるようにするには、次のような回路にすればOKです。

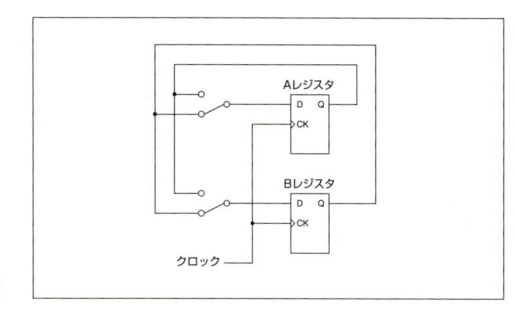

万能切り替えスイッチ付き回路

これでA・Bレジスタ間で自由に転送できます。これはわかりやすくて簡単な方法なんですが、レジスタが増えるとちょっとタイヘンです。例えばレジスタが4つ、つまりA〜Dレジスタがある場合を考えるとこんな感じになります。

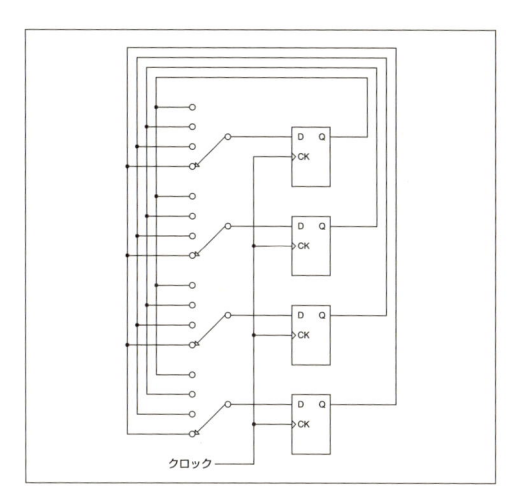

各レジスタにセレクタ付き

4チャンネルのデータセレクタが4個です。けっこう複雑ですね。スイッチの接点は全部で16もあります。しかもこれは1bit分だけの回路なので、4bitCPUならばこの回路が4bit分並ぶのですから接点は64個も必要です。スイッチマニアなヒトでもない限りコレでは大変なので、何か回避方法を考えます。なかなか回路設計らしい悩みですから、ちょっとだけカッコいいかもです。

さて、このスイッチのオバケな回路、実はすっごい無駄があります。例えば「MOV A,B」を実行するときのデータの流れはこんな感じです。

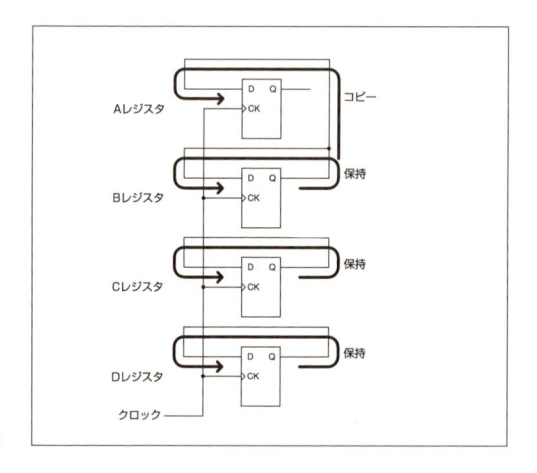

「MOV A,B」を実行している模様

Aレジスタはともかく、B～Dレジスタは単なる保持ですね。…っていうか、よく考えてみれば転送命令の転送先は一カ所（のレジスタ）だけですから、残りのレジスタは現在の値を保持するだけです（注：SWAP命令など、同時に2つのレジスタが変化する命令を持つCPUもあります）。ですから保持だけ別回路にすればデータセレクタは1つで済みます。

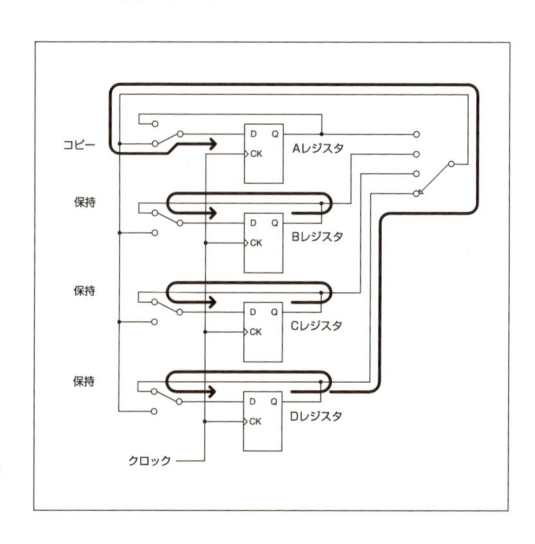

各レジスタに保持回路＋データセレクタで「MOV A,D」を実行

かなりスッキリしました。これならレジスタ数が増えても大丈夫です。その代わり各レジスタというかフリップ・フロップ毎に2チャンネルのデータセレクタが必要となるので、ちょっとだけ面倒ですね。しかし安心してください。世の中にはちゃんと2チャンネルデータセレクタとフリップ・フロップが入っている便利なICがあります。しかもこれまた超お得な4回路入り。4回路ということはワンチップに4bitレジスタが収まるわけです。まさにブラボー！…って、このパターンばっかりですね。スイマセン。

74HC161

さて、そのブラボーなのがこの74HC161です。えー、左はなんか箱しか書かれてなくて よくわからない図ですね。というわけで右が内部のロジックです。

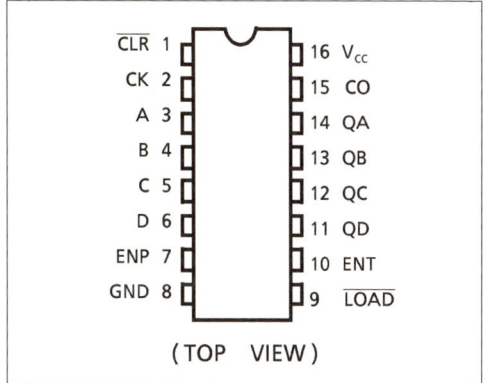

74HC161（株式会社東芝セミコンダクター社のデータシートより抜粋）

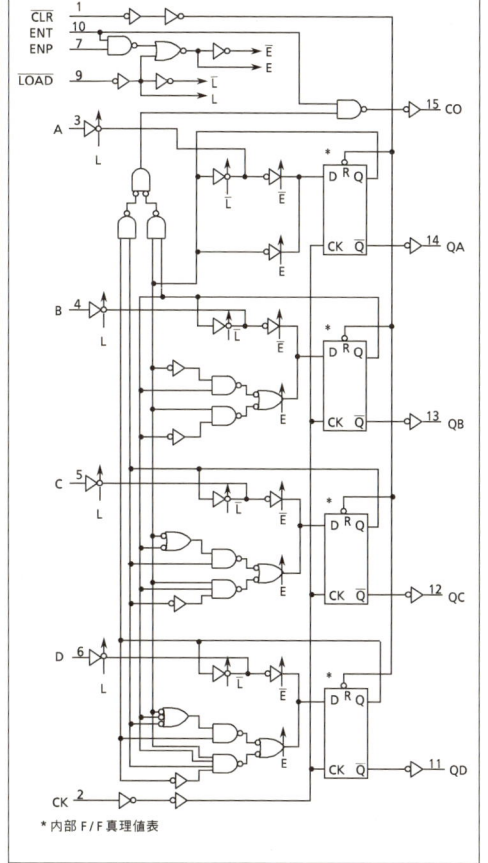

74HC161の内部回路（株式会社東芝セミコンダクター社のデータシートより抜粋）

＊内部F/F真理値表

…ますますわかんないですね、これ。なんとなくフリップ・フリップが4つあるのはわかります。フリップ・フリップの入力にデータセレクタが付いている「らしい」ということもわかりますが、その他はぐちゃぐちゃですね。ですから読まなくてもいいです、この回路（笑）。実はコレ、本来はカウンタ用のICなのです。ですからカウンタのための回路がぐちゃぐちゃしているわけです。メーカーがカウンタ用として設計しているICなのに勝手にレジスタに転用していいのか？　という疑問も残りそうですが―

　　　いいんです。使い方さえ間違ってなければ。

もちろん、カウンタではなくレジスタとして使うのでカウント機能は殺します。…「殺す」って表現、ちょっと物騒ですが、たぶん一般的な言い回しだと思います。

　　「あー、あれどうした？　殺した？」
　　「とりあえず生かしたままだけど。殺しておく？」
　　「いや、まだ何かの役に立つかもしれないし。都合悪くなったら殺せばいいや」
　　「そうだね。殺すだけならカンタンだし」

…まるでマフィアか何かの会話みたいですが、もちろん殺すといってもちょこっと配線を変えるだけとか、そんな話です。ちなみに真面目な本だと「ディセーブル」（Disable）という表現だと思います。

閑話休題。カウント機能の使用／不使用は「ENT（10番ピン）」と「ENP（7番ピン）」入力で切り替えられます。簡単には「ENT」と「ENP」をまとめてHかLに固定して使います。

　　　ENTとENPを両方L……カウントアップしない
　　　ENTとENPを両方H……カウントアップする

で、今回はレジスタとして使用するわけですので勝手にカウントアップされては困りますから、「ENT」と「ENP」はLに固定します。GND直結。後から出てきますが、プログラムカウンタとして使用する場合には（名前の通りカウンタですから）「ENT」と「ENP」入力をHに固定すればよいです。今回のような用途であれば こんな理解で大丈夫です（注：本書では扱いませんが、複数の74HC161を繋げてカウンタを構成する場合には真面目に使う必要があります）。

さて、カウント機能を「殺された」ときの74HC161の等価回路です。

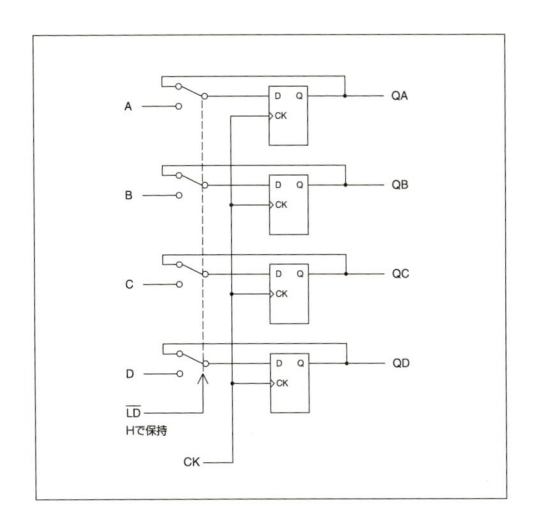

カウントしない74HC161

そんなに難しくありませんね。先の「フリップ・フロップと2チャンネルのデータセレクタ」が4bit分です。$\overline{LD}$によりデータセレクタが切り替わって「値の保持」または「A～D入力をフリップ・フロップにロード」ができます。というか、$\overline{LD}$というのはLoadの略でございます。ちなみに実際の書き込み動作はCKの立ち上がりで実行されます。フリップ・フロップですから当たり前ですね。

$\overline{LD}$	機能
L	ロード
H	保持

ちなみにカウンタとして使用する場合には、このようになります。

$\overline{LD}$	機能
L	ロード
H	カウントアップ

このへんの「Hのときの機能は…」みたいな話は暗記する必要は全然ありません。というか、私もICを使うたびにデータシートをひっくり返して調べてます。ですから、書いてある場所とその意味さえわかればOKです。

また、等価回路では省略していますが、$\overline{CLR}$は負論理のクリア、つまりLにすると全フリップ・フロップが0（＝出力がL）になります。クリアはすべての入力より優先されます。これらをまと

めると、次の74HC161の真理値表となります。74HC163の部分（網掛け部分）は無視してください。

TC74HC161A INPUTS					TC74HC163A INPUTS					OUTPUTS				FUNCTION
$\overline{CLR}$	$\overline{LD}$	ENP	ENT	CK	$\overline{CLR}$	$\overline{LD}$	ENP	ENT	CK	QA	QB	QC	QD	
L	X	X	X	X	L	X	X	X	↑	L	L	L	L	"0"にリセットします。
H	L	X	X	↑	H	L	X	X	↑	A	B	C	D	データをプリセットします。
H	H	X	L	↑	H	H	X	L	↑	変化しない				カウントしません。
H	H	L	X	↑	H	H	L	X	↑	変化しない				カウントしません。
H	H	H	H	↑	H	H	H	H	↑	カウントアップ				カウント動作をします。
H	X	X	X	↓	X	X	X	X	↓	変化しない				カウントしません。

Note　X　　　　　：Don't Care
　　　A, B, C, D：データ入力の論理レベル
　　　Carry　　　：CARRY＝ENT・QA・QB・QC・QD

HC161真理値（株式会社東芝セミコンダクター社のデータシートより抜粋）

こうなっちゃうと真理値表も複雑ですね。もっとも本書で必要な部分はすでに説明済みですから、この表は無視してもかまいません。ま、ヒマなときにでも一度見ておいてください。

詳　細

真理値表を読むコツですが、こういうときは「優先度が高い信号」から見ていくとよいです。例として表の一番上の列を抜き出しましてみましょう。

TC74HC161A INPUTS					TC74HC163A INPUTS					OUTPUTS				FUNCTION
$\overline{CLR}$	$\overline{LD}$	ENP	ENT	CK	$\overline{CLR}$	$\overline{LD}$	ENP	ENT	CK	QA	QB	QC	QD	
L	X	X	X	X	L	X	X	X	↑	L	L	L	L	"0"にリセットします。

真理値表の一部（株式会社東芝セミコンダクター社のデータシートより抜粋）

INPUTSを見ると$\overline{CLR}$以外はすべてX（Don't Care）です。つまり$\overline{CLR}$＝Lならば他の入力の状態がどうなっていようが全然おかまいなしに、ということです。この表にはおかまいなしに「"0"にリセットします」と書かれていますね。要するに「CLR最強！」ですね。または「最終兵器リセット」。PCユーザーならばリセットが最終兵器であることはなんとなく知っていると思いますが、どんなにプログラムが暴走しようが爆走しようが必ずリセットでゼロから再スタートできる仕組みがコレ、と考えてもよいと思います（もっとも無事にOSが再起動するかどうかは別問題ですが…）。

以上が1列目の意味です。ですから以降は$\overline{CLR}$がHのとき、つまりリセットが発動していないときの話、ということになります。

実際の回路

そんなわけで、レジスタとして74HC161を、データセレクタとして74HC153を使用して実際の回路を組んでみます。まずはブロック図。

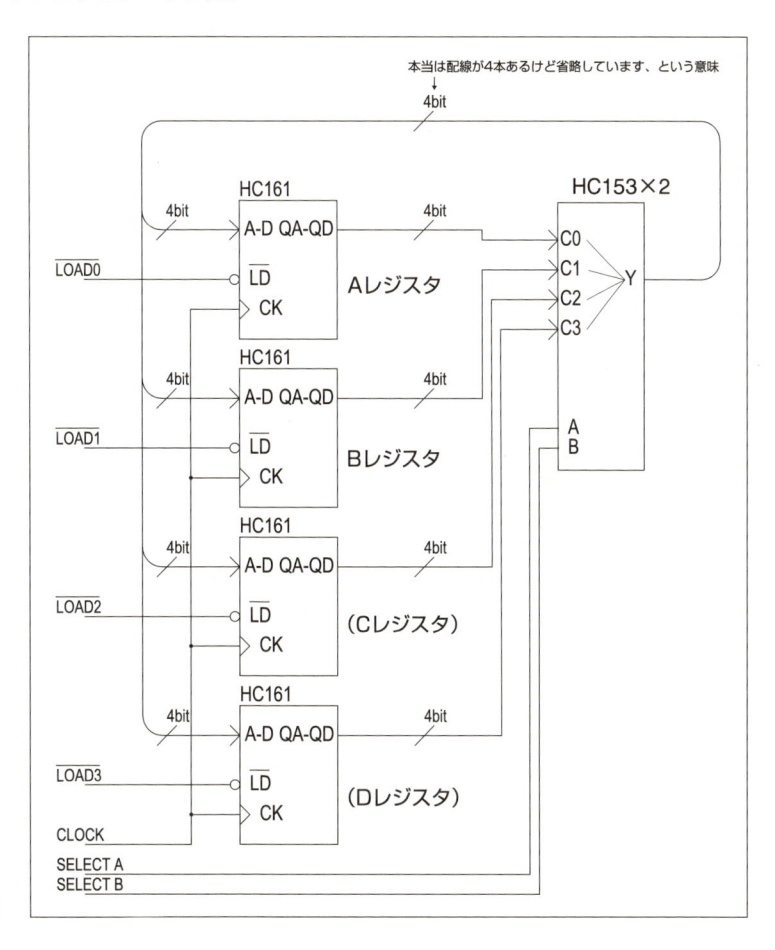

```
                          本当は配線が4本あるけど省略しています、という意味
                               4bit

         HC161                         HC153×2
    4bit A-D QA-QD   4bit      C0
 ─────▶                      ─▶
LOAD0 ─▶ LD          Aレジスタ   C1
         CK                    C2       Y
                               C3

         HC161
    4bit A-D QA-QD   4bit
 ─────▶
LOAD1 ─▶ LD          Bレジスタ    A
         CK                      B

         HC161
    4bit A-D QA-QD   4bit
 ─────▶
LOAD2 ─▶ LD         (Cレジスタ)
         CK

         HC161
    4bit A-D QA-QD   4bit
 ─────▶
LOAD3 ─▶ LD         (Dレジスタ)
         CK
CLOCK
SELECT A
SELECT B
```

ブロック図

74HC161を4つですから、4bitレジスタ×4すなわちA～Dレジスタが使えることになります（後からCレジスタとDレジスタは他の用途に使われてしまうので、結局レジスタとして使用できるのは2本だけですが、とりあえずレジスタが4本と考えてください）。

クロックは当然クロックジェネレーターから供給されるクロック信号に接続しますが、いまは宙ぶらりんです。ブロック図には書かれていませんが、$\overline{CLR}$はCPU外部からのリセット信号に接続されます。同様に書かれてはいませんが、74HC161のENPとENT入力は共にLに固定し、カウントアップを禁止してレジスタとして使用できるようにします。

74HC153は4チャンネルデータセレクタがですが、お得な2つ入りです（つまり2bitぶん）。ですから4bit分の回路なら74HC153が2つで済みます。$\overline{G}$（ストローブ）の機能は今回使用しませんから、Lに固定します。

ではさっそく動かしてみます。といってもまだモノがないですから今は動かしたつもりでガマンなのですが、ここでどれだけ「動かしたつもり」になれるかが勝負（？）です。「さあ、今まさにクロックが立ち上がったァ〜、どうする、データセレクタ！　って、おいおい、リセットの論理が逆じゃん！」などと自分の（設計上の）ボケというかミスにツッコミを入れられれば完璧。こんな風に声を出してチェックすると回路に感情移入できて効率がよいみたいなのでお薦めです。が、他人から見るとアブナイ人みたいですね、お薦めするのは止めておきます。ええ、バカは私1人で充分。

…気を取り直して、例えば

　　MOV A,B　　　　Bレジスタの内容をAレジスタにコピー

を実行する場合、値が代入されるのはAレジスタだけで他のレジスタは「保持」ですから

　　$\overline{\text{LOAD0}}$……L
　　$\overline{\text{LOAD1}}$……H
　　$\overline{\text{LOAD2}}$……H
　　$\overline{\text{LOAD3}}$……H

を外部から指定すればいいのです。外部というのはブロック図の外、つまり後から設計します。今はこのブロック図の回路を動作させるためにはどんな信号を与えればよいかを理解してください。

また、「MOV A,B」では転送元はBレジスタの値なので、データセレクタはBレジスタを選択しなければなりません。つまり、次のようになります。

　　SELECT A……H
　　SELECT B……L

繰り返しになりますが、この回路には$\overline{\text{LOAD0}}$〜$\overline{\text{LOAD3}}$とSELECT A,Bの計6bitの入力があります。この6本でデータの流れを指定することで「MOV A,B」などが実行されるわけです。もちろんクロックの立ち上がりで。つまり…

ある日、回路は指令を受け取ります。冒頭の「おはようPhelps君〜」の部分はいいかげん飽きたので早送りしますが、それに続く6bitの指令は重要です。回路は6bitの指令に従い着々と作戦の準備を進めます。準備というのはデータセレクタをセットしたりすることですね。で、準備が整ったら…ひたすら待ちます。ええ、待つんです。そしてクロックの立ち上がりを合図に、いよいよ作戦を実行するわけです。もちろん作戦名は「MOV A,B」だったりするわけです。

ここまでの部分の実際の回路図を示します。ただしこの後も手を加えるので、まだ決定図面ではありませんから雰囲気だけということで。この回路で不明な点があるようでしたら、もう一度読み返してみてください。ちなみにすでにICを6つ使用しています。公約（？）ではIC10個に収めることになってますから、あと4つですね。

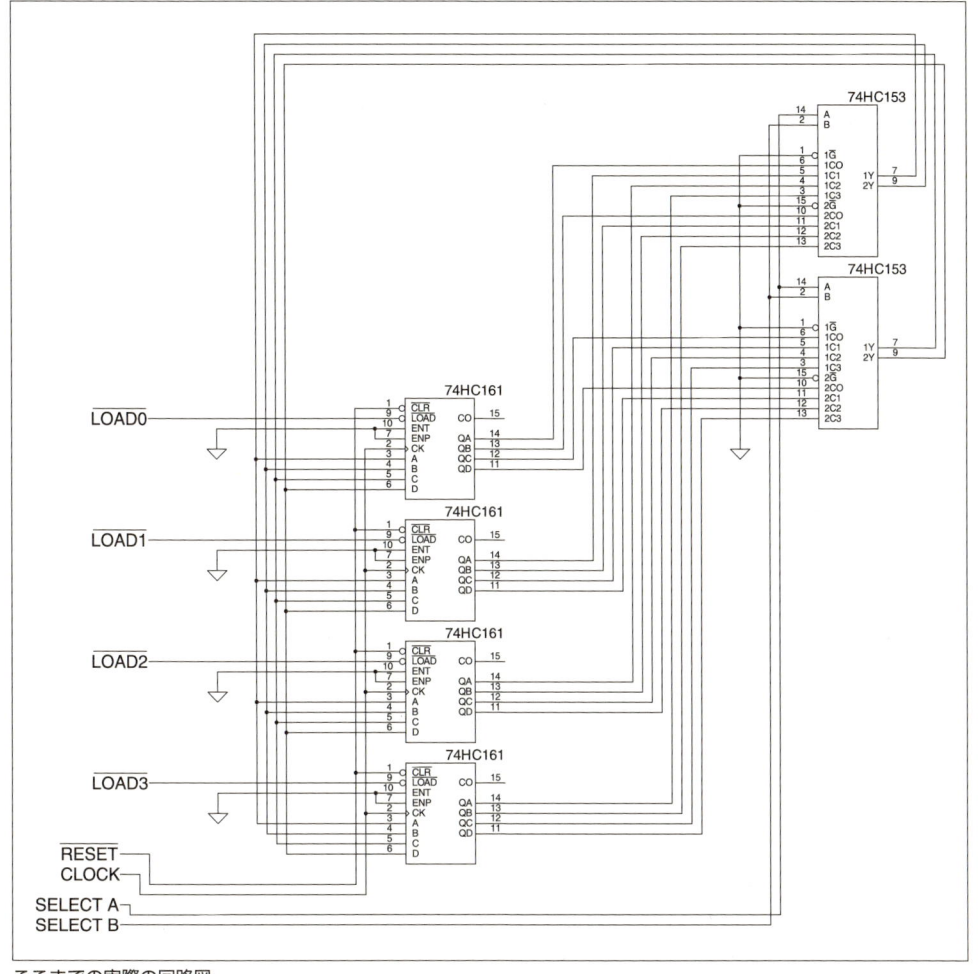

ここまでの実際の回路図

CPU NO TUKURIKATA

CHAPTER 8

■ALUとプログラムカウンタ

ここまで説明してきたCPU「もどき」は今ひとつインチキ臭さが残るシロモノでしたが、この章からはALUとプログラムカウンタが付くわけで、そろそろコンピューターらしい香りもしてきます。ただ残念なのは、ALUとプログラムカウンタのいずれもが「コンピューターっぽい高度でムズカシイ回路」というわけではない、ということです。

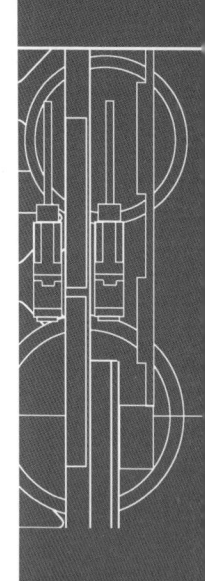

Chapter 8

1. ALU

いよいよ演算回路、いわゆるALUです。昔はコンピューターのことを計算機と呼んでいたくらいで、その計算をつかさどるALUこそコンピューターの心臓部というイメージがあります。…が、実はそれほど難しくはありません。我々にとって「計算」というのは確かに難しい作業ですが、これは単に慣れていないからそう感じるだけです。ホントはご飯を食べたりトイレに行くことのほうがはるかに高度な処理なのですが、ご飯はン億年も前から食べてるという豊富な（DNA経由の）経験があるので簡単に思えるわけです。…のハズなんですけど、未だに私が結婚できないのは何故？

肝心のALUが売ってない！

さて、今回のようなディスクリートなCPUを構成するときに便利というか定番なのが74HC181です。

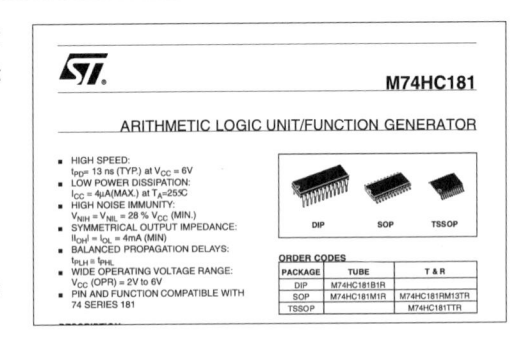

74HC181（STマイクロエレクトロニクス株式会社のデータシートより抜粋）

名称がモロに「ALU (Arithmetic Logic Unit)」となっているくらいで、これはミニコン（ミニコンピューター・旧DECが有名）のALUとして盛んに使用されたモノです。CPUに必要な論理演算・算術演算の機能がほぼ網羅されています。

74HC181のファンクション（STマイクロエレクトロニクス株式会社のデータシートより抜粋）

すばらしいですね。というわけで74HC181を使わない手はないわけです。即決です。

「もう完成は目前だっ！」…誰もが、そう思った。

そうなのです。時代は変わったのじゃよ、お若いの（再びジジイモード）。かつては半導体メーカー各社が盛んに生産しセカンドソースも豊富だった74181シリーズですが、マイクロプロセッサの高性能化により現在は（というかずいぶん前に）第一線からは退き、静かに余生を送っている状態です。現在でも数社が一応製品としてラインナップしてはいるようではありますが、受注生産扱いとしているメーカーもありますし、いずれにせよ廃品種の方向だと思います。また、74181を使ってCPUを自作するという酔狂な人も少ないですからパーツショップでも置いていないことが多いです。少なくとも2003年現在では「どの店でも容易に手に入る部品」ではなくなっているようです。

そんなわけで、今回は4bit加算器の74HC283を使用することにしました。単機能の加算器なのでALUとしてはチョット使いづらいのですが、仕方ありません、後は知恵と勇気で乗り切るしかありません（注：TD4のALUは、その機能と構成上「ALU」と呼ぶには微妙な部分もありますが、CPUの仕組みを説明する上では一般的な名称のほうが適切と思われるため本書では「ALU」としています）。

加算回路

ALUを加算器で代用することになったわけですが、加算器の説明がまだでしたよね。加算器というのは、要するに1＋1とか普通の「たし算」をする回路です。1＋1の答えは2じゃなくて10（2進数）、というくらいには2進数に慣れておいてください。

よく「コンピューターの仕組み」みたいな本に載っているのがこの加算器の回路で、確かに重要な回路なのですが、これはコンピューターの動作の本質ではありません…などというと各方面から文句が出そうですが、そう考えたほうが理解しやすいと個人的には思います。ですので、この加算器の説明は適当に読み流す程度でかまいません。ええと、理屈が理解できていれば具体的な回路は忘れてもOKです。前章にも書きましたが、コンピューター（CPU）の動作の本質はデータの転送だということを理解するほうが重要です。

二進数1bitの加算回路

皆さんご存じの九九は81通りのパターンがありましたが、二進数1bitの加算というのは4つのパターンしかありません。例えばA＋B＝Sという計算は、

```
A  B  S
0＋0＝0
0＋1＝1
1＋0＝1
1＋1＝10
      ↑
    桁上がり（キャリー）
```

の4つしかあり得ません。注意することは桁上がり（キャリー）の発生ですね。10進数の計算と同様にキャリーは上の桁へ伝えなければならないので、忘れずに出力する必要があります。真理値表で表せばこうなります。

入力		出力	
A	B	C（キャリー）	S
0	0	0	0
0	1	0	1	←S＝1となる条件①
1	0	0	1	←S＝1となる条件②
1	1	1	0	←C＝1となる条件

要するに、これを実現する回路を組めばよいわけです。いろいろな組み方がありますが、わかりやすい回路で説明します。まず出力S＝1となる条件は真理値表の条件①のときまたは条件②のときですから

　A＝0かつB＝1　または　A＝1かつB＝0

なので、

　$S = \bar{A} \cdot B + A \cdot \bar{B}$

です。一方、Cはズバリですね、A＝1かつB＝1のときですから、こうなります。

C＝A・B

つまり1bitの加算というのは4パターンしかないので、パターンごとにCとかSを出力しているだけです。ですから確かに加算と同じ結果が得られはしますが、ホントに計算をしているわけではない（人間で言うところの九九算みたいなもの）と考えたほうがイメージ的には理解しやすいと思います。

回路で書けばこうなります。論理式そのまんま。これを「半加算器」（Half-Adder）と呼びます。

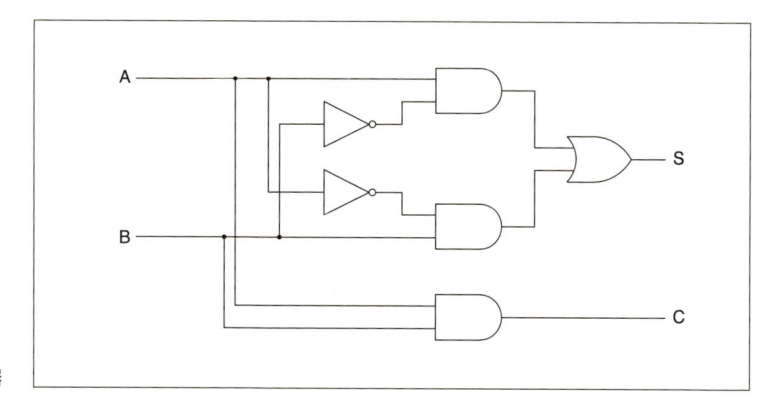

半加算器

…はぁ、なんかどこかの教科書みたいな話ですなぁ、ぶつぶつ。だいたい、このへんの回路はまとめてIC化されているので自分でゲートで組むようなことは実際ほとんどありません。ですからテンションもチョット低め。ただ、もしあなたが2進数の計算に慣れていないようでしたら、ここでキッチリと理解しておいたほうがよいです。

ところで桁上がり（キャリー）が発生したら、これはもう自分の桁のハナシではありませんから、後は上位桁に押し付けます。上位桁さん、キャリーが出たので後はよろしく…って感じですね。ということは、下の桁から「桁上がり」を押し付けられる可能性もあります、というか来ます、確実に。ですからキャリーの入力も追加しなけりゃならないんですね。憂鬱ですね。ちなみにキャリー入力を備えた加算器を「全加算器」（Full Adder）と呼びます。

全加算器

先ほどの半加算器のようにAとBという入力を持ち、さらにキャリー入力（Cin）も備えた全加算器を考えます。例えばA＝1、B＝1、Cin＝1なら

　　　1＋1＋1＝3…じゃなくて、二進数なので11

ですね。入力が3つなので、全部で8パターンです。真理値表はこうなります。

入力			出力	
Cin	A	B	C	S
0	0	0	0	0
0	0	1	0	1
0	1	0	0	1
0	1	1	1	0
1	0	0	0	1
1	0	1	1	0
1	1	0	1	0
1	1	1	1	1

これを論理式にして回路に直せばよいわけです。つまりさっきと同じことの繰り返しです。あまり面白くないですね。これも延々と式が並ぶだけなので楽にページ数が稼げるネタなのですが、それを読まされるみなさんは退屈だと思います。ここでは全加算器が何であるか、とりあえずわかればいいです。　一応回路も載せておきますが、何となく理解している程度でよいと思います。ですから一度適当に論理を追ってみるくらいでOKです（なお回路は読みやすいよう論理を圧縮していませんので、ちょっと冗長です）。

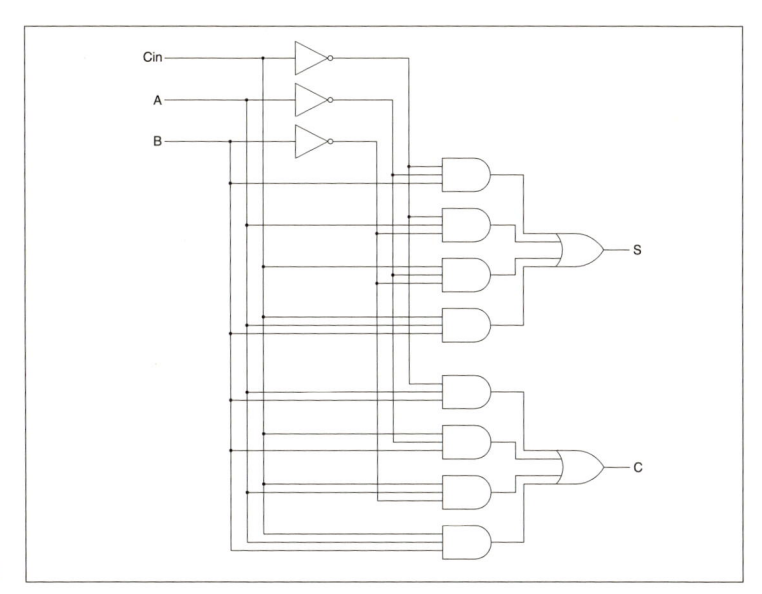

全加算器

例えば32bit加算器だとコレが32個並ぶわけです。実際に32個並べた回路図を次のページに載せました。…というのはウソです。コピー＆ペーストを32回行うだけのバカみたいな回路なので紙面のムダです。ですから通常フルアダーはこんな感じに省略します。

全加算器の略図

さて、これで桁上がりも完璧サポートな加算器（全加算器）がゲットできました。桁上がりサポートということはn個の全加算器を並べることでnbitの加算器を構成できる、ということです。今回のALUは4bitですから、これを4個並べます。

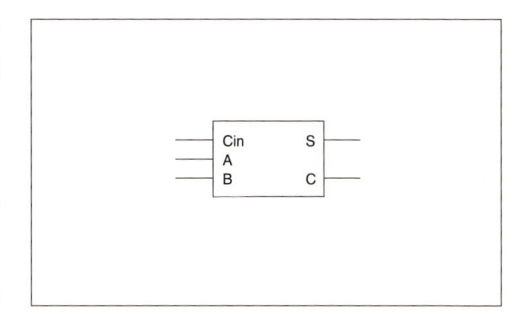

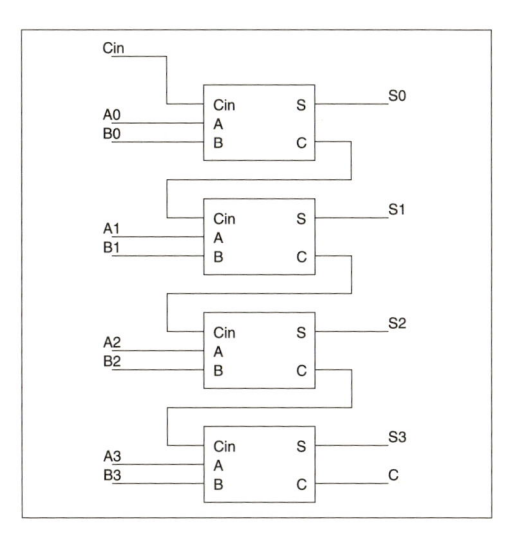

4bitの全加算器

この回路を使用して単純に4bitの加算を行う場合には、当たり前ですがキャリー入力（Cin）には「0」に固定する必要があります。キャリー出力は使わないのであれば放置しておけばよいですが、今回のようにALUとして使用する場合、キャリー出力はフラグの制御に使用されます（詳細は後で説明します）。とりあえず最下位桁へのキャリー入力（Cin）と最上位桁からのキャリー出力（C）があることだけ気を付けてください。

加算器の説明はこんな感じです。で、もうすっかりパターンになってしまいましたが、説明がひと通り終わったところで便利なICの登場です。先ほどちょっとだけ紹介した4bit全加算器（Full Adder）の74HC283です。

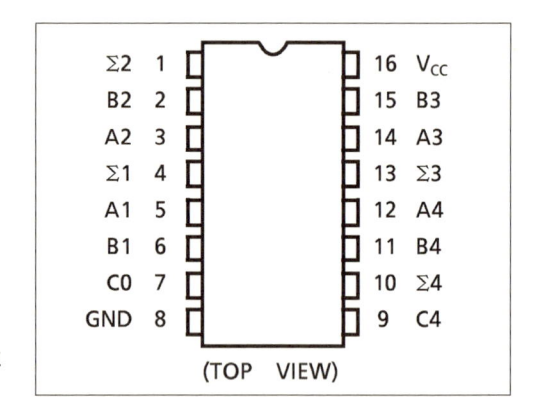

```
            Σ2  1        16  Vcc
            B2  2        15  B3
            A2  3        14  A3
            Σ1  4        13  Σ3
            A1  5        12  A4
            B1  6        11  B4
            C0  7        10  Σ4
           GND  8         9  C4
                    (TOP VIEW)
```

4bit全加算器74HC283（株式会社東芝セミコンダクター社のデータシートより抜粋）

このICはキャリー入力をC0、キャリー出力をC4と表記しています。あと加算出力がΣ1〜4ですね。機能的には先の4bit全加算器とまったく同じです。

演算回路を追加する

さて、ようやくCPUの話に戻ります。我々のCPUは転送系（MOV系）の命令はすでに実行できるようになっていますので、これに演算命令を追加します。もっとも「演算命令は転送（MOV）系の一種」と考えればよいということはすでに説明した通りなので、さほど難しいことではありません。転送命令のデータの流れにALU（演算回路）を割り込ませればよいだけです。復習になりますが、

　　　　NOT A　　　　Aレジスタの内容を論理反転

は、

Aレジスタのデータを反転してAレジスタに転送する

と同じことでした。つまりデータの流れ自体は

```
MOV A,A
```

と同じで、流れの途中にNOT回路を入れればよかったわけです。途中ならどこでもよいのですが、データセレクタの前だとALUが4つ必要になってしまうので（笑）、データセレクタの後に入れます。細かいハナシはともかくALUを追加してみました。ALUとして前述の4bit全加算器74HC283を使用します。

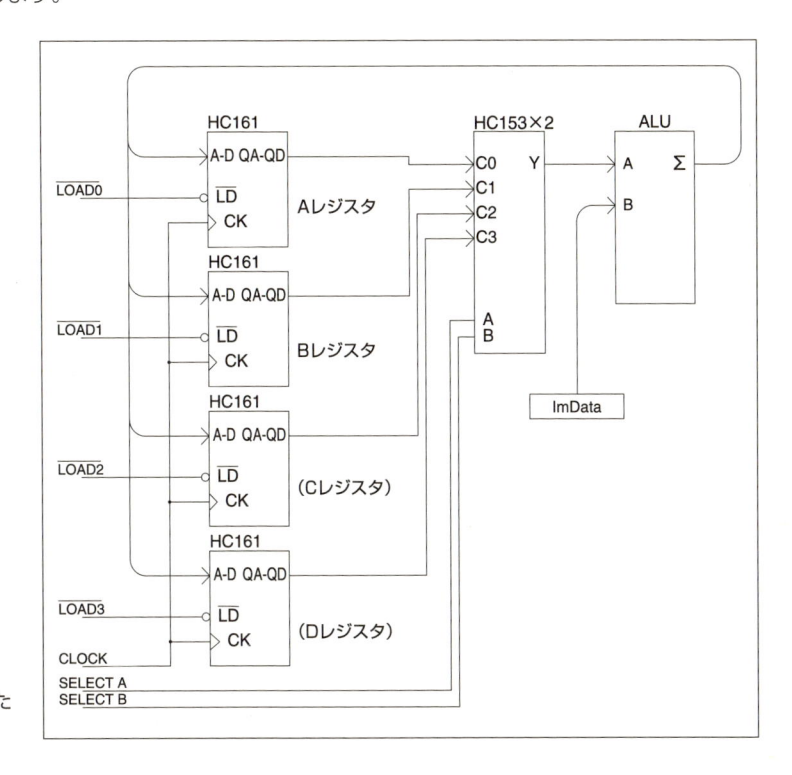

加算器を追加してみた
CPUのブロック図

さて、TD4の加算命令は「ADD A,Im」と「ADD B,Im」の2つですが、ここで試しに

```
ADD A,Im
```

を実行したときのデータの流れを見てみます。ま、単にAレジスタとイミディエイトデータを加算して再びAレジスタに書き込むだけですから、

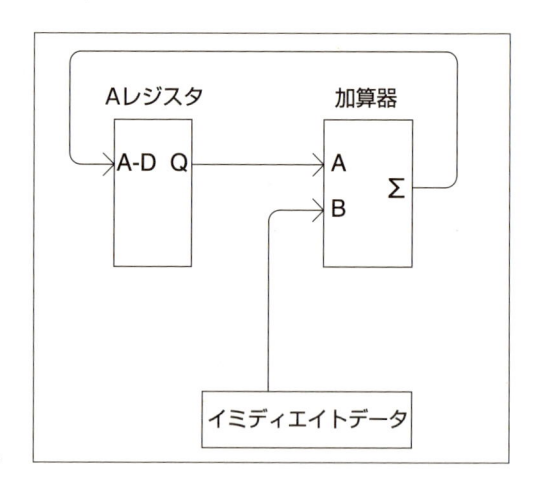

「ADD A,Im」を実行したときのデータの流れ

こんな感じにデータが流れるようにスイッチ（データセレクタ）を切り替えればよいわけです。
この流れを先のブロック図に書き加えます。

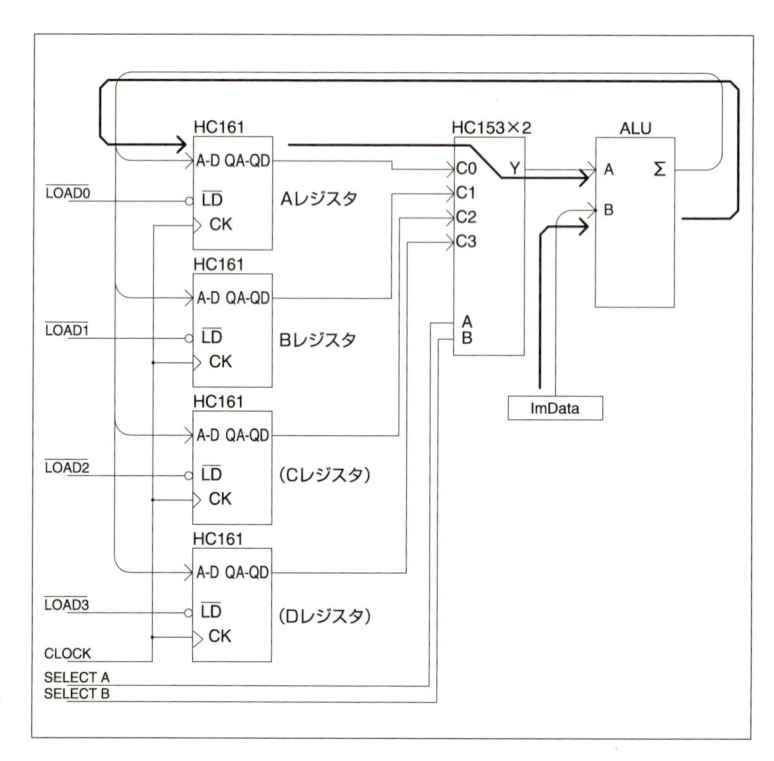

こんな風にデータを流したい（太い矢印）

まずAレジスタの出力をALU（ホントは加算器ですが）へ流すわけですから、データセレクタはAレジスタへスイッチ（選択）させます。具体的には74HC153で切り替えるわけですが、その74HC153の真理値表がコレ。例としてSELECT AとBが共にLの場合の動作を示しました。

SELECT INPUTS		DATA INPUTS				STROBE	OUTPUT Y	
B	A	C0	C1	C2	C3	$\overline{G}$	HC153A	HC253A
X	X	X	X	X	X	H	L	Z
L	L	L	X	X	X	L	L	L
L	L	H	X	X	X	L	H	H
L	H	X	L	X	X	L	L	L
L	H	X	H	X	X	L	H	H
H	L	X	X	L	X	L	L	L
H	L	X	X	H	X	L	H	H
H	H	X	X	X	L	L	L	L
H	H	X	X	X	H	L	H	H

X : Don't Care
Z : 高インピーダンス

74HC153の真理値表
(株式会社東芝セミコンダクター社のデータシートより抜粋)

SELECT AとSELECT BがLのときは　　入力C0がそのまま出力される

まだ慣れていない方もいるかもしれませんので（というか読みづらいです、この真理値表）、動作をまとめてみます。

SELECT B	SELECT A	動作
L	L	入力C0（今回の回路だとAレジスタ）が出力される
L	H	入力C1（Bレジスタ）が出力される
H	L	入力C2（Cレジスタ）が出力される
H	H	入力C3（Dレジスタ）が出力される

ですからAレジスタへスイッチ（選択）するためには次のようにします。

SELECT B	SELECT A
L	L

これでAレジスタのデータは無事にデータセレクタを通過してALUのA入力へ届きます。ALUはこのデータにイミディエイトデータを加算しますから、ALUのΣには

　　Aレジスタ　＋　Im（イミディエイトデータ）

が出力されます。これをAレジスタに書き込めばよいので、各レジスタ（74HC161）の$\overline{LD}$を

　　$\overline{LOAD0}$……L（書き込み）
　　$\overline{LOAD1}$……H（保持）
　　$\overline{LOAD2}$……H（保持）
　　$\overline{LOAD3}$……H（保持）

とすればOKです。後はクロックが立ち上がれば「Aレジスタの値にImが加算された」コトになります。これも繰り返しになりますが、$\overline{\text{LOAD0}}$～$\overline{\text{LOAD3}}$とSELECT A・Bの計6bitでデータの流れをすべてコントロールすることになるわけです。

演算回路を追加したのはいいのだけれど

めでたく加算命令が実行できるようになったわけですが、なんかヘンですよね。…ええ、そうなんです。ALUを追加したために「加算しかできない」状態になってしまったのです。例えば

MOV A,B　　　BレジスタからAレジスタへ転送

を実行しようとすると、途中に余計なもの（加算器）が入っているので「Bレジスタ＋Im」がAレジスタに転送されてしまいます。

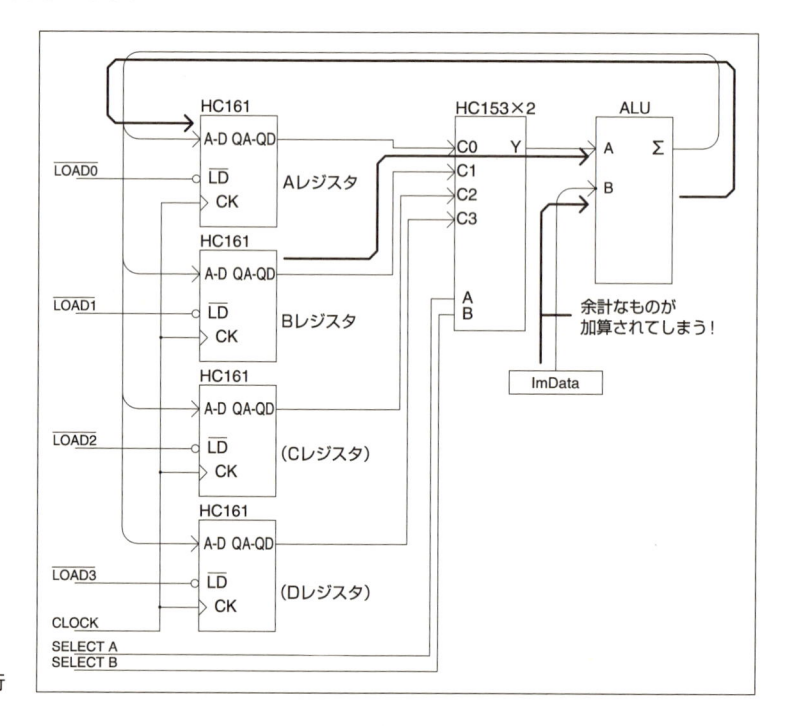

「MOV A,B」を実行

ちょっと困った現象（？）ですが、実は簡単に回避できます。Imつまりイミディエイトデータを「0000」にしておけばよいのです。ゼロであれば加算されても値は変わりませんので普通の転送と同じことになります。もともと「MOV A,B」命令はイミディエイトデータが不要な命令ですから、ちょっとインチキ臭いですが、この方法でOKです。つまり実際の回路動作は

A←B＋Im

が実行されているわけですが、命令のImを「0000（二進数）」にしておけば

A←B＋0000　つまり　A←B

と同じということです。本当は素直にALUをバイパスする回路を追加すればよいのですが（注：ALUである74HC181であればバイパスの機能があらかじめ内蔵されています）、その分だけ回路が複雑になるので今回はこのようにしています。

さて、同じような問題は

MOV A,Im　　　イミディエイトデータをAレジスタにコピー

でも起こりますが、こちらはちょっと厄介です。

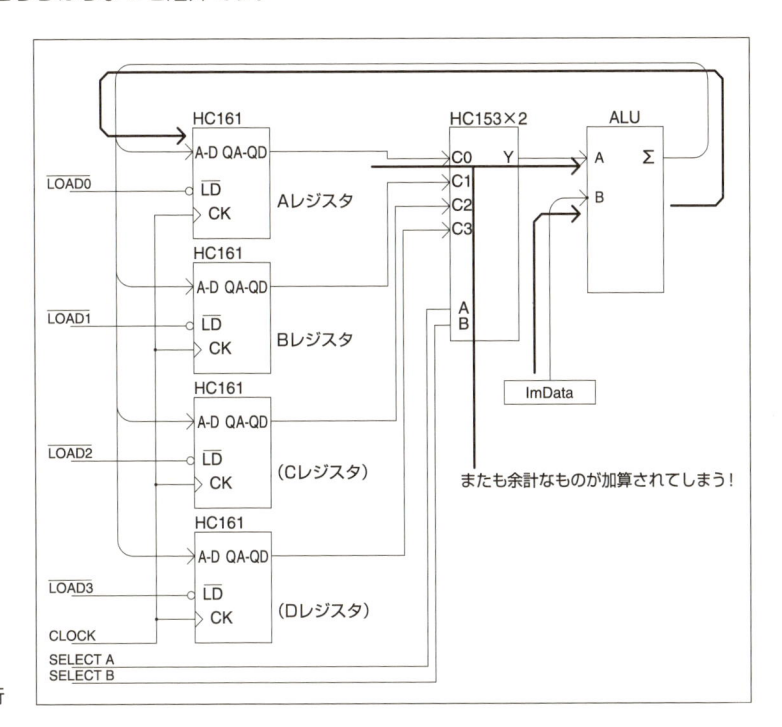

「MOV A,Im」を実行

またALUが余計なことを…ですね。データセレクタの出力値がImに加算されてしまうのです。ですから先の例と同様に（というか逆なのですが）ALUのA入力側を「0000（二進数）」に固

定する必要があります。いくつか方法が考えられますが、今回はデータセレクタの入力のうち１つを「0000（二進数）」に固定する方法を採りました。

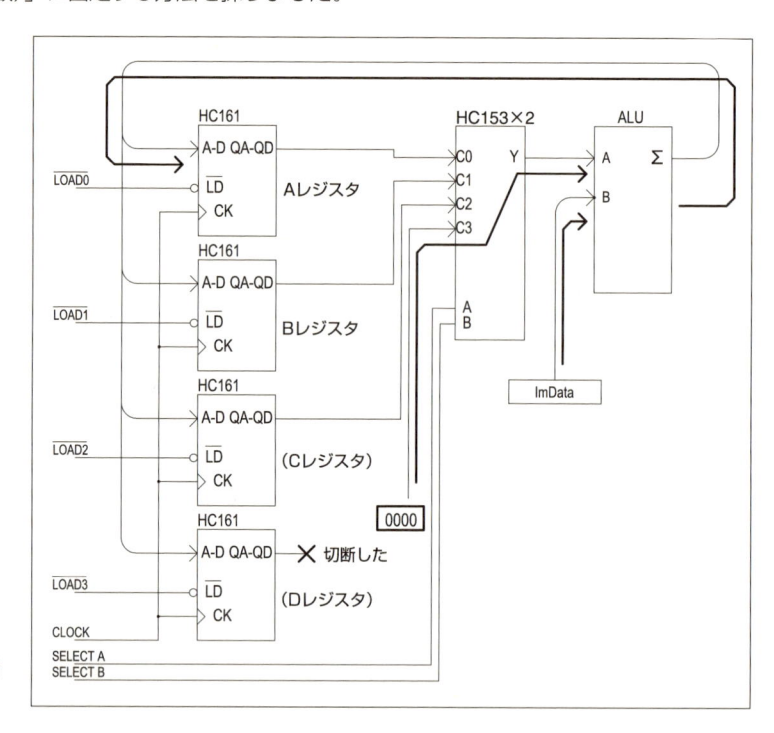

副作用としてDレジスタが読めなくなりましたが、気にしなくて大丈夫です。後で説明しますがDレジスタは読み出す必要がなくなる運命なので、ちょうどいいくらいだったりします。

ではさっそく「MOV A,Im」を実行（妄想）してみましょう。データセレクタには新設した「0000」つまり「元Dレジスタ」を選択させます。ですから、

　　SELECT A……H
　　SELECT B……H

となります。これでALUのA入力は"0000"になりましたからImの値がそのままALUから出力されます。後はこれをAレジスタに書き込めばよいのですから、

　　$\overline{\text{LOAD0}}$……L
　　$\overline{\text{LOAD1}}$……H
　　$\overline{\text{LOAD2}}$……H
　　$\overline{\text{LOAD3}}$……H

とすればOKです。例によってクロックが立ち上がると「ImがAレジスタへ転送される」ということになるわけです。

フラグ

> **詳細**
>
> ここではTD4の例で話を進めますので、世間一般のCPUとは一部異なるところもあります。注意してください。とはいっても大きな違いはないですが。また、一般的なCPUには割り込み制御フラグなど他の働きをするフラグもあるのですが、本書では省略しています。

フラグについてはすでに6章で説明していますが、ちょっとだけ復習します。フラグは条件分岐と深い関係があったわけですが、覚えてますかー？　例えば「Aレジスタが9以下ならジャンプ」させたいようなときには「条件分岐命令」を使用するのですが、「条件分岐命令」自体に「9以下」かどうか判断する機能はありませんでした。じゃあ判断は誰が？　というと加算命令とかを使うというオチだったはずです。Aレジスタは4bit長なので扱えるのは15（二進数で1111）までなので、結果が15を超えると加算器（74HC283）は繰り上がり（キャリー）を出力するので、コレを利用します。つまりリトマス試験紙代わりに6を加算してみてキャリーが発生しなければ9以下。思い出しました？

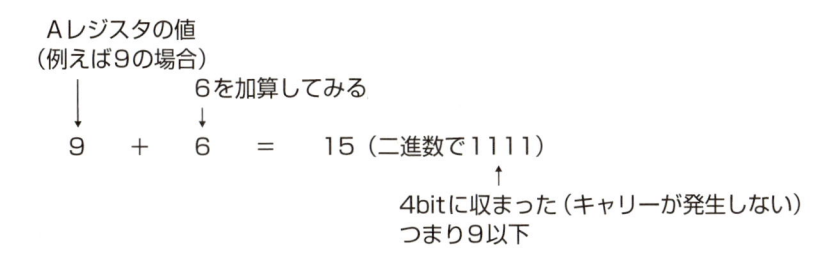

```
   Aレジスタの値
  （例えば9の場合）
        │          6を加算してみる
        │               │
        ↓               ↓
        9    +          6    =     15（二進数で1111）
                                        ↑
                                   4bitに収まった（キャリーが発生しない）
                                   つまり9以下
```

要するに「9以下かどうか」は加算命令で判断できるということでした。…ま、普通は減算で比較するんですけどね。TD4は加算しかできないので仕方ないです（注：2進数の加算・減算に興味がある方は「2の補数」あたりをネットで調べてみてください）。もちろんこの段階では「判断結果をゲット」しただけなので、この「判断結果」を条件分岐命令に伝えなければなりません。

ですから加算の際にこの「判断結果（ここではキャリーね）」をメモっておきます。

このメモを書き残すホワイトボードがキャリーフラグです。わかりました？

・加算で発生した繰り上がりがキャリー
・これを記録するホワイトボードがキャリーフラグ

です。キャリーは発生「する」か「しない」かの2通りしかありませんから、つまり1または0でフラグに格納できます。ちなみにTD4の場合にはキャリー発生時に1としています。1か0しかないということは、フラグというモノの正体は基本的に1bitのレジスタで済むことになるので、つまりは単なるフリップ・フロップです。

判断してみました

加算命令さんはキャリーをメモ

で、後からきた条件分岐命令さんがコレを見てジャンプするかどうか決めるわけですね。

お？

条件分岐命令さんがフラグを参照

TD4の条件分岐命令は一種類だけ、JNC（Jump if Not Carry）命令すなわち「キャリーがなし（ゼロ）ならジャンプする命令」です。この絵の場合だとキャリーは1になっているようなのでジャンプは行わないことになります。以上、加算命令は後からくる条件分岐命令のためにキャリーの有無をフラグにメモります、という話でした。

しかし、当たり前ですが加算命令は「普通の加算」のときにも使われます。つまり、

　9以下かどうか？

の判断に利用されるだけでなく、

　1＋1は？

のような純粋な加算にも使用されるわけです。というかこっちが本来の姿ですよね。ところが我々はキャリーフラグ、つまりキャリーをメモする仕組みを追加するわけですから、この「1＋1」の加算でもキャリーはメモられることになります。

律儀にキャリーをメモってくれるのは有難いんですが、判断のために加算したわけではないのでこのメモは無駄になります。つまり後から条件分岐命令がくることもなく、メモは誰も見ません。

誰も見にこないこともある

誰にも見てもらえないフラグの立場としてはちょっと切ない気分ですが、別に害はありません。ですのでTD4に限らず一般的なCPUはこのような仕組みになっています。つまり使用（参照）されるかどうかにかかわらず演算（TD4では加算）を行うたびにフラグがコロコロと変化しているわけです。普段は気にしなくてもよいことなんですが、知っておく必要はあります。

詳　細

アセンブラの経験がある方ならご存じだと思いますが、キャリーフラグは条件分岐だけではなく多bit長演算の繰り上がり処理にも使用されます。CPUのbit長が不足しているとき、例えば8bitCPUで16bitの加算を行う場合には8bit加算命令を2つ連結（？）することになるのですが、このときにどうやって連結するのかといえばキャリーフラグを使うことになるわけです。つまり下位8bitで発生したキャリーを上位8bitに伝える役目です。キャリーフラグはそんな使われ方もあります。もっとも最近のPCに使用されているような32bitCPUでは当然ながら32bitの演算が一発で可能なわけですから連結する必要はあまりなかったりします。

フラグの設計

TD4のフラグは「C（キャリー）フラグ」のただ1つだけです。先にも説明しましたが、Cフラグは「演算（ここでは加算）の結果、キャリーが発生した場合」に1となり、「発生しなかった場合」には0となります。幸いにもALU（というか全加算器ですが）の74HC283にはキャリー出力が付いていますので、これがそのまま使えます。

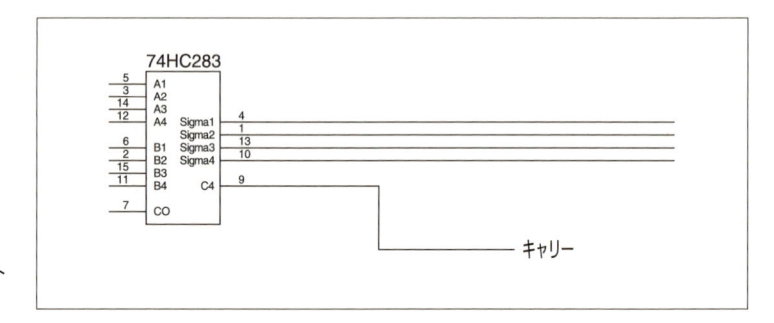

```
           74HC283
      5 ┤ A1
     14 ┤ A2      Sigma1 ├ 4
      2 ┤ A3      Sigma2 ├ 1
     12 ┤ A4      Sigma3 ├ 13
                  Sigma4 ├ 10
      6 ┤ B1
      2 ┤ B2
     15 ┤ B3
     11 ┤ B4         C4  ├ 9 ─────── キャリー
      7 ┤ C0
```

キャリーは簡単にゲットできる

ただし、これは単なるキャリーですから「キャリーフラグ」ではありません。つまりメモする機能がないのです。先ほどの絵を思い出してください、演算時のキャリーを条件分岐命令に伝えるためのメモがフラグだったわけですから、フラグはメモの機能つまり記憶できなければなりません。

もうちょっと具体的に説明します。演算（加算）を行っている間であれば確かに74HC283からキャリーが出力されているのですが、演算命令が終了して次の命令の実行が始まれば別のデータが74HC283を通過するわけですから、もはやそれは「演算した当時」のキャリーの状態ではありません。条件分岐命令が74HC283のキャリー出力を参照しても、それは「条件分岐命令実行中の」キャリー出力でしかないのです。ですから「演算命令が完了した当時」のキャリーをメモしておく必要があります。繰り返しになりますが、キャリーをメモするのがキャリーフラグです。

そのメモの方法ですが、記憶回路なのですから当然フリップ・フロップを使うことになります。ここでレジスタの回路を思い出してもらえると助かります。レジスタもフリップ・フロップで構成されていましたよね。TD4ではクロックの立ち上がりで演算結果（74HC283の4bitの出力）をレジスタにロードして命令が完了していました。キャリーも演算結果なのですから（繰り上がりは加算結果の5bit目とも言えます）、まったく同じ扱いでOKです。つまりレジスタと同様にクロックの立ち上がりでキャリーをメモすればよいのです。

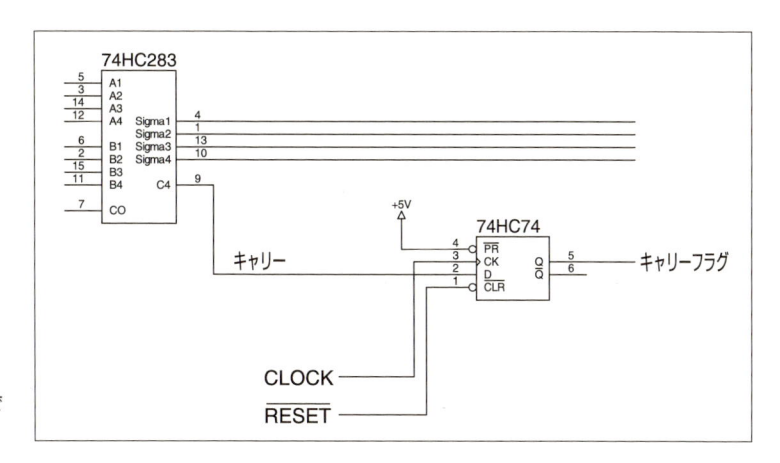

クロックの立ち上がりで
キャリーをメモ

これで命令終了時にキャリーはフリップ・フロップにキャリーフラグとして保存されます。

詳　細

この回路だと演算命令以外（転送命令とか）でもフラグがロードされちゃいますね。つまり、すべての命令でCフラグが変化するわけです。まぁこれは「加算命令以外でロードを禁止する回路」をケチったのが原因なんですが、実際にはあまり問題はないです。演算命令（ADD）の直後にフラグを参照する命令（JNC）を実行するようにすればよいだけです。というわけで、TD4では「コレは仕様です」ということにしました。ですからせっかくADD命令で判断（Cフラグに反映）しても次にMOV（又は他の命令）を実行したら、その時点でCフラグは変化してしまう（判断結果が失われる）ので注意してください。ちなみにTD4ではADD命令以外ではキャリーは発生しないのでCフラグは必ず「0」になります。

Chapter8
2. プログラムカウンタ

人類がテクノロジーと呼べるモノを持っているとするならば、プログラムカウンタこそ、その象徴と言えます。…というのは大げさですが、「プログラムリストに従って動作する」というコンピューターのチカラの源泉はココにあります。プログラムカウンタというアイディアの優れた点は、それが複雑怪奇な機構ではなく非常にシンプルであるということです。実際プログラムカウンタについて回路的な説明はほとんど必要ありません。というか我々が設計中のCPUには、すでにプログラムカウンタ（の候補）が組み込まれています。

プログラムカウンタとは

CPU「あ〜キミ、ROM君、そろそろ次の命令を実行するからね。命令の読み出しの件、よろしく頼むよ」
ROM「いいですけど、命令を格納しているアドレスを教えてください」
CPU「アドレス？　そんなの知るかっ！　キミは黙って次の命令を読み出せばいいんだ！」
ROM「…（辞めようかな、こんな会社…）」

こんな困った上司にならないよう、CPUは「実行する命令がどこ（のアドレス）にあるか」を把握していなければなりません。

現在の命令の位置（アドレス）を指し示す役割をするのがプログラムカウンタです。つまりプログラムカウンタの値が0001ならば0001番地の命令を実行する、となるわけです。ま、日めくりカレンダーみたいなものですね。カレンダーを見て「お、25日じゃん」「25日といえば××の発売日だから本屋にGO！」みたいな。で、一日が終わったら忘れずにカレンダーをめくることが大事ですね。めくり忘れると翌日も「お、今日も25日だぞ」「25日といえば××の発売日だから本屋にGO！」ということになってしまいます。ですから一日が完了したならば確実にカレンダーの日付はカウントアップさせなければなりません。コレは重要。

なお「プログラムカウンタ」という名前ですが、ちょっと役割がわかりづらいネーミングだと思います。意味のわかりやすさから言えばインテルなどが採用している「インストラクション・ポインタ」という名称のほうが適当なのかもしれません。

プログラムカウンタはいつカウントアップするのか

そんなわけで日めくりカレンダー同様、プログラムカウンタは命令実行が完了したら忘れずにカウントアップする必要があります。これをもう少し具体的に考えていきます。

復習になりますが、命令は例えばこういった感じでROMに格納されています（命令はあくまで例です）。

```
0番地    MOV A,5
1番地    MOV B,2
2番地    ADD A,7
  ⋮
15番地   ADD B,3
```

命令は上から順番に実行されます。ですから1命令を実行するごとにプログラムカウンタを単純に＋1すればよいことになります。もし2つとか3つの番地にまたがるような命令があるなら、それに応じて＋2とか＋3しなければならないのでちょっと面倒ですが、幸い（？）TD4では1命令の長さは固定で必ず1つの番地（アドレス）に1つの命令が格納されています。ですから「1命令が完了するごとにプログラムカウンタを＋1」すれば確実に次の命令のアドレスを指すようになります。

問題は「命令が完了」するタイミングです。CPUの命令とは転送命令とそのバリエーションでしかないということはすでにバレちゃっています。転送命令とは転送先のフリップ・フロップにデータを書き込む命令ですから、書き込み完了＝命令の完了です。フリップ・フロップは「クロックの立ち上がり」で書き込みが行われるのですから、つまり「クロックの立ち上がり」で命令が完了することになります。で、完了したと同時に日めくりカレンダーをカウントアップすればよいわけですね。そうすればめでたく次の命令へと移ることになります。クロックの立ち上がりでカウントアップする――これはプログラムカウンタにとって一番大事なことです。

さて、プログラムカウンタに必要なもう1つの機能がリセットです。リセットが入力されるとCPUは0番地の命令を実行しなければなりませんが、これは言い換えればプログラムカウンタが0になる、ということです。つまりリセット信号によりプログラムカウンタは0になる必要があるわけです。簡単ですね、普通にカウンタをリセットするだけです。

というわけで、TD4のプログラムカウンタに必要な機能は次の２つになります。

・リセット信号によりゼロにリセットされる。
・１クロックの立ち上がりごとに＋１（カウントアップ）される。

まさに「普通のカウンタ」です。意外に簡単に済みそうですね。そういえばTD4の４本のレジスタは74HC161という「カウンタ用IC」を流用していました、偶然にも（笑）。で、わざわざカウント機能を「殺していた」わけですからアレを復活させればよいわけですね。賢明な読者諸君もすでに忘れていると思いますので読み返してください。74HC161のENTとENP信号、この両方をHに固定するように変更すればカウント機能が復活します。

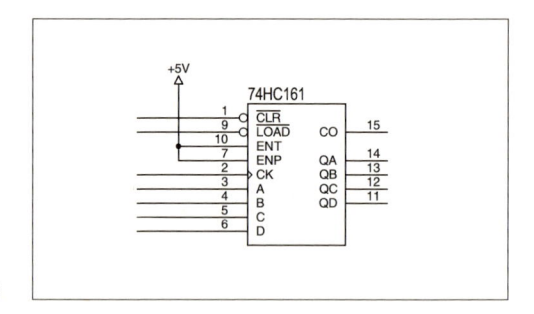

74HC161をカウンタとして使う回路

これでリセット機能付きで「クロックの立ち上がり」ごとに＋１するカウンタ、つまりプログラムカウンタになります。これをCPUの回路に追加すればよいわけですが、ここでは４本目の「Dレジスタ」をプログラムカウンタに変更して済ませます。

ではブロック図を書き直してみます。ついでに先ほどのCフラグの回路も追加しました。

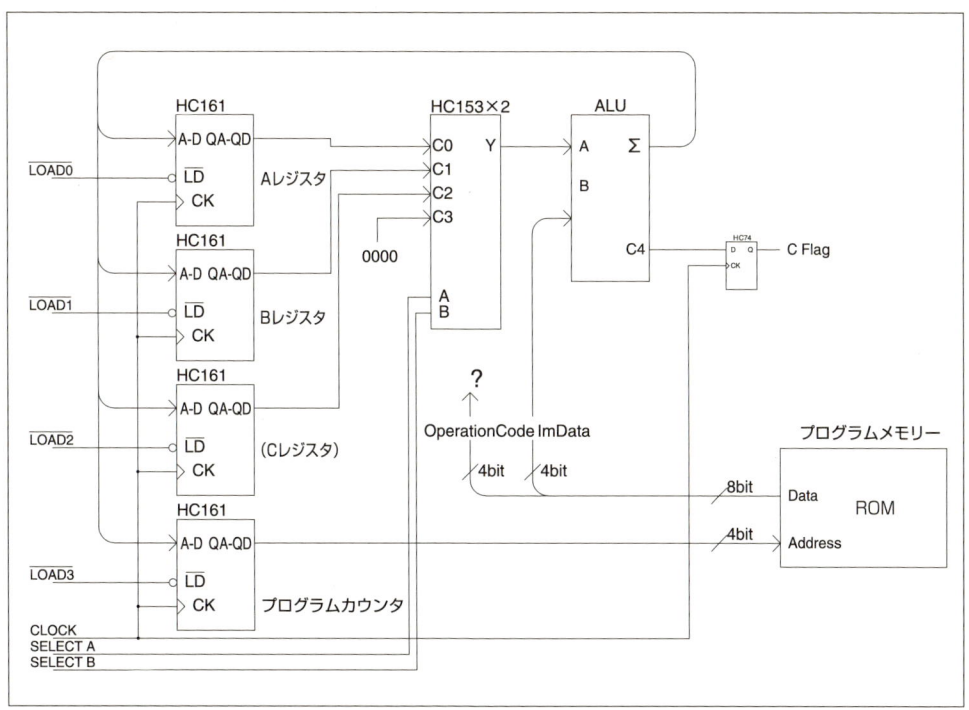

プログラムカウンタのある風景

…って、「Dレジスタ」を「プログラムカウンタ」に書き直しただけですが（ブロック図なので「元Dレジスタ」の74HC161のENTとENPの配線変更は書かれていません。注意してください）。

後はDレジスタ、じゃなくてプログラムカウンタの出力4bitは現在の命令のアドレスなわけですから、これをROMへずるずると引っ張っていきます。これで命令のアドレスがROMへ無事に伝えられることになったので、ROMは指定されたアドレスに格納された命令を返してくれます。いわゆる「命令フェッチ」が可能になったのですから一歩前進です。人類にとっては小さな一歩ですが、我々にとっては大きな一歩。そんなわけで、

　CPUは命令をゲットできるようになりました。

読み出した命令の下位4bitはイミディエイトデータなので、これもALUに接続しました。命令の上位4bitはオペレーションコードなのですが、これは9章の「命令デコード」で説明します。今はまだ宙ぶらりんです。ともあれ、「プログラムリストから命令をゲット」できるようになりました。ここはコンピューターの動作のキモですから、蛇足ながら図にまとめておきます。

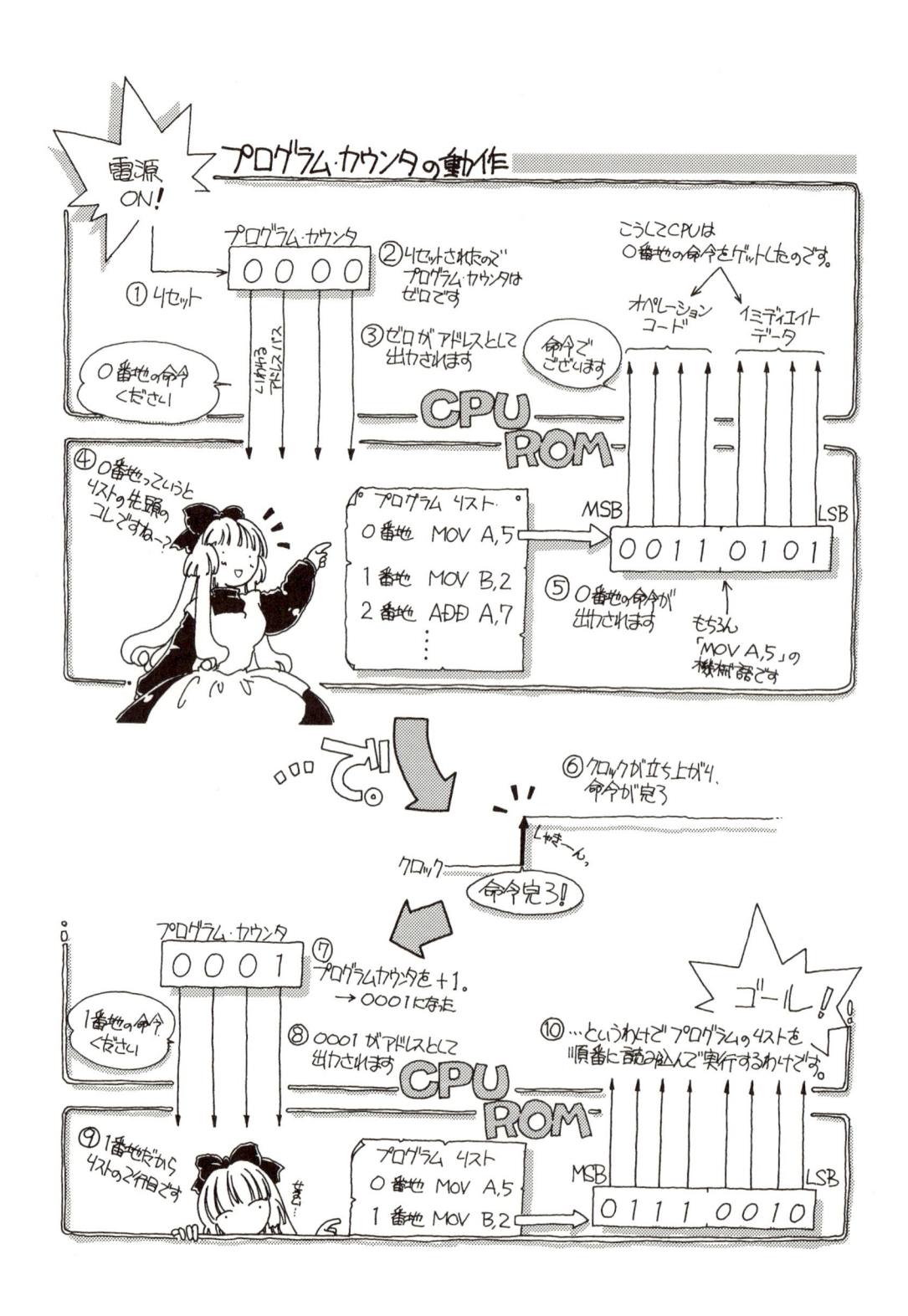

プログラム・カウンタの動作

電源 ON!

① リセット

② リセットされたので プログラム・カウンタは ゼロです

プログラム・カウンタ　0 0 0 0

0番地の命令 ください

アドレスバス

③ ゼロがアドレスとして 出されます

命令で ございます

こうしてCPUは 0番地の命令をゲットしたのです。

オペレーション コード

イミディエイト データ

CPU / ROM

MSB　0 0 1 1 0 1 0 1　LSB

④ 0番地っていうと リストの先頭の コレですね…?

プログラム リスト
0番地　MOV A,5
1番地　MOV B,2
2番地　ADD A,7
︙

⑤ 0番地の命令が 出されます

もちろん 「MOV A,5」の 機械語です

クロック

⑥ クロックが立ち上がり、 命令が完了

しゃきーん

命令完了!

プログラム・カウンタ　0 0 0 1

1番地の命令 ください

⑦ プログラムカウンタを+1。 → 0001になった

⑧ 0001がアドレスとして 出されます

ゴール!

⑩ …というわけでプログラムのリストを 順番に読み込んで実行するわけです。

CPU / ROM

⑨ 1番地だから リストの2行目です

プログラム リスト
0番地　MOV A,5
1番地　MOV B,2

MSB　0 1 1 1 0 0 1 0　LSB

ジャンプ命令

…そうでした、すっかり忘れていましたがプログラムカウンタは単にカウントアップすればよいというわけではないのでした。CPUはジャンプ命令を実行すると指定された番地へ飛んでいきますよね。この機能を追加する必要があります。

さてジャンプ命令、これは転送系でも演算系でもない特殊な命令に思えたりもしますが（なんといってもプログラムの流れが変えられるわけですからね）、トリックは意外に単純です。例えば、

```
JMP Im        Im番地へジャンプ
```

これはプログラムカウンタ（略してPC）にImを転送するだけだったりします。そうすれば「現在の命令」はIm番地になります。つまり上のジャンプ命令は

```
MOV PC,Im     Imをプログラムカウンタへ転送
```

とまったく同じことです。このトリックさえ理解してしまえば、ジャンプ命令はごくありふれた普通の転送命令だということになります。しかもTD4のPCはついさっきまでDレジスタだったわけですから、転送する仕組みは元々備えている（LOAD3をLにするだけ）ので実現は簡単です。というか、すでに可能です。

例によって想像だけですが、さっそく実行してみましょう。

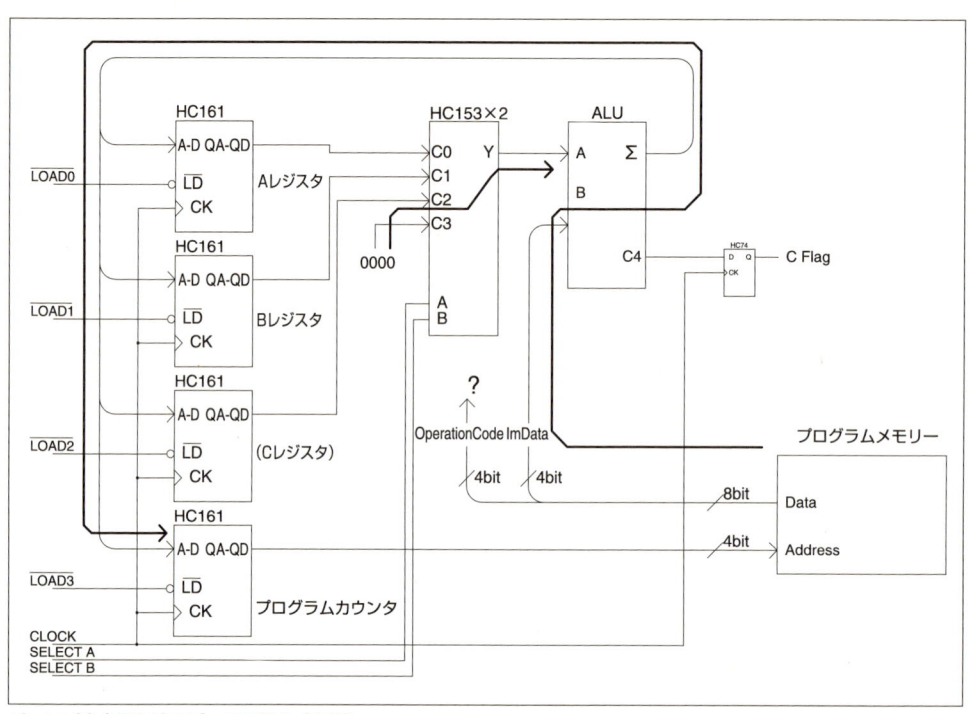

ジャンプ命令実行時のデータの流れ（太線）

この図が示しているのは

MOV PC,Im　　Imをプログラムカウンタへロード

つまりジャンプ命令ということになります。この場合もALUの出力はImそのものの値でなければならないのでA入力を「0000（二進数）」に固定します。つまりデータセレクタを次のようにします。

SELECT A……H
SELECT B……H

これでImの値がPC（プログラムカウンタ）に到達します。後はこの値をプログラムカウンタにロード、他のレジスタは「保持」するわけですから次のようにします。

$\overline{\text{LOAD0}}$……H
$\overline{\text{LOAD1}}$……H
$\overline{\text{LOAD2}}$……H
$\overline{\text{LOAD3}}$……L

この状態でクロックが立ち上がれば「MOV PC,Im」が実行され、あたかもIm番地にジャンプしたように見えるわけです。

条件ジャンプ命令

映画などにありがちな「この空域から撤退すべき、とコンピューターは判断していますが」みたいなシーンですけど、コンピューターの判断とはとどのつまりは条件ジャンプした／しないということです。そんなわけで条件ジャンプ命令というのはいかにも人工知能っぽいイメージがあるわけですが、残念ながらコレの仕組みも極めて単純だったりします。あなたのコンピューターへのイメージが崩れてゆくようであれば、この本を書いた甲斐もあるというものです。

TD4の条件ジャンプは1種類だけです。

　　JNC Im

復習ですが、これは次のようなことでした。

　　Cフラグが0のときには「ジャンプする」
　　Cフラグが1のときには「何もしない」

ジャンプというのは「イミディエイトデータをPCへ転送する」ことですから、具体的には74HC161の$\overline{LD}$をLにすることで（次にクロックが立ち上がった時点で）行われるんでしたよね。

　　74HC161の$\overline{LD}$をLにすることでジャンプする

ただし「Cフラグが1のときには何もしない」わけですから、

　　Cフラグが1なら$\overline{LD}$がLにならないようにする（＝強制的にHにする）

という仕組みを追加しなければなりません。この仕組みの回路イメージはこんな感じになります。

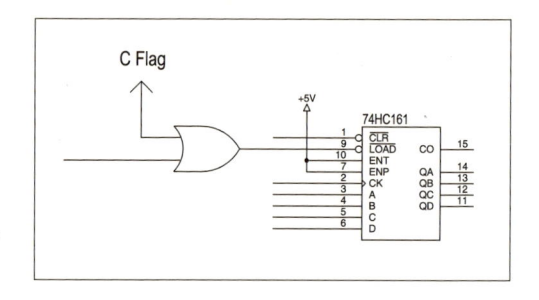

Cフラグが0のときのみジャンプする回路のイメージ

Cフラグが1だと$\overline{LD}$がLになりませんからPCへのロードは失敗し、ジャンプはしないことになります。逆に言えばそれだけです。ほとんど普通のジャンプ命令と同じですね。

ただしこのままの回路だと普通のJMP（ジャンプ）命令に支障が出てしまいますね。ですから実際の回路は9章の「命令デコーダ」で説明します。とりあえずここでは条件ジャンプの原理だけ理解しておいてください。

Chapter 8
3. I/Oポート

I/Oの付いていないコンピューターほどツマラナイものはありません。当たり前ですね。いくら立派なOSが立ち上がっても、ディスプレイもキーボードもEthernetもないシステムでは（ほとんど）何もできません。ですからTD4にもI/Oを用意します。ただCPUに直接I/Oが付いているというのは、あまり馴染みがないかもしれませんね。我々が普段使っているPentiumのような「純粋なCPU」にはI/Oの機能は含まれていません。キーボードやマウスのスイッチは直接CPUに接続されているわけではなくて、周辺のI/Oのチップが担当しているというのはご存じの通りです。これに対して小規模なシステム、例えば洗濯機に内蔵されているようなワンチップマイコンではI/Oの機能がCPUに含まれている場合が多いです。で、超小規模なTD4もそれに倣います。

出力ポート

TD4は4bitの出力ポートを備えます。…ということになってますから設計しましょう、出力ポート。出力ポートというのはCPUの外にデータを出力するための機構です。

「データを出力」などというと難しそうですが、要するに1と0というか、HとかLとかが出力できればよいのです。LEDを繋げて点けたり消したりできるぞーみたいな、そういうことです。4bitですからLEDが4つですね。ですからプログラムからLEDを点けたり消したりする方法を考えなければなりません。

　　だったら、Aレジスタの出力に直接LEDをぶら下げれば？

はい正解です。簡単ですね。

Aレジスタに1001（二進数）を書き込めば、LEDは「点灯・消灯・消灯・点灯」となります、完璧です（注：「1」でLEDが点灯する回路を使用した場合）。さすがにPentiumのパッケージをこじ開けてシリコン上のEAXレジスタにLEDを半田付けすることはできませんが（笑）、汎用ICのカタマリであるTD4なら簡単です。ただAレジスタは演算用に使いたいのでCレジスタ（仮）を使います。ですからCレジスタの出力にLEDをぶら下げるわけです。

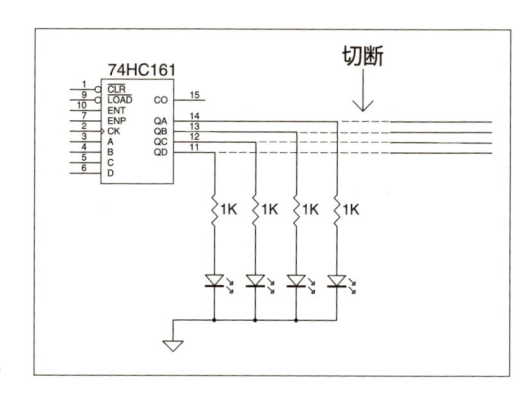

Cレジスタの出力を切断してLEDへ

出力ポートはこれで完成。その代わりレジスタとしては使えなくなりました。（元）Cレジスタから値を読もうとしても配線が切断されて宙ぶらりんなので何も読み出せません。ちょっと悲しいですね。なお、CMOS信号の宙ぶらりんはよくないので、これらはLに固定しましょう。そうすればCレジスタ（仮）を読み出しても確実に0000（二進数）となります。ちなみにHに固定してもかまいません。この場合にはCレジスタ（仮）を読み出すと常に1111となります。調子に乗ってスイッチでHとLを切り替えられるようにすると、スイッチのON／OFFに従った値が読み出せます。つまり4bitの入力。…っていうか、

なんとなく入力ポートも完成しちゃった模様（汗）

入力ポート

そういうわけで、ホントはここで入力ポートを説明する予定だったのですが、その必要がなくなってしまいました。とりあえず入力ポートと出力ポートの回路図はこんな感じ。

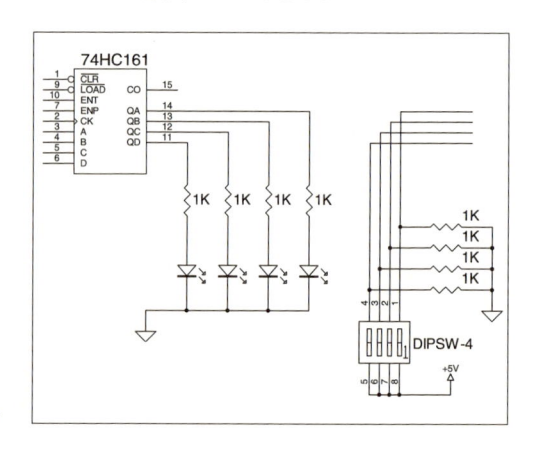

出力ポートと入力ポートの回路

入力ポートは「スイッチONで1」になるようにプルダウンとなっています。今までとは天地が逆です（注：普通の人にはそのほうが馴染みやすいというだけの理由です。おかしなモノで、私のようなプルアップに慣れている年寄りだと逆に違和感があったりするのですが）。

I／Oは意外と簡単だったでしょう？　というのもレジスタとI／Oの構造が同じだからですね。多くのワンチップマイコンもこの方式だと思います。ではワンチップではない普通のCPUの場合はどうかというと、I／Oはレジスタではなくてメモリーと同じ（またはそれに近い）扱いになります。ですからCPUはI／Oのための回路を特に持っていないこともあります。

CPU NO TUKURIKATA

CHAPTER 9

■命令デコーダ

　CPUの設計に関してはこれが最終章となります。今までに設計してきた実行部は「指示」さえ間違えなければ、すでにCPUとして動作可能な状態です。またROMから「命令」をゲットする仕組みもあります。この「命令」を「指示」に変換する回路が命令デコーダということになります。変換回路とはいっても基本的には単なるANDとかORのカタマリですからロジック自体は難しいものではありません、TD4の場合はゲートIC2個に収まってしまう規模です。むしろスタート（命令）とゴール（指示）を把握していることが重要になります…って、命令デコーダに限ったことではないですが。

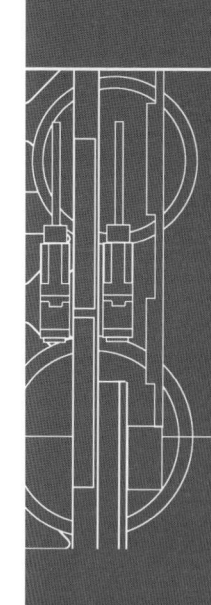

Chapter 9

1. 命令デコーダのお仕事

えー、もう一息です。どのくらい「一息」かというと、ICが2個分です。実行部はほとんど完成していますし、すでに命令のオペレーションコードは目の前まで配線されてます。最後に必要なのは「命令を解釈して実行するための指示を出す回路」だけです。

後は何が必要なのか

ここでもう一度、命令を実行するための流れを思い出してみます。

- 実行すべき命令のアドレスはプログラムカウンタが指しています。
- このアドレスをROMへ出力すると、ROMは指示されたアドレスに格納された「命令」を返します。
- CPUは実行すべき「命令」を手に入れた！　攻撃力が4増えた！（嘘）
- 命令の下位4bitはイミディエイトデータとしてALUへ送られます。
- 命令の上位4bitがオペレーションコードですが、今は宙ぶらりん。

ここまでが命令の読み取りですね。命令フェッチとも言います。次に実行部の動作です。

- SELECT AとSELECT B信号により4チャンネルデータセレクタがレジスタを選択、ALUへ送ります。
- ALUは演算を行い、全レジスタへ演算結果を送ります。
- $\overline{\text{LOAD0}}$〜$\overline{\text{LOAD3}}$信号により各レジスタ（出力ポートとプログラムカウンタを含む）の保持またはロードが決定されます。つまり転送先です。
- 後は次のクロックの立ち上がりを合図に実行（書き込み、つまり転送）するだけです。

こんな感じです。指示しなくてはならない信号は以下の6bitです。

　　SELECT AとSELECT B、$\overline{\text{LOAD0}}$〜$\overline{\text{LOAD3}}$

で、肝心の指示はどうやって決めるかというと、もちろん命令（のオペレーションコード）によるわけです。あ、あと条件ジャンプではCフラグによってもデータの流れが変わりますね。つまり、

オペレーションコード4bitとCフラグの状態

の合計5bitで動作が決定するわけです。ですから、この5bitから指示の信号6bit（SELECT A、B と $\overline{\text{LOAD0}}$ 〜 $\overline{\text{LOAD3}}$ ）を作り出す回路を用意すればよいことになります。

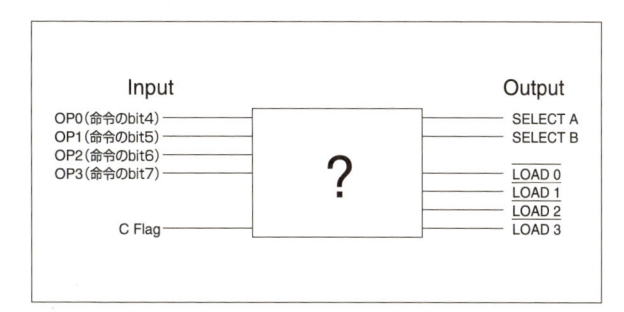

命令デコーダ（ただし中身は未定）

この「オペレーションコードとフラグ」を「実行部への指示」へ変換する回路を「命令デコーダ」と呼びます。命令デコーダの指示でCPUの各部が動作するわけですから「まさにCPUの司令塔」…と言いたいところなんですけど、実際にはプログラムというか命令（オペレーションコード）とフラグの言いなりです。

温泉旅行に行くためには、あちこちに指示を出す必要がある

条件分岐命令を実行するには、あちこちに指示を出す必要がある

デコーダはあくまで命令を具体的な作業に噛み砕く役です。噛み砕いて指示するだけで実作業はしないわけですから、どちらかというと「中間管理職的」と言ったほうが適当なのかもしれません。

さて、今まで設計してきたレジスタとかデータセレクタとかALUなどは同じ回路が4bitぶんみたいな繰り返しでしたが、一般的にデコーダはANDとかORのカタマリでぐちゃぐちゃになります。フリップ・フロップなどは含まないですから難しくはないですが、面倒くさい作業です。地道に進めていきましょう。…で、地道な手順です。

1　各命令実行時のデータの流れを確認して必要な「指示」を書き出します。TD4の命令は12種類ですが、JNC（条件分岐）は分岐する場合・分岐しない場合の2種類の流れがあります。ですから計13種類となります。
2　書き出した指示とオペレーションコードとフラグから真理値表を作ります。
3　真理値表から実際のデコード回路を起こします。

これを1から始めるわけですが、せっかく流れを確認するのでオペレーションコードなども併記するようにして命令一覧表としました。

カテゴリ 転送（データコピー）命令

MOV A,Im　　　　AレジスタにImを転送

命令フォーマット

0	0	1	1	Im				

bit7　bit6　bit5　bit4　bit3　bit2　bit1　bit0
MSB　　　　　　　　　　　　　　　　　　　LSB
←　　オペレーションコード　　→←　イミディエイトデータ（Im）　→

命令の詳細………イミディエイトデータをAレジスタに転送します。

Cフラグ…………実行時：この命令はCフラグの影響を受けません。
　　　　　　　　　実行後：必ず0になります。

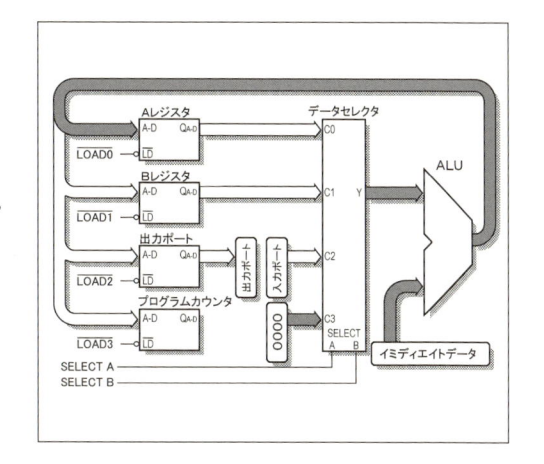

実行部への指示

データセレクタ…………チャンネル3を選択
レジスタへのロード……Aレジスタへロード

指示の真理値表

SELECT B	SELECT A	$\overline{LOAD0}$ (Aレジスタ)	$\overline{LOAD1}$ (Bレジスタ)	$\overline{LOAD2}$ (出力ポート)	$\overline{LOAD3}$ (PC)
H	H	L	H	H	H

カテゴリ
転送（データコピー）
命令

MOV B,Im　　　　　　　BレジスタにImを転送

命令フォーマット

命令

0	1	1	1	Im			
bit7	bit6	bit5	bit4	bit3	bit2	bit1	bit0
MSB							LSB

← 　オペレーションコード　→← イミディエイトデータ（Im） →

命令の詳細………イミディエイトデータをBレジスタに転送します。

Cフラグ …………実行時：この命令はCフラグの影響を受けません。
　　　　　　　　 実行後：必ず0になります。

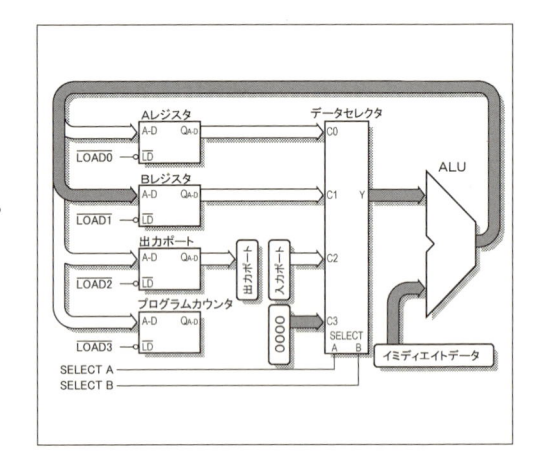

実行部への指示

データセレクタ…………チャンネル3を選択
レジスタへのロード……Bレジスタへロード

指示の真理値表

SELECT B	SELECT A	$\overline{LOAD0}$ (Aレジスタ)	$\overline{LOAD1}$ (Bレジスタ)	$\overline{LOAD2}$ (出力ポート)	$\overline{LOAD3}$ (PC)
H	H	H	L	H	H

> カテゴリ
> 転送（データコピー）
> 命令

MOV A,B　　　AレジスタにBレジスタを転送

命令フォーマット

命令

0	0	0	1	0	0	0	0
bit7	bit6	bit5	bit4	bit3	bit2	bit1	bit0
MSB							LSB

←　　オペレーションコード　　→←　イミディエイトデータ（Im）　→

命令の詳細………BレジスタをAレジスタに
　　　　　　　　転送します。

Cフラグ …………実行時：この命令はCフラグの影響を受けません。
　　　　　　　　実行後：必ず0になります。

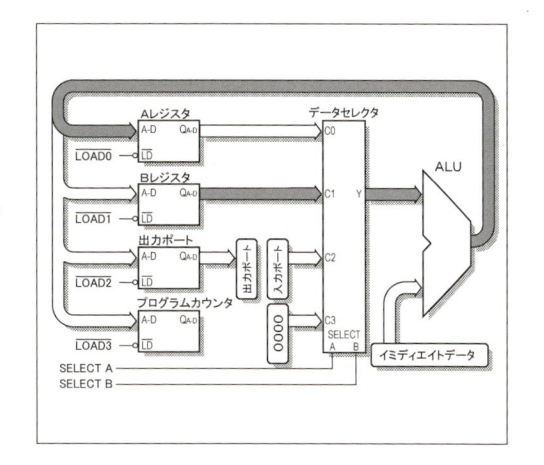

実行部への指示

データセレクタ …………チャンネル1を選択

レジスタへのロード……Aレジスタへロード

指示の真理値表

SELECT B	SELECT A	$\overline{LOAD0}$ (Aレジスタ)	$\overline{LOAD1}$ (Bレジスタ)	$\overline{LOAD2}$ (出力ポート)	$\overline{LOAD3}$ (PC)
L	H	L	H	H	H

> カテゴリ
> 転送（データコピー）
> 命令

MOV B,A　　　　BレジスタにAレジスタを転送

命令フォーマット

0	1	0	0	0	0	0	0
bit7	bit6	bit5	bit4	bit3	bit2	bit1	bit0
MSB							LSB

命令

← 　　オペレーションコード　　 →← 　イミディエイトデータ (Im)　 →

命令の詳細………AレジスタをBレジスタに転送します。

Cフラグ…………実行時：この命令はCフラグの影響を受けません。
　　　　　　　　実行後：必ず0になります。

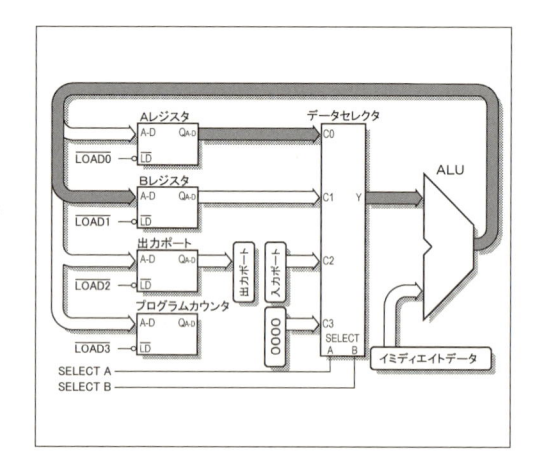

実行部への指示

データセレクタ…………チャンネル0を選択
レジスタへのロード……Bレジスタへロード

指示の真理値表

SELECT B	SELECT A	$\overline{\text{LOAD0}}$ (Aレジスタ)	$\overline{\text{LOAD1}}$ (Bレジスタ)	$\overline{\text{LOAD2}}$ (出力ポート)	$\overline{\text{LOAD3}}$ (PC)
L	L	H	L	H	H

| カテゴリ 演算命令 | **ADD A,Im** | AレジスタにImを加算 |

命令フォーマット

命令

0	0	0	0	Im				
bit7	bit6	bit5	bit4	bit3	bit2	bit1	bit0
MSB							LSB

←　　オペレーションコード　　→ ← イミディエイトデータ (Im) →

命令の詳細……イミディエイトデータをAレジスタに加算します。

Cフラグ…………実行時：この命令はCフラグの影響を受けません。
　　　　　　　　実行後：キャリー発生時に1になります。

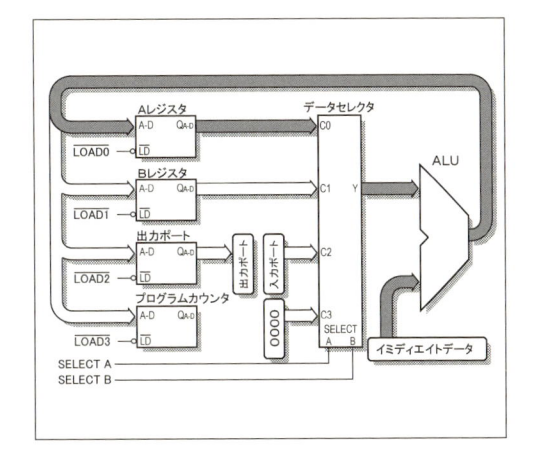

実行部への指示

データセレクタ…………チャンネル0を選択
レジスタへのロード……Aレジスタへロード

指示の真理値表

SELECT B	SELECT A	$\overline{\text{LOAD0}}$ (Aレジスタ)	$\overline{\text{LOAD1}}$ (Bレジスタ)	$\overline{\text{LOAD2}}$ (出力ポート)	$\overline{\text{LOAD3}}$ (PC)
L	L	L	H	H	H

| カテゴリ 演算命令 | **ADD B,Im** | BレジスタにImを加算 |

命令フォーマット

命令

0	1	0	1	Im			
bit7	bit6	bit5	bit4	bit3	bit2	bit1	bit0
MSB							LSB

← オペレーションコード → ← イミディエイトデータ（Im） →

命令の詳細………イミディエイトデータをBレジスタに加算します。

Cフラグ…………実行時：この命令はCフラグの影響を受けません。
実行後：キャリー発生時に1になります。

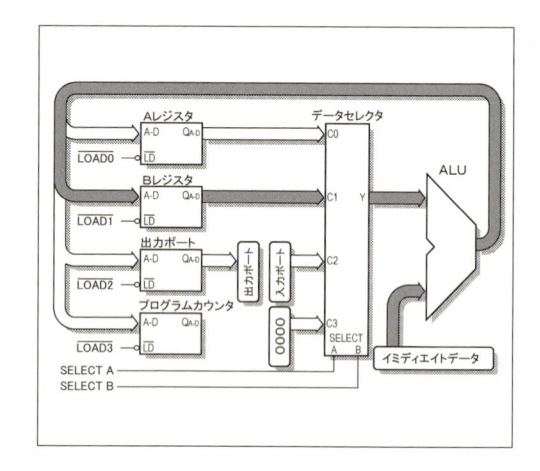

実行部への指示

データセレクタ…………チャンネル1を選択
レジスタへのロード……Bレジスタへロード

指示の真理値表

SELECT B	SELECT A	$\overline{LOAD0}$ (Aレジスタ)	$\overline{LOAD1}$ (Bレジスタ)	$\overline{LOAD2}$ (出力ポート)	$\overline{LOAD3}$ (PC)
L	H	H	L	H	H

> カテゴリ
> I/O命令

IN　A　　　入力ポートからAレジスタへ転送

命令フォーマット

命令

0	0	1	0	0	0	0	0
bit7	bit6	bit5	bit4	bit3	bit2	bit1	bit0
MSB							LSB

←　　オペレーションコード　　→←　イミディエイトデータ(Im)　→

命令の詳細………入力ポートのデータをAレジスタへ転送します。

Cフラグ…………実行時：この命令はCフラグの影響を受けません。
　　　　　　　　実行後：必ず0になります。

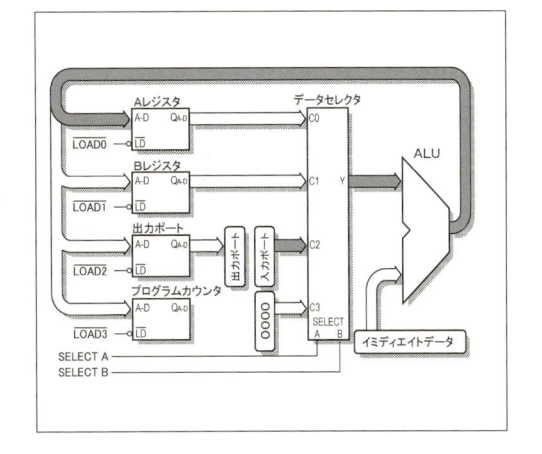

実行部への指示

データセレクタ…………チャンネル2を選択
レジスタへのロード……Aレジスタへロード

指示の真理値表

SELECT B	SELECT A	$\overline{\text{LOAD0}}$ (Aレジスタ)	$\overline{\text{LOAD1}}$ (Bレジスタ)	$\overline{\text{LOAD2}}$ (出力ポート)	$\overline{\text{LOAD3}}$ (PC)
H	L	L	H	H	H

IN B　　　入力ポートからBレジスタへ転送

カテゴリ
I/O命令

命令フォーマット

0	1	1	0	0	0	0	0
bit7	bit6	bit5	bit4	bit3	bit2	bit1	bit0
MSB							LSB

← オペレーションコード →←　イミディエイトデータ（Im）　→

命令の詳細………入力ポートのデータをBレジスタへ転送します。

Cフラグ…………実行時：この命令はCフラグの影響を受けません。
　　　　　　　　　実行後：必ず0になります。

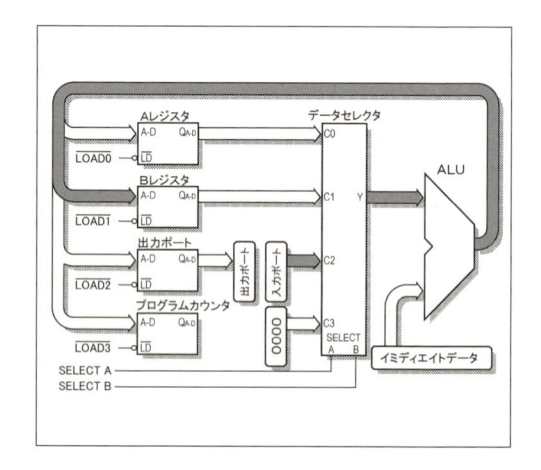

実行部への指示

データセレクタ…………チャンネル2を選択

レジスタへのロード……Bレジスタへロード

指示の真理値表

SELECT B	SELECT A	$\overline{\text{LOAD0}}$ (Aレジスタ)	$\overline{\text{LOAD1}}$ (Bレジスタ)	$\overline{\text{LOAD2}}$ (出力ポート)	$\overline{\text{LOAD3}}$ (PC)
H	L	H	L	H	H

カテゴリ
I/O命令

OUT Im   出力ポートへImを転送

命令フォーマット

1	0	1	1	Im
bit7	bit6	bit5	bit4	bit3 bit2 bit1 bit0
MSB				LSB

← オペレーションコード → ← イミディエイトデータ (Im) →

命令の詳細………ミディエイトデータを出力ポートへ転送します。

Cフラグ…………実行時：この命令はCフラグの影響を受けません。
実行後：必ず0になります。

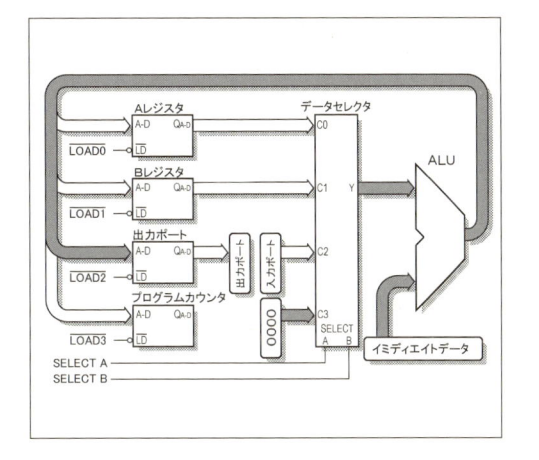

実行部への指示

データセレクタ…………チャンネル3を選択
レジスタへのロード……出力ポートへロード

指示の真理値表

SELECT B	SELECT A	$\overline{LOAD0}$ (Aレジスタ)	$\overline{LOAD1}$ (Bレジスタ)	$\overline{LOAD2}$ (出力ポート)	$\overline{LOAD3}$ (PC)
H	H	H	H	L	H

カテゴリ
I/O命令

OUT B 　　　　出力ポートへBレジスタを転送

命令フォーマット

命令

1	0	0	1	0	0	0	0
bit7	bit6	bit5	bit4	bit3	bit2	bit1	bit0
MSB							LSB

← 　オペレーションコード　→← イミディエイトデータ (Im) →

命令の詳細………Bレジスタを出力ポートへ転送します。

Cフラグ …………実行時：この命令はCフラグの影響を受けません。
　　　　　　　　実行後：必ず0になります。

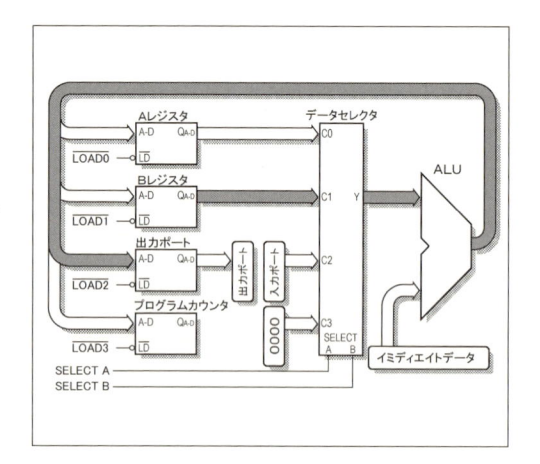

実行部への指示

データセレクタ …………チャンネル1を選択
レジスタへのロード……出力ポートへロード

指示の真理値表

SELECT B	SELECT A	LOAD0 (Aレジスタ)	LOAD1 (Bレジスタ)	LOAD2 (出力ポート)	LOAD3 (PC)
L	H	H	H	L	H

| カテゴリ
ジャンプ命令 | **JMP Im** | Im番地へジャンプ |

命令フォーマット

命令

1	1	1	1	Im			
bit7 MSB	bit6	bit5	bit4	bit3	bit2	bit1	bit0 LSB

← 　オペレーションコード　 →←　 イミディエイトデータ（Im）　→

命令の詳細………イミディエイトデータで示された番地へジャンプします。

Cフラグ …………実行時：この命令はCフラグの影響を受けません。
　　　　　　　　実行後：必ず0になります。

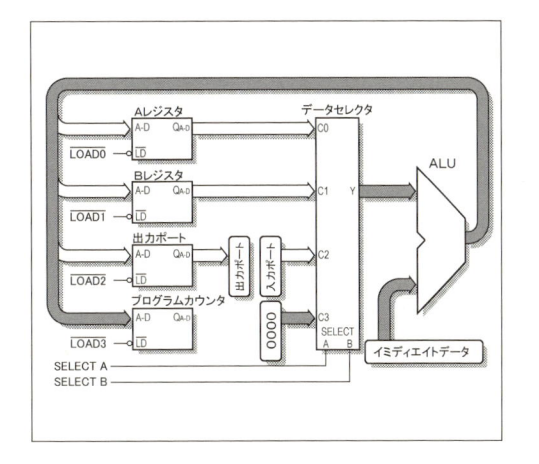

実行部への指示

データセレクタ …………チャンネル3を選択

レジスタへのロード……PCへロード

指示の真理値表

SELECT B	SELECT A	$\overline{\text{LOAD0}}$ （Aレジスタ）	$\overline{\text{LOAD1}}$ （Bレジスタ）	$\overline{\text{LOAD2}}$ （出力ポート）	$\overline{\text{LOAD3}}$ （PC）
H	H	H	H	H	L

カテゴリ ジャンプ命令

JNC Im　　Cフラグが1ではないときにジャンプ

命令フォーマット

1	1	1	0			Im	
bit7	bit6	bit5	bit4	bit3	bit2	bit1	bit0
MSB							LSB

← 　オペレーションコード　 →←　　イミディエイトデータ（Im）　→

命令の詳細………Cフラグが0のときにイミディエイトデータで示された番地へジャンプします。
　　　　　　　　Cフラグが1なら何もしません。

Cフラグ …………実行時：この命令はCフラグにより動作が変わります。
　　　　　　　　実行後：必ず0になります。

Cフラグが0の場合（ジャンプする場合）

実行部への指示
データセレクタ …………チャンネル3を選択
レジスタへのロード……PCへロード

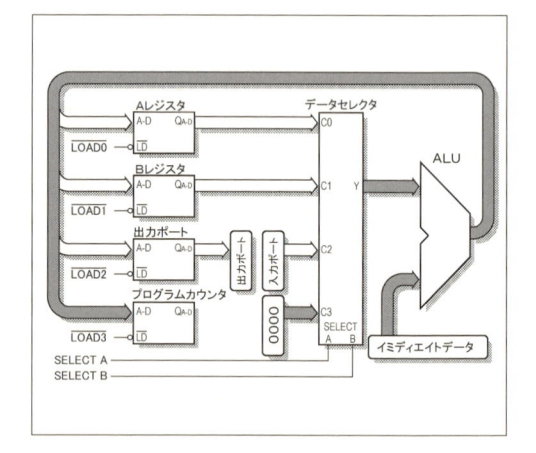

指示の真理値表

SELECT B	SELECT A	$\overline{\text{LOAD0}}$ (Aレジスタ)	$\overline{\text{LOAD1}}$ (Bレジスタ)	$\overline{\text{LOAD2}}$ (出力ポート)	$\overline{\text{LOAD3}}$ (PC)
H	H	H	H	H	L

Cフラグが1の場合（何もしない場合）

実行部への指示

データセレクタ …………どのような状態でもよい

レジスタへのロード……すべてのレジスタはロードされない

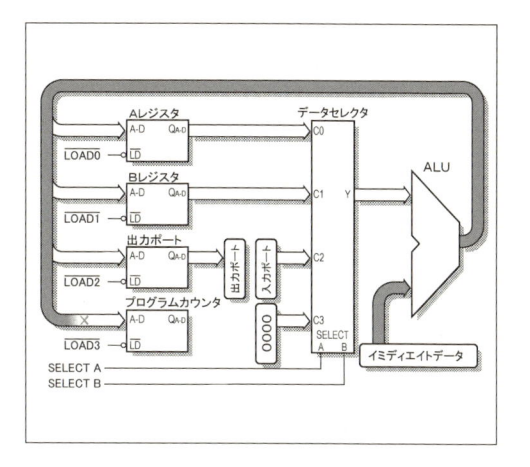

指示の真理値表

SELECT B	SELECT A	$\overline{\text{LOAD0}}$ (Aレジスタ)	$\overline{\text{LOAD1}}$ (Bレジスタ)	$\overline{\text{LOAD2}}$ (出力ポート)	$\overline{\text{LOAD3}}$ (PC)
X	X	H	H	H	H

X＝Don't Care

Chapter 9
2. デコーダの設計

先にお話した通り、デコーダ部はANDとかORの組み合わせだけです。ANDとORなどというと普通の本では一番最初に出てくるような退屈なハナシなわけですが、なぜ退屈かというとANDとORを組み合わせる目的が漠然としているためだと思います。そんなわけで本書では一番最後です。業界初の試み（かもしれない）です。とりあえず今の我々にはCPUのデコーダ様を作るという崇高な（？）目的があります。もう少し具体的に言えばデコーダの「出力」を必要としているわけです。どんな「出力」が必要かさえ明確になれば攻略法も見えてきます。

とりあえず書き出してみました

「命令一覧」でデコーダに必要な論理が明らかになりましたから、これを真理値表にまとめます。

命令	デコーダ入力					デコーダ出力					
	オペレーションコード				フラグ	データセレクタ		レジスタ			
	OP3	OP2	OP1	OP0	C Flag	SELECT B	SELECT A	LOAD0	LOAD1	LOAD2	LOAD3
ADD A,Im	L	L	L	L	X	L	L	L	H	H	H
MOV A,B	L	L	L	H	X	L	H	L	H	H	H
IN A	L	L	H	L	X	H	L	L	H	H	H
MOV A,Im	L	L	H	H	X	H	H	L	H	H	H
MOV B,A	L	H	L	L	X	L	L	H	L	H	H
ADD B,Im	L	H	L	H	X	L	H	H	L	H	H
IN B	L	H	H	L	X	H	L	H	L	H	H
MOV B,Im	L	H	H	H	X	H	H	H	L	H	H
OUT B	H	L	L	H	X	L	H	H	H	L	H
OUT Im	H	L	H	H	X	H	H	H	H	L	H
JNC(C=0)	H	H	H	L	L	H	H	H	H	H	L
JNC(C=1)	H	H	H	L	H	X	X	H	H	H	H
JMP	H	H	H	H	X	H	H	H	H	H	L

表中に出現した「×」印、これは「HとLの両方」みたいな意味でよく使用される表記なのですが、この表ではデコーダの入力側と出力側で意味合いが異なっています。出力側の「×」は「HとLのどちらを出力してもOK」つまりHを出力しようがLを出力しようがかまわないよ、という意味です。2値のデジタル回路ならば放っておいてもHかLにしかならないのですから、これは設計時に放置OKという非常にありがたいハナシです。一方、入力側の「X」は「HとLのどちらが入力されても動作してね！」というキビシイ要求です。ですから入力がHのときとLのときの両方のコトを考えなくてはなりません。

繰り返しになりますが、この表の「デコーダ入力」から「デコーダ出力」へ変換する回路を組めばよいわけです。ちなみに以下、オペレーションコードの各bitをOP0〜3とします。

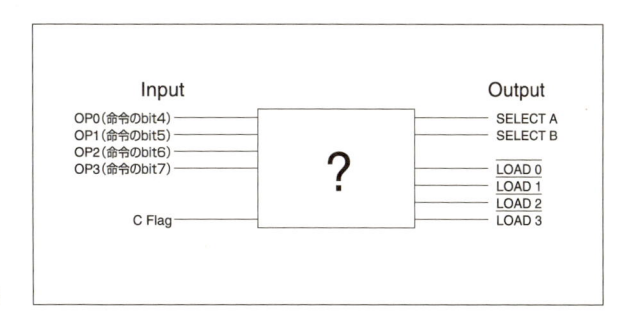

```
          Input                            Output
  OP0(命令のbit4)                        SELECT A
  OP1(命令のbit5)                        SELECT B
  OP2(命令のbit6)       ?                LOAD 0
  OP3(命令のbit7)                        LOAD 1
                                         LOAD 2
  C Flag                                 LOAD 3
```

デコーダ入力から出力へ変換する回路

一見やたらと大きな真理値表なのでちょっとだけくじけそうですが、1つずつ切り出せば割と単純です。まずはデータセレクタのSELECT Bを切り出します。SELECT Bの「×」は「どうでもよい」ということなのでコレは考えずに済むわけですから、そのぶん表は小さくて済みます。

オペレーションコード				フラグ	データセレクタ
OP3	OP2	OP1	OP0	C Flag	SELECT B
L	L	L	L	X	L
L	L	L	H	X	L
L	L	H	L	X	H
L	L	H	H	X	H
L	H	L	L	X	L
L	H	L	H	X	L
L	H	H	L	X	H
L	H	H	H	X	H
H	L	L	H	X	L
H	L	H	H	X	H
H	H	H	L	L	H
H	H	H	H	X	H

↑ これは同じ ↑

これは簡単ですね。矢印の列に注目するとSELECT BはOP1そのものであることがわかります。つまり直結。ゲートは不要です。

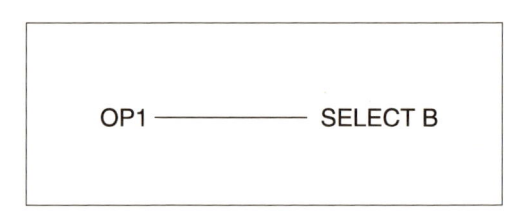

```
OP1 ─────────── SELECT B
```

SELECT Bの回路

単なる配線なので回路っぽくないのですがー、これでOKです。まずはSELECT B攻略完了。意外にあっけないですね。全部この調子で済むと非常に楽なんですけど、そんなに甘くはないわけです。次にデータセレクタのSELECT Aを見てみましょう。

オペレーションコード				フラグ	データセレクタ
OP3	OP2	OP1	OP0	C Flag	SELECT A
L	L	L	L	X	L
L	L	L	H	X	H
L	L	H	L	X	L
L	L	H	H	X	H
L	H	L	L	X	L
L	H	L	H	X	H
L	H	H	L	X	L
L	H	H	H	X	H
H	L	L	H	X	H
H	L	H	H	X	H
H	H	H	L	L	H	←ここが残念!
H	H	H	H	X	H

↑　　　↑
惜しい!

惜しいですね。ほとんどSELECT A＝OP0なんですが、一箇所だけ違います。ただ、この程度なら直感で（笑）設計可能です。

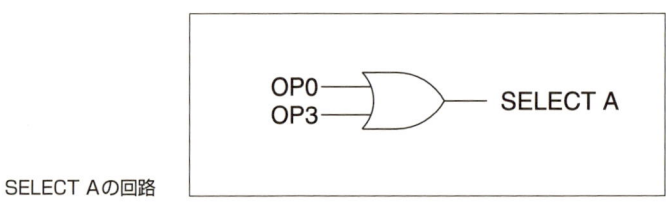

```
OP0 ─┐
     )─── SELECT A
OP3 ─┘
```

SELECT Aの回路

これでOKです。デコード回路の設計はこんな感じになります。わかりましたね？　あと残っているのは$\overline{\text{LOAD0}}$〜$\overline{\text{LOAD3}}$の4つだけです。これが終わればCPUの設計は完了ですから、もう一息ですね。

…で、ここまでは「直感」で設計してしまいましたが、もう少し難しくなるとマジメに考えなければなりません。

真理値表の単純化

つまりこういうことです。

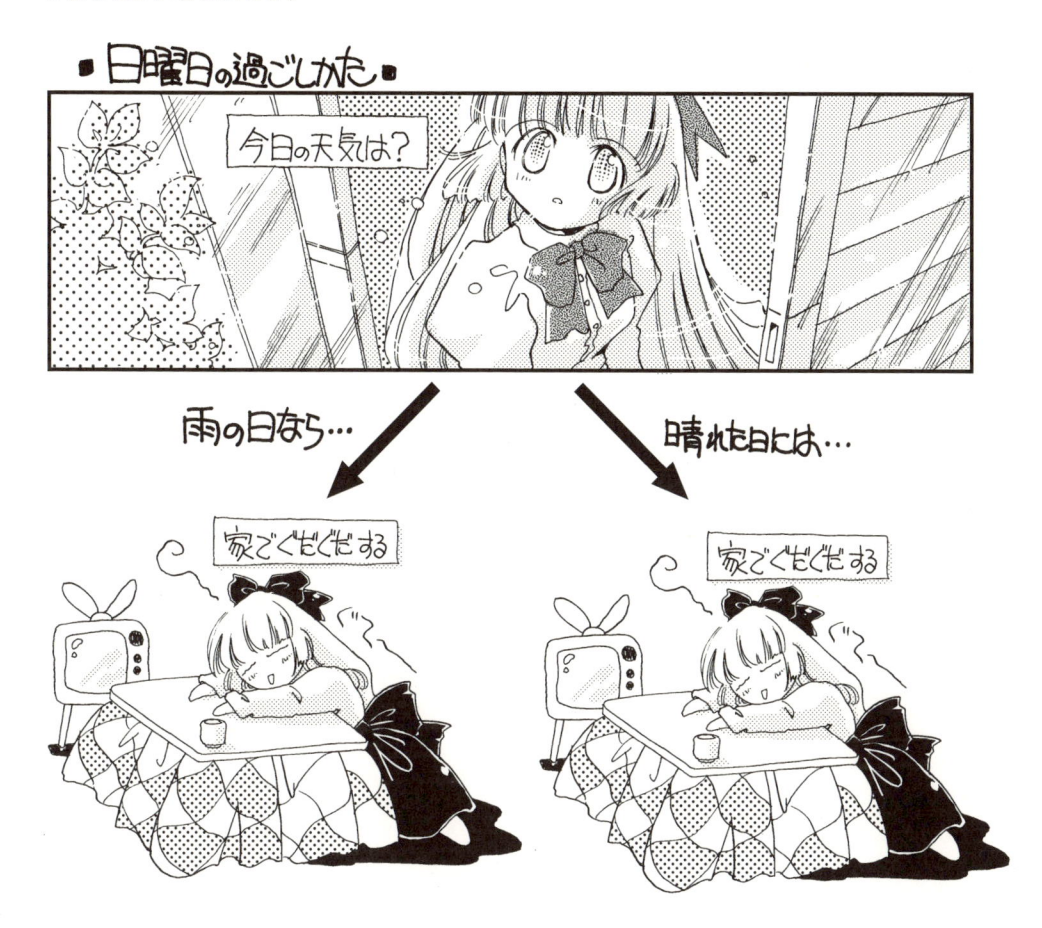

どっちにしても家でだらだら過ごすなら最初から天気なんかチェックしなくてもよいだろう、というツッコミが入りますね、これ。で、もう少し複雑な例です。

・雨が降ってなくてお腹が空いていればコンビニへ行く。
・雨が降っていてお腹が空いていればコンビニへ行く。
・雨が降ってなくてお腹が空いてなければコンビニへ行かずに家でだらだら。
・雨が降っていてお腹が空いてなければコンビニへ行かずに家でだらだら。

前の例と同じツッコミが入ると思います。要するに天気に関係なくお腹が空いていなければ家でだらだら。行動ロジックは4パターンあると言いつつ、実は2つのパターンしかない単純なヤツだったということですね。ロジックが単純なのはいいことです、設計が楽になります。

同じことが真理値表にも言えます。例えばこれ。

入力		出力
A	B	Y
L	L	L
L	H	L
H	L	H
H	H	H

これは「B入力は関係ない」ということが一目瞭然ですね。B入力は無視してよいわけですから表から抹殺します。

入力	出力
A	Y
L	L
L	L
H	H
H	H

これは普通、次のように書きます。

入力	出力
A	Y
L	L
H	H

先の「天気と空腹」の話と同じですし、実は「SELECT B」でも同じことをしています。では、少し高度（？）な例です。

入力			出力
A	B	C	Y
L	L	L	L
L	L	H	L
L	H	L	H
L	H	H	H
H	L	L	H
H	L	H	H
H	H	L	L
H	H	H	L

← 入力Cにかかわらず出力YはL
← 入力Cにかかわらず出力YはH
← 入力Cにかかわらず出力YはH
← 入力Cにかかわらず出力YはL

すべてのパターンでCは無視されている

あんまり高度じゃないですね（笑）、出力Yにとって入力Cは眼中にないらしく完全に無視されまくっているわけですから、これはA入力とB入力だけで出力Yが確定できてしまいます。ですからこれは次のようになります。

入力		出力
A	B	Y
L	L	L
L	H	H
H	L	H
H	H	L

よくわからない人は、もう一度「日曜日の過ごしかた」から読み直しましょう。

さて、実際の $\overline{\text{LOAD0}}$ ですが、真理値表はこんな感じです。

OP3	OP2	OP1	OP0	C Flag	$\overline{\text{LOAD0}}$
L	L	L	L	X	L
L	L	L	H	X	L
L	L	H	L	X	L
L	L	H	H	X	L
L	H	L	L	X	H
L	H	L	H	X	H
L	H	H	L	X	H
L	H	H	H	X	H
H	L	L	H	X	H
H	L	H	H	X	H
H	H	H	L	L	H	← ここと
H	H	H	L	H	H	← ここ
H	H	H	H	X	H

…はぁ、これだけパターンがあると面倒くさいですね。とりあえず無視できそうな信号を探してみます。まず目に付くのはCフラグに並んだ大量のX（Don't Care）ですね。$\overline{\text{LOAD0}}$ にとってCフラグは眼中にないように見えます。では本当に関係ないかチェックしてみましょう。Cフラグが関与するのは矢印で示してある2カ所だけです。ココに注目。

OP3	OP2	OP1	OP0	C Flag	$\overline{\text{LOAD0}}$
H	H	H	L	L	H
H	H	H	L	H	H

← C Flagにかかわらず出力は同じ

つまりCフラグがLでもHでも結果は同じです。Cフラグ意味なし！ です。わかりました？ もしここで

OP3	OP2	OP1	OP0	C Flag	$\overline{\text{LOAD0}}$
H	H	H	L	L	L
H	H	H	L	H	H

← C Flagは出力に関与してる

などとなっていたならCフラグは無視できなかったわけです。どうやら我々は運がいいらしい。ということでCフラグは完全に無視できることになりました。で、Cフラグを省略した真理値表です。

OP3	OP2	OP1	OP0	$\overline{\text{LOAD0}}$
L	L	L	L	L
L	L	L	H	L
L	L	H	L	L
L	L	H	H	L
L	H	L	L	H
L	H	L	H	H
L	H	H	L	H
L	H	H	H	H
H	L	L	H	H
H	L	H	H	H
H	H	H	L	H
H	H	H	L	H
H	H	H	H	H

← 同じなのでまとめる

このままですと一部真理値表に重複があるので、これも省略できます。

OP3	OP2	OP1	OP0	$\overline{\text{LOAD0}}$
L	L	L	L	L
L	L	L	H	L
L	L	H	L	L
L	L	H	H	L
L	H	L	L	H
L	H	L	H	H
L	H	H	L	H
L	H	H	H	H
H	L	L	H	H
H	L	H	H	H
H	H	H	L	H
H	H	H	H	H

ちょっとだけシンプルになりましたからちょっとだけ嬉しいですね。この調子で可能なところまでどんどん単純化しちゃいましょう。

試しに次はOP0を無視できるかどうか見ていきます。繰り返しになりますが、OP0が無視できるかどうかというのはOP0以外、つまりOP1～3だけで$\overline{\text{LOAD0}}$を決定できるかということです。

例えばあなたが男性だったとします。…というかこの本を読んでいるのは99％男性でしょうね。ある日、あなたはラブレターを受け取ります（羨ましいな、ちくしょう！）。しかし手紙の差出人には名字だけ、「佐藤」としか書かれていません。ここであなたの知り合いの佐藤さんは

　　佐藤和代
　　佐藤和恵

の2人だけだったりするわけですが、どちらもけっこうかわいい子だったりします。どっちにしてもラッキーですね。コレなら問題ありません。…が、しかし、よく考えたら悪友のマサシ（♂）も「佐藤」だったことに気が付きます。そういえば最近マサシのヤツ、妙によそよそしかったりするんだよな、などと事態はかなりイヤな方向へ（汗）。

つまり知り合いの「佐藤さん」が全員女性ならばフルネームはわからなくてもOKです。「佐藤＝女の子」だからですね。が、上の例のような「佐藤くん」が存在する場合にはフルネームまでわからないと、（その方面に趣味がある場合以外は）非常に危険（笑）です。また、「知り合いの佐藤が全員男」の場合なら佐藤＝男なので、やはり名字だけで性別がわかりますから、ラブレターは見なかったことにすることをオススメします。

したがって、「"佐藤"という名字だけで性別がわかる（ファーストネーム不要）」ということが言える条件はこうなります。

　　佐藤さんは全員同じ性別

これが他の知り合い全員、つまり「山田さん」とか「田中さん」でも成立しているとします。

　　佐藤和代…女
　　佐藤和恵…女
　　山田俊次…男
　　山田太郎…男
　　田中一郎…男

この場合は「常に」名字だけで性別が判断できることになります。

では本題に戻って真理値表。OP0が不要かどうか、つまりOP1～3だけで$\overline{\text{LOAD0}}$が特定できるかという話でした。まずは真理値表をグループ分けしてみます。「OP1～3が同じパターン」というグループです。先の例で言えば「同じ名字ごと」のグループですね。

オペレーションコード				レジスタA	
OP3	OP2	OP1	OP0	$\overline{\text{LOAD0}}$	
L	L	L	L	L	①
L	L	L	H	L	
L	L	H	L	L	②
L	L	H	H	L	
L	H	L	L	H	③
L	H	L	H	H	
L	H	H	L	H	④
L	H	H	H	H	
H	L	L	H	H	⑤
H	L	H	H	H	⑥
H	H	H	L	H	⑦
H	H	H	H	H	

①はOP1～3が"LLL"というグループですが、常に$\overline{\text{LOAD0}}$＝Lです。佐藤さんは2人とも女性でした、みたいなモノです。同様に②と③と④もOP0に関係なく$\overline{\text{LOAD0}}$を決定できます。⑤はグループといっても1パターンしかありません。先の例では田中さんに相当します。「田中」は一人しかいないので悩むことなく性別は特定できるわけで、⑥にも同じことが言えます。⑦もOKですから、結局すべてのパターンでOP0は無視してよい、ということがわかりました。

わかってしまえば速攻で省略です。同時に重複も削除するとかなり小さくなりました。

OP3	OP2	OP1	$\overline{\text{LOAD0}}$
L	L	L	L
L	L	H	L
L	H	L	H
L	H	H	H
H	L	L	H
H	L	H	H
H	H	H	H

でもまだOP1が省略できるかもしれません。例によってグループに分けてみます。

OP3	OP2	OP1	$\overline{\text{LOAD0}}$
L	L	L	L
L	L	H	L

L	H	L	H
L	H	H	H

H	L	L	H
H	L	H	H

H	H	H	H

またも運よくすべてのグループでOP1が無関係です。となると、ここまで小さくなります。

OP3	OP2	$\overline{\text{LOAD0}}$
L	L	L
L	H	H
H	L	H
H	H	H

これなら簡単ですね。単なる論理和です。

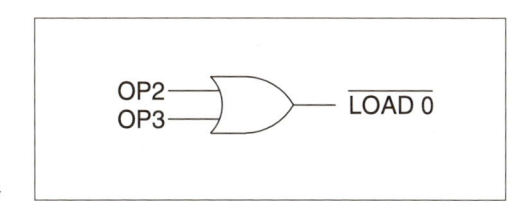

```
OP2 ─┐
     ├──⊃── LOAD 0
OP3 ─┘
```

$\overline{LOAD0}$ の回路

ちょっと説明が丁寧過ぎというかクドいというか、そんな気もします。正直このへんは最終的に論理さえ合っていればよいので自分流にイロイロ考えたほうがよいと思いますし、逆に細かい手順を追っていくほうが面倒くさいと思います。ですからここで説明したような方法で考える必要はありません。ホントは真理値表からガシガシ試行錯誤でロジックを組んでみるほうが結果的には早くロジックに馴染むかもしれませんし。

さて次は $\overline{LOAD1}$ ですが、まずは真理値表。

OP3	OP2	OP1	OP0	C Flag	$\overline{LOAD1}$
L	L	L	L	X	H
L	L	L	H	X	H
L	L	H	L	X	H
L	L	H	H	X	H
L	H	L	L	X	L
L	H	L	H	X	L
L	H	H	L	X	L
L	H	H	H	X	L
H	L	L	H	X	H
H	L	H	H	X	H
H	H	H	L	L	H
H	H	H	L	H	H
H	H	H	H	X	H

さっきと同じ方法で単純化できますので途中経過は省略します。で、こうなりました。

OP3	OP2	$\overline{\text{LOAD1}}$
L	L	H
L	H	L
H	L	H
H	H	H

回路ではこうなります。

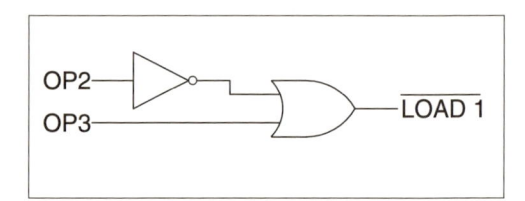

$\overline{\text{LOAD1}}$ の回路

なんか料理番組みたいですね。「これを30分ほど煮込むと…こちらになります」って具合に調理済みのが出てくるヤツ。妙に簡単そうに見えるので「それじゃオレも」などと思い立ったおかげでタイヘンな目に遭いました、ええ。…何の話でしたっけ？　ああ、次は$\overline{\text{LOAD2}}$ですね。

OP3	OP2	OP1	OP0	C Flag	$\overline{\text{LOAD2}}$
L	L	L	L	X	H
L	L	L	H	X	H
L	L	H	L	X	H
L	L	H	H	X	H
L	H	L	L	X	H
L	H	L	H	X	H
L	H	H	L	X	H
L	H	H	H	X	H
H	L	L	H	X	L
H	L	H	H	X	L
H	H	H	L	L	H
H	H	H	L	H	L
H	H	H	H	X	H

これは次のようになります。

OP3	OP2	$\overline{\text{LOAD2}}$
L	L	H
L	H	H
H	L	L
H	H	H

で、回路ですが、これが素直でしょうね、たぶん。

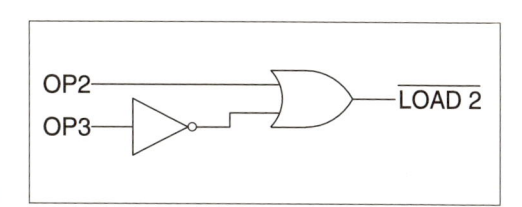

$\overline{\text{LOAD2}}$ の回路（その1）

ここでもう1つ。

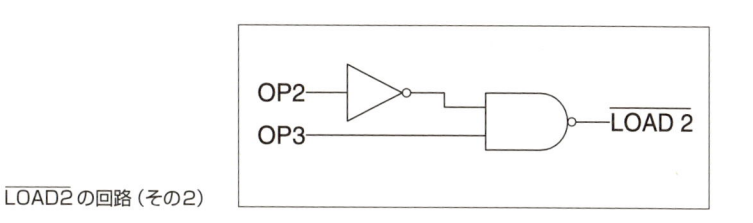

$\overline{\text{LOAD2}}$ の回路（その2）

実はこれでも同じことです。どちらも同じ真理値表になります。同じなのですから別にどっちでもいいということになるので、手持ちの部品と相談して都合のいいほうの回路を使ってもよいことになります。いざというときに便利ですね。

で、なぜ違う回路なのに同じ論理になるのかというハナシで登場するのが、割と有名な「ド・モルガン律」です。

ド・モルガン律

偉そうな名前ですね。というかカタカナの単語というだけで「なんか凄そう」などと思ってしまう私は典型的な日本人でございます。オームの法則はオームさんが第一発見者なんですが、ド・モルガン律は日系フランス人のドモルガン・律子さんによるものです。

…もちろんウソです。イギリス人です、ド・モルガンさん。

えー、ANDとORの間には次のような関係があります。

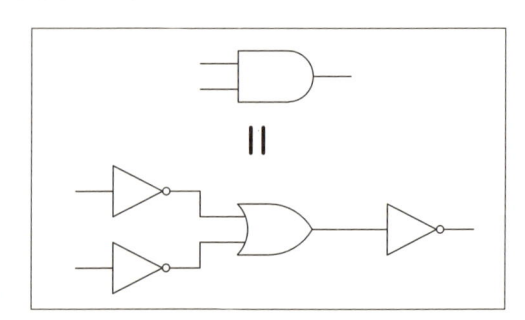

ANDとORの関係

この2つの回路はまったく同じ動作です。置き換え可能です。考えてみれば当たり前のことで、「安くて、かつ、美味しいモノだけが好き」と「高い、または、不味いモノが嫌い」は同じ意味です。この当たり前が「ド・モルガン律」です（汗）。ちょと拍子抜けですね。このド・モルガン律、回路的にはいくつかのバリエーションがあります。

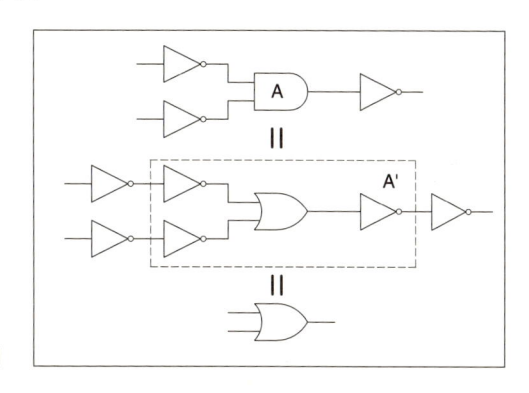

ANDからORへの変換例

ANDゲート（A）を先の図の回路で置き換えたのがA'の部分です。NOTが2段になっているのは「二重否定」なので省略できるわけですから、結果的には最下段のORに変換できます（まったく機械的に置き換えてるだけですが）。バリエーションとしては他にもイロイロあります。

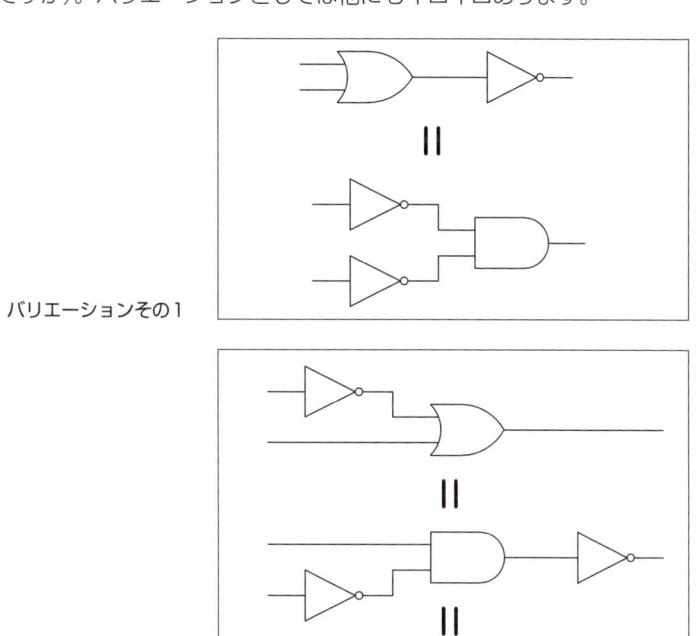

バリエーションその1

バリエーションその2

バリエーションというよりもヒマつぶしって感じです。これらを覚える必要は全然なくて（追ってみれば自明です）、要するにANDとORは相互に変換できるということだけ理解できればよいと思います。

そろそろ最終回

それではいよいよ$\overline{\text{LOAD3}}$です。これが最後の1本ですから、ここの設計が完了すればCPUは完成です。

だがしかし。

この「最後の1本」がなかなかの曲者です。いわゆるボスキャラですからね、ゲームと一緒で、ココはそれなりに真面目に頭を使わないとクリアできません。というのも、先の方法では$\overline{\text{LOAD3}}$は単純化が難しいのです。それでも可能なところまではチカラの限り簡略化してみます。

OP3	OP2	OP0	C Flag	$\overline{\text{LOAD3}}$
L	L	L	X	H
L	L	H	X	H
L	H	L	X	H
L	H	H	X	H
H	L	H	X	H
H	H	L	L	L
H	H	L	H	H
H	H	H	X	L

ここ ←（HHL行）

…ここまでしか簡単になりません。あまり簡単ではありませんね。残念ながらCフラグは省略不可能です。表の矢印で示したところがCフラグに依存していますから無視できないのです。

さて、Cフラグが省略できないわけですが、XのままではわかりづらいのでHとLに置き換えます。XということはHの場合とLの場合があるので両方の場合を明記しましょう。つまり、

OP3	OP2	OP0	C Flag	$\overline{\text{LOAD3}}$
L	L	L	X	H

これは、

OP3	OP2	OP0	C Flag	LOAD3
L	L	L	L	H
L	L	L	H	H

ということです。ですからXを全部HとLに置き換えると、

OP3	OP2	OP0	C Flag	LOAD3
L	L	L	L	H
L	L	L	H	H
L	L	H	L	H
L	L	H	H	H
L	H	L	L	H
L	H	L	H	H
L	H	H	L	H
L	H	H	H	H
H	L	H	L	H
H	L	H	H	H
H	H	L	L	L
H	H	L	H	H
H	H	H	L	L
H	H	H	H	L

なんかますます大きくなっちゃいましたね、真理値表。どうしたものやら。

1つの方法として「攻略本を読む」という手もあります。もしこの本がマジメな工学書なら許されないことですがー、個人的にはそれもアリだと思います。これは不真面目な本だから、というのももちろん理由ですが（笑）、あまり基礎ばっかりでゲンナリするようでもよくないと思うわけです。基礎も重要、でも楽しいことも重要。特にデコーダでは基礎的な話が多かったですから、あなたがゲンナリしているようならばここは攻略本で済ましてもかまいません。もちろん自力で攻略するための最終ビジュアル兵器（？）も用意してありますから、自分のペースに合わせて選んでください。

そんなわけで解答です。

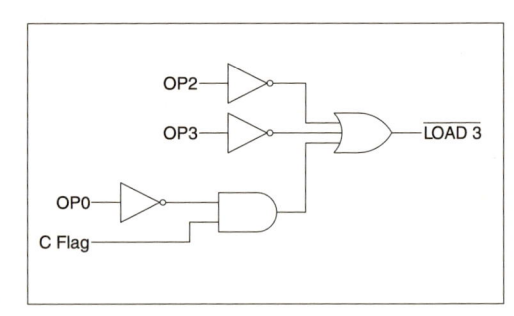

$\overline{\text{LOAD3}}$の回路

こうなります。とりあえず真理値表と比べて「確かにこの回路で動作する」ことだけ納得できるようにしてください。そうしないと動作確認ができないので。この回路に至った経緯が知りたい人は、次の「カルノー図」を読んでください。

カルノー図（自由選択科目）

カルノー図というのは、簡単に言えば「論理の視覚化」の道具です。つまりぐちゃぐちゃした論理をビジュアル化してくれるわけです。逆に言えばそれだけなので公式とか魔法ではありませんし、最終的にビジュアルなデータから論理を読み取るのは人間の直感だったりします。

例えば次のような真理値表があるとします。

入力				出力
D	C	B	A	Y
0	0	0	0	0
0	0	0	1	0
0	0	1	0	0
0	0	1	1	0
0	1	0	0	0
0	1	0	1	0
0	1	1	0	0
0	1	1	1	0
1	0	0	0	0
1	0	0	1	1
1	0	1	0	0
1	0	1	1	1
1	1	0	0	0
1	1	0	1	1
1	1	1	0	0
1	1	1	1	1

これは16パターンの入力に対するYの値を16行で表現した表なわけですが、これを4列×4行で表現することもできます。

B A \ D C	0 0	0 1	1 1	1 0
0 0	0	0	0	0
0 1	0	0	1	1
1 1	0	0	1	1
1 0	0	0	0	0

Yの値を4列×4行の真理値表で書き直した

ちなみにこれが最終ビジュアル兵器のカルノー図です。ここまでは簡単ですよね？ えーと、ここからはパズルです。ルールを説明します。

紅白対抗カルノー図・ルールの説明

紅白対抗でも何でもありません、念のため。

■ルール１■

上の真理値表をみると、"1"が一箇所にかたまっているのがわかります。カルノー図は、この「カタマリ」を探すパズルです。１つのカタマリとして見なせるパターンは、

単独　タテ2つ　タテ4つ　ヨコ2つ　ヨコ4つ　タテヨコ2つ　タテ4ヨコ2　タテ2ヨコ4

こんな感じです。例として次のようなパターンのカルノー図（入力値は省略して書いてあります）の場合、カタマリが２つということになります。

```
1 1 0 1
0 0 0 1
0 0 0 1
0 0 0 1
```

■ルール2■

簡単な回路で済むパターンの特徴は次のようになります。

・カタマリの数が少ない
・カタマリのサイズ（面積）が大きい

ですから次のような場合、

```
0  0  1  1
0  0  1  1
0  0  1  1
0  0  1  1
```

これは、

```
0  0  1  1        0  0  1  1
0  0  1  1        0  0  1  1
0  0  1  1        0  0  1  1
0  0  1  1        0  0  1  1
```

タテ4のカタマリ×2　　タテ4ヨコ2のカタマリ

左でも間違いではないのですが、右のほうがポイントが高いというか、単純な回路になります。

■ルール3■

カタマリは重なっていてもかまいません。ですから、

```
1  1  1  1
0  0  1  1
0  0  1  1
0  0  1  1
```

このようなパターンの場合、次の2種類のカタマリの作り方がありますが…

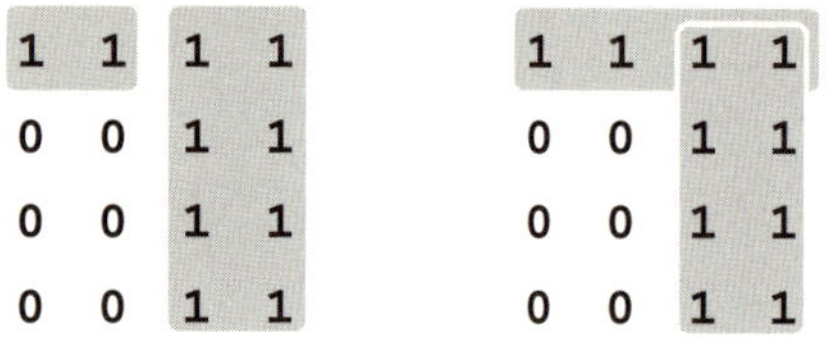

```
1 1 1        1 1 1 1
0 0 1 1      0 0 1 1
0 0 1 1      0 0 1 1
0 0 1 1      0 0 1 1
```

右のように重なっていても大丈夫です。というか、「カタマリが大きいほうがよい」というルールを考慮すると右のほうがポイントが高いので、なるべくそのような組み合わせを考えます。

ルール4

表の左右は繋がっていると考えてください。例えば、

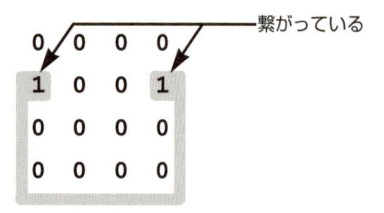

```
0 0 0 0      ←繋がっている
1 0 0 1
0 0 0 0
0 0 0 0
```

これもカタマリと見なされます。同様に上下もOKです。

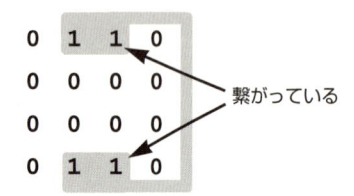

```
0 1 1 0
0 0 0 0      繋がっている
0 0 0 0
0 1 1 0
```

高度な合わせ技も大歓迎。

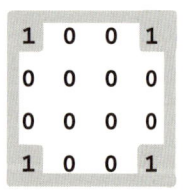

```
1 0 0 1
0 0 0 0
0 0 0 0
1 0 0 1
```

これも1つのカタマリとして見なせます。

■ルール5■

真理値表のX（Don't Care）は1か0の好きな数値が入れられるわけですから、うまくカタマリができるように工夫してください。

```
X 0 1 1
0 0 X 1
1 X 1 1
0 0 X X
```

これは、

```
0 0 1 1
0 0 1 1
1 1 1 1
0 0 1 1
```

こうすれば高得点（？）が狙えます。ルールは以上です。

最終兵器カルノー図、いよいよ実戦配備

さて問題の$\overline{\text{LOAD3}}$ですが、カルノー図にするとこうなります。

OP0 C \ OP3 OP2	0 0	0 1	1 1	1 0
0 0	1	1	0	X
0 1	1	1	1	X
1 1	1	1	0	1
1 0	1	1	0	1

Xが2カ所ありますから、都合のいい値を入れてみます。

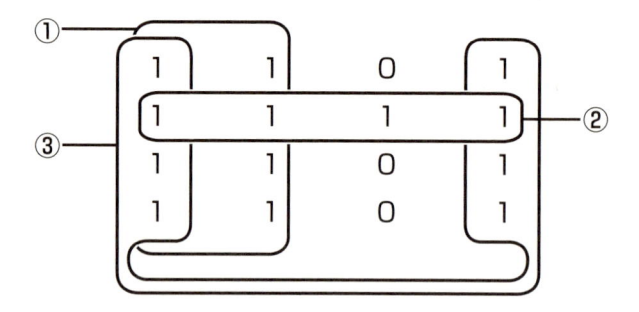

```
①
    1   1   0   1
    1   1   1   1   ─②
③
    1   1   0   1
    1   1   0   1
```

8マスのカタマリが2つと4マスのカタマリ1つですから、まずまずのポイントです。後はこれを論理式に変換すればOKです。

ここで残念ながら上手なカタマリを思い付かない場合もあると思います。

```
1  1  0  0
1  1  1  1
1  1  0  1
1  1  0  1
```

例えばこんなふうなカタマリ3つにしてしまった場合でも間違いではないので回路が動作しなくなるわけではありません。単に回路が複雑（使用するゲート数が多くなる）になるだけです。もちろん、手持ちのICとか回路上余っているゲートを活用する場合には意図的に「あえて単純な回路を使用しない」のも正解です。

カルノー図から回路へ

だいたいそんなとこがカルノー図というわけなんですが、先にもお話ししたように、これは真理値表をビジュアル化しただけのものです。我々はいくつかのカタマリを手に入れただけです。ここでカタマリの意味を考えてみます。先の例では3つのカタマリに分解しました。

```
                    ①           ②           ③
    1 1 0 1     1 1 0 0     0 0 0 0     1 0 0 1
    1 1 1 1  =  1 1 0 0  +  1 1 1 1  +  1 0 0 1
    1 1 0 1     1 1 0 0     0 0 0 0     1 0 0 1
    1 1 0 1     1 1 0 0     0 0 0 0     1 0 0 1
```

①のカタマリは「OP3＝0のときに1」です。同様に、
②は「OP0＝0　かつ　C＝1　ならば1」
③は「OP2＝0　ならば1」

というように、これらはどれも「容易に回路が作れる」ようになっています。これら3つの出力を重ねればよいので、つまり論理和をとれば目的の論理が得られるわけです。ここは真理値表のほうがわかりやすいかもしれません。

OP3	OP2	OP0	C Flag	①	②	③	$\overline{\text{LOAD3}}$
L	L	L	L	H	L	H	H
L	L	L	H	H	H	H	H
L	L	H	L	H	L	H	H
L	L	H	H	H	L	H	H
L	H	L	L	H	L	L	H
L	H	L	H	H	H	L	H
L	H	H	L	H	L	L	H
L	H	H	H	H	L	L	H
H	L	L	L	L	L	H	H
H	L	L	H	L	H	H	H
H	L	H	L	L	L	L	L
H	L	H	H	L	L	L	L
H	H	L	L	L	L	L	L
H	H	L	H	L	H	L	H
H	H	H	L	L	L	L	L
H	H	H	H	L	L	L	L

つまり $\overline{\text{LOAD3}}$ のような難しい信号をいきなり作るのではなくて、まず①～③のような簡単な信号を作り、これから論理和経由で $\overline{\text{LOAD3}}$ を作るのです。この「作りやすい信号（＝カタマリ）」を見つけるための道具がカルノー図、ということなんです。

というわけで、めでたく回路になったのがこれ。

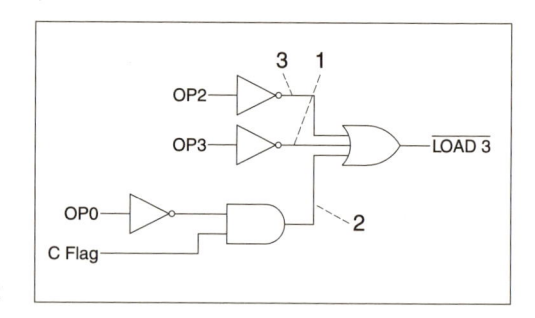

3つのカタマリが合体して$\overline{\text{LOAD3}}$に

図の中の1〜3がカタマリの①〜③となります。で、まとめて論理和ですね。

実際の回路

えーと、すでに命令デコーダの回路は完成しているわけです。ただ今まではバラバラだったので、まとめてみました。

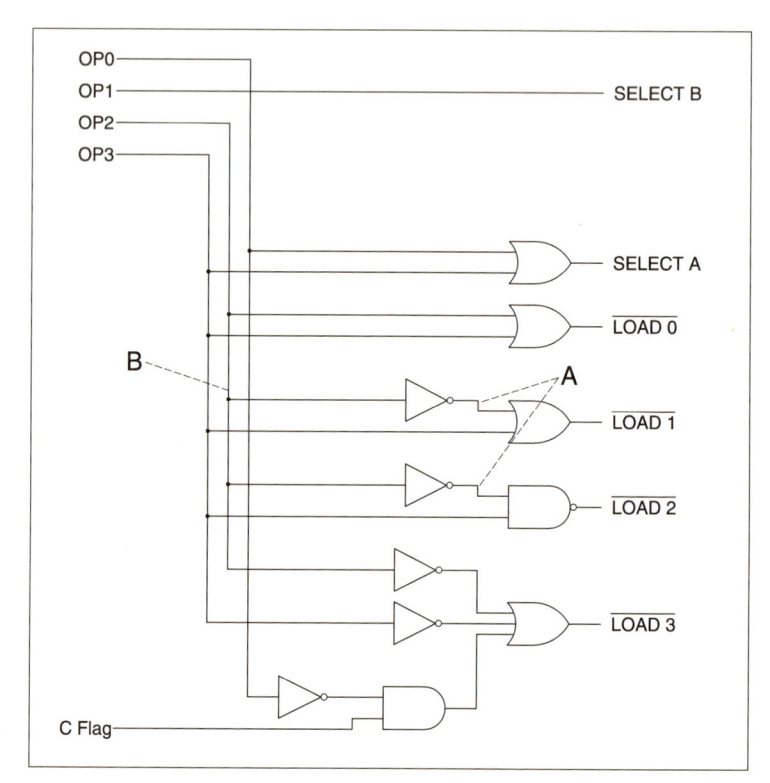

完成した命令デコーダの回路

ホントにまとめただけですね。ちなみにこの回路でもすでに動作が可能です。論理自体は正しいわけですからね、ですから別に「ココで完成！」ということでオシマイにしてもよいと思います。

ただ、このままでは若干無駄がありますね。図の中のAの信号はどちらもBを反転したものですから同じ信号です。ですからNOTを１つ省略できます。

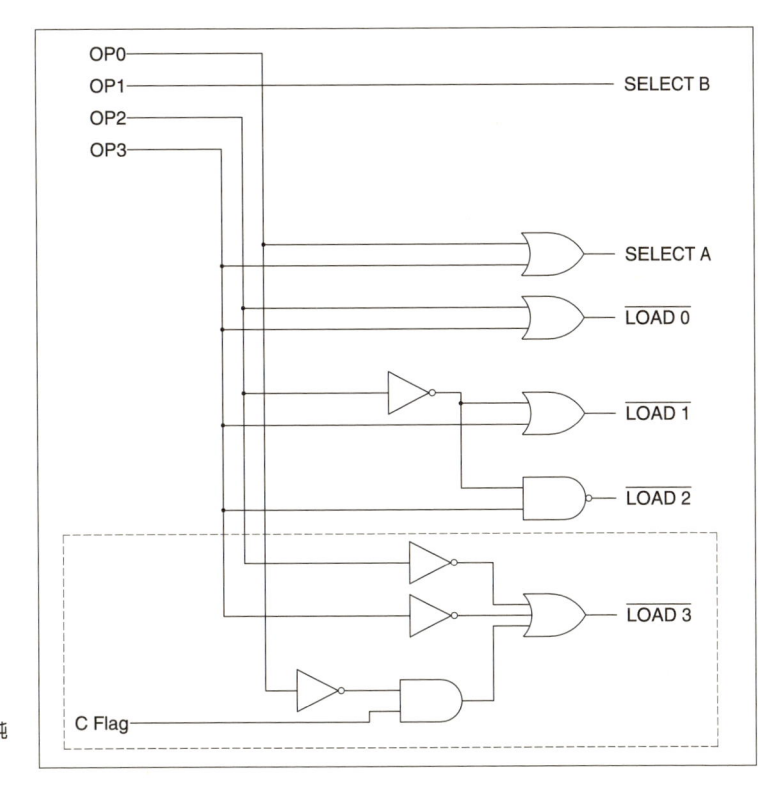

ほんのちょっとだけ単純化に成功

そんなわけで、ここでは「どれだけ少ないICで構成できるか」がテーマです。ちなみに現在の回路だとICが５つ必要です。しかも未使用の回路がけっこう余ります。

```
NOT×4      ……………74HC04（6回路のうち4回路使用）
AND×1      ……………74HC08（4回路のうち1回路使用）
NAND×1 ……………74HC00（4回路のうち1回路使用）
OR×3       ……………74HC32（4回路のうち3回路使用）
3入力OR×1  ………該当品なし（74HC27＋74HC04で構成する）
```

ですからロジックを巧く変形して74シリーズのICに詰め込まなければなりません。

…などと言いつつ実は必須ではありません、この作業。というのも趣味で作るのであれば無理に詰め込む必要がないからです。実装スペースに制約があるわけでもなく、1円単位のコストダウンが要求されるわけでもないわけです。もちろん詰め込むのが趣味！　というのはアリですが。詰め込みが必須ではないもう1つの理由はCPLDなどの存在です。特にデコーダのようなぐちゃぐちゃなロジック回路はCPLDで作り込むというのが普通なので、74シリーズを職人芸で使いこなすという必要はなくなりつつあります。とはいえ、このレベルのロジックいじりは基本の範ちゅうですから、変形の過程を追っておいたほうがよいと思います。難しい話ではありません。

さて、先の回路の点線の枠の部分を抜き出しました。これを変形します。

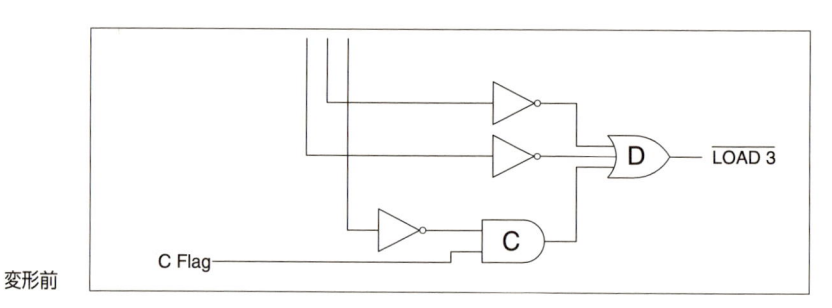

変形前

図の中のCのANDをORへ、DのORをANDに変形します。例のド・モルガン律です。

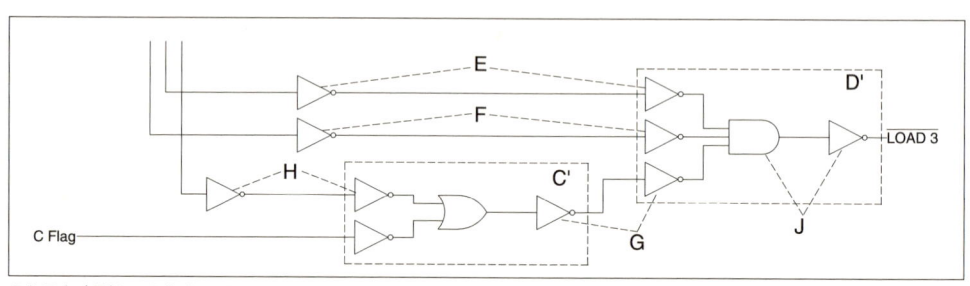

CとDを変形してみたところ

CがC'に、DがD'になりました。そうするとE、F、G、Hが二重否定になるのでNOTを省略できます。また、JのAND＋NOTはNANDを使用します。

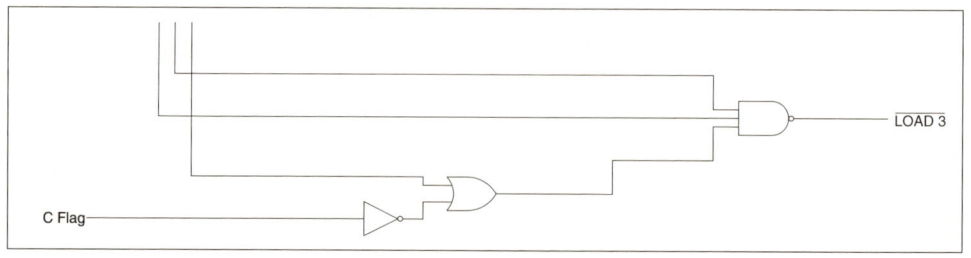

さらに変形

ずいぶんスッキリしましたね。するとデコーダ回路全体はこんな感じになります。

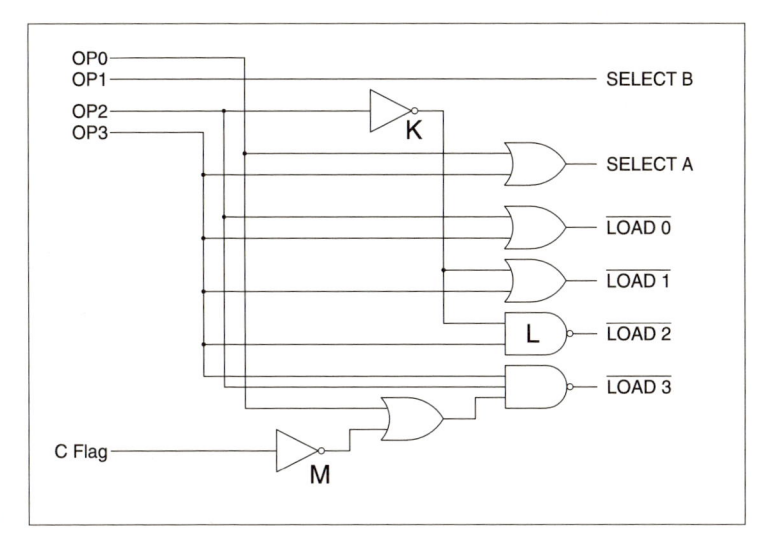

デコーダ回路全体（途中）

この図の中のKのNOTとLの2入力NANDは、どちらも3入力NANDで代用できます。

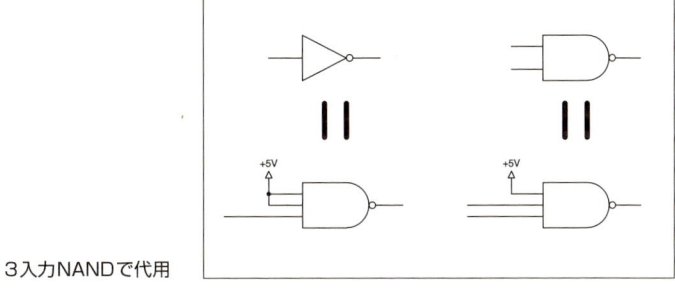

3入力NANDで代用

これは真理値表を書くまでもなく明らかだと思います。また、MのNOTでCフラグを反転していますが、Cフラグに使用されている74HC74は$\overline{Q}$という反転出力も備えているので、これをずるずると引っ張ってくれば外部のNOTで反転する必要はありません。

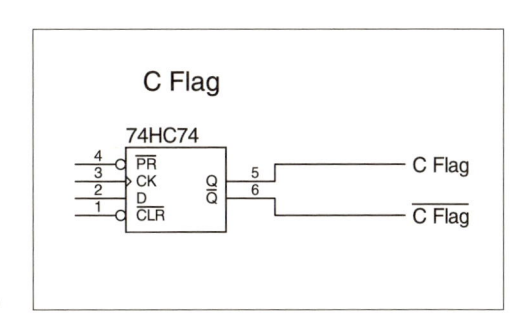

論理反転したCフラグは74HC74から得られる

というわけで完成したのがこれ。

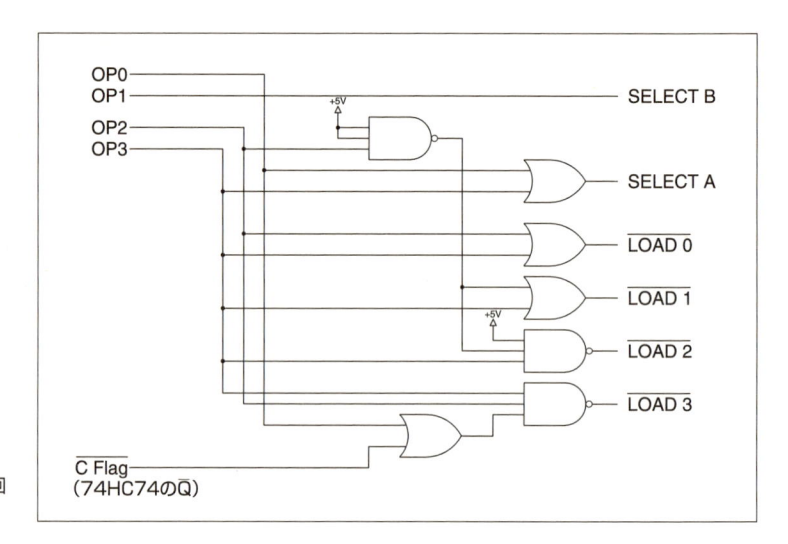

```
         OP0
         OP1                              SELECT B
         OP2
         OP3                              SELECT A
                                          LOAD 0
                                          LOAD 1
                                          LOAD 2
                                          LOAD 3
         C Flag
         (74HC74のQ)
```

無駄を省いたデコーダ回路の完成

使用しているICは以下の通りです。

　　OR×4　…………4HC32（4回路入り）
　　3入力NAND×3……74HC10（3回路入り）

これで命令デコーダの全回路がたった2個のICにピッタリ収まりました。もちろん通常はこのようにホイホイと順調に詰め込みができるわけではありません。今回の例は…まぁ、奇跡の部類だと思ったほうがよいです。もちろん「仕組まれた奇跡」ですが（笑）。

詳　細

種を明かすと、命令デコーダが極力単純になるような命令体系とオペレーションコードの割り当てをあらかじめ行っておいたわけです。この本ではCPUの仕様（命令体系・オペレーションコード）から出発してデコーダの設計まで行うという流れでしたが、実際には逆の手順で設計してたりします。実際の設計では回路規模と仕様を互いに調整しながら進めることになりますが、もちろん最初は気にしなくてもよいと思います。

CPU NO TUKURIKATA
CHAPTER 10

■全回路図

　ようやくCPUの回路が完成したので、全回路図としてここに載せます。ここにたどり着くまでにずいぶん長々とした説明が必要だったわけですが、完成したCPUの回路図は1枚に収まってしまうような小さなものでしかありませんし、CPUとしての機能も回路規模を反映して相当に貧弱です。1冊分のページ数を読んで、やっと回路図1枚。でもそんなモノだと思います、世の中。

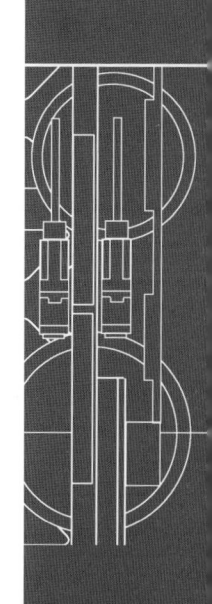

Chapter 10

1. 回路図について

ここではROMとクロック・リセット回路も併せて載せます。

部品番号はこれらの回路（3枚の回路図）の通し番号となっています。大量に使用しているパスコン（0.1μF）の部品番号は「CP1～13」とし、その他のコンデンサ（部品番号はC1～4）とは分けてあります（注：本当はC1もパスコンですが）。またパスコンはすべて0.1μFなので、別にCP1がどのIC用のパスコンというような指定はありません。他の部品番号は見ての通りで、

- IC××…………IC
- R××…………抵抗
- D××…………ダイオード
- LED××………LED
- SW××………スイッチ

こんなとこです。

なお、リセット・クロック回路などは説明に使用した回路と一部異なっていますので、もし実際に製作される場合にはこちらの回路を参考にしてください。

CPUの全回路図

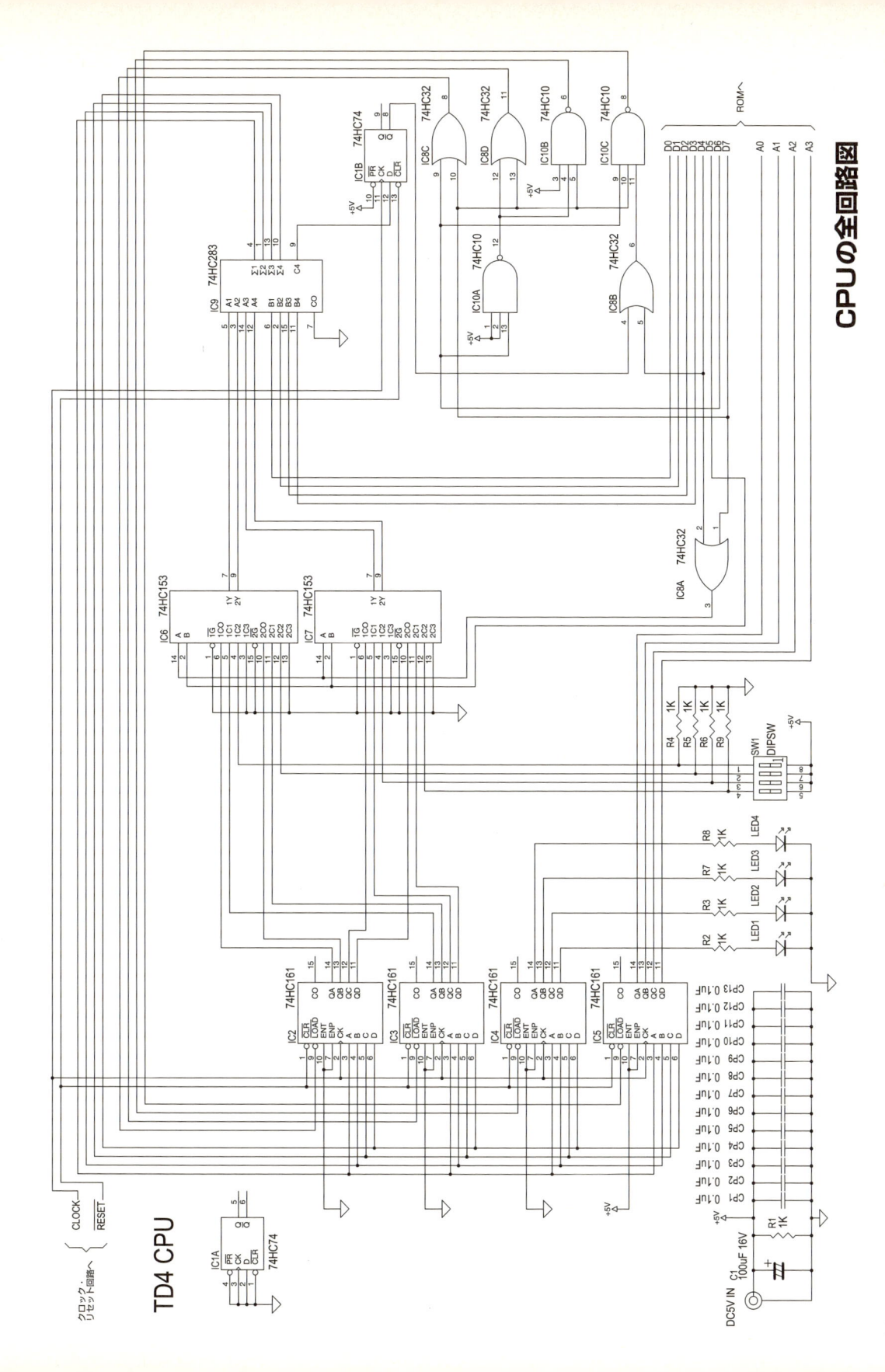

Chapter10-1 回路図について

TD4 CPU

クロックとリセット回路

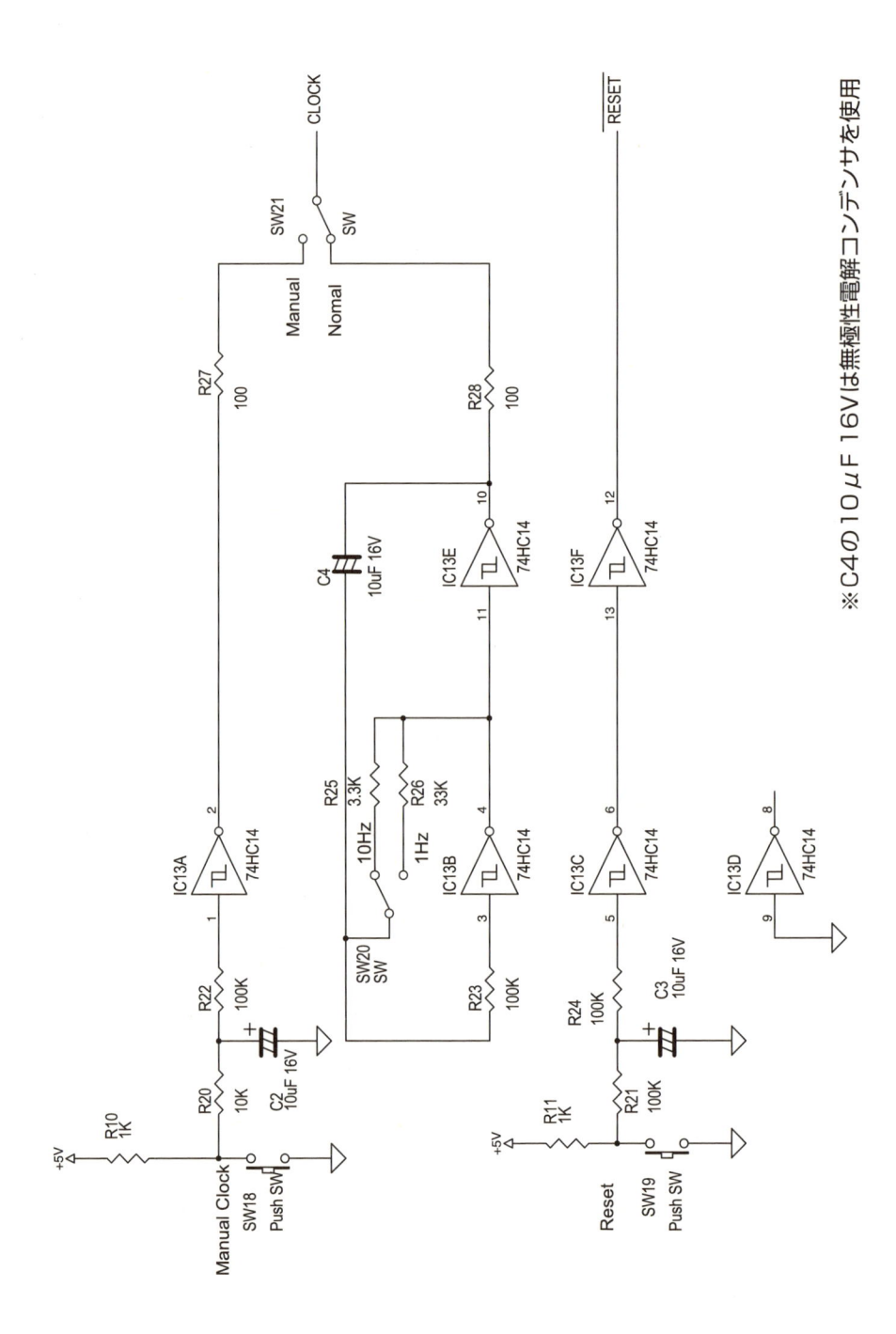

※C4の10μF 16Vは無極性電解コンデンサを使用

ROMの回路図

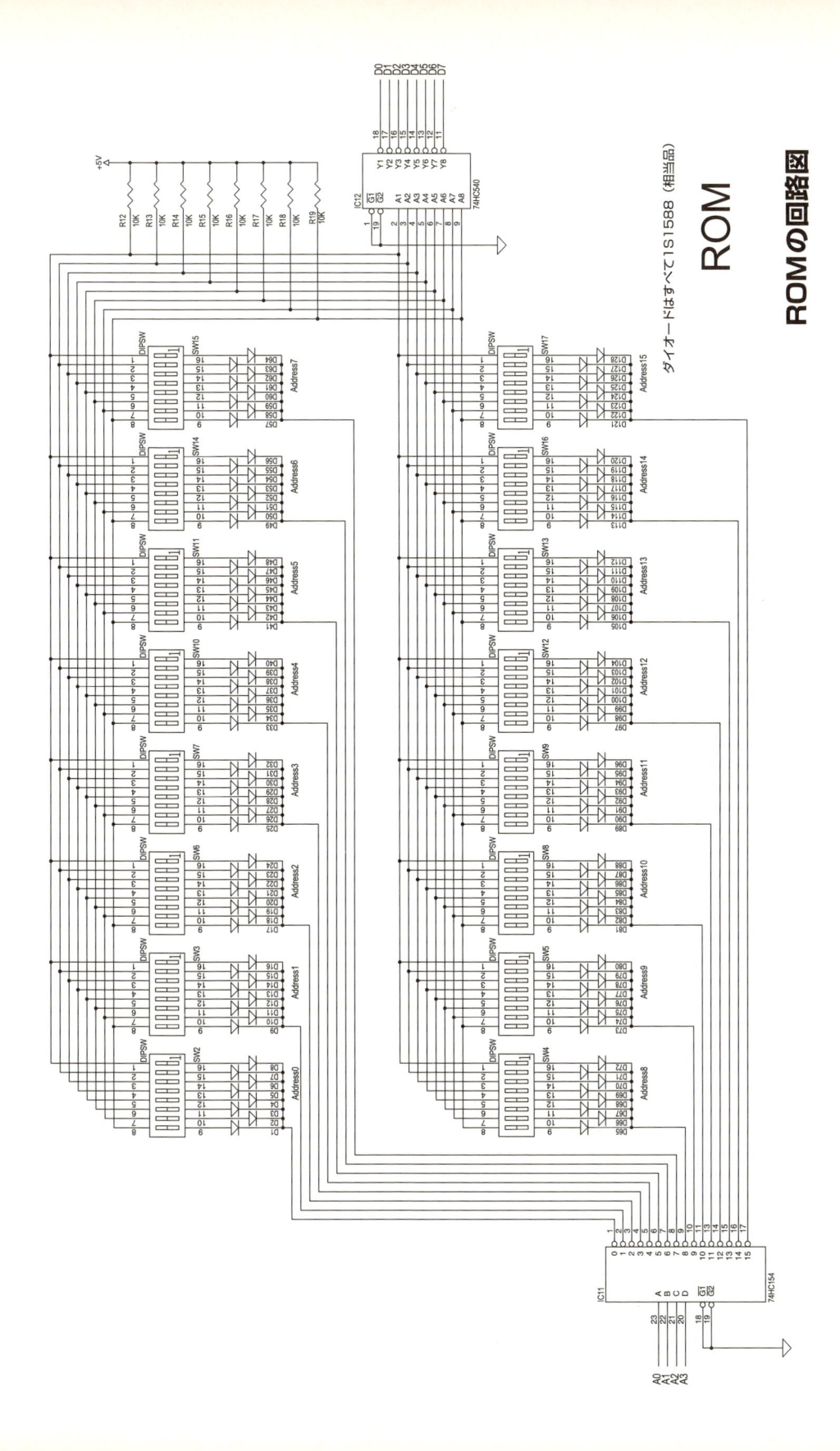

ROM

ダイオードはすべて1S1588（相当品）

製作例・部品面

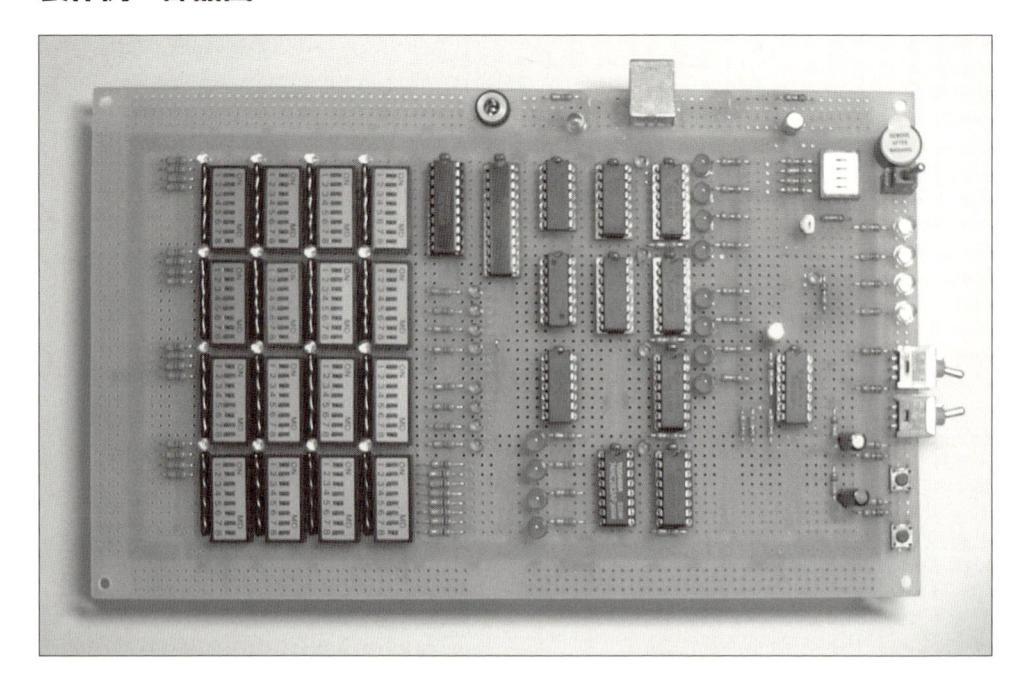

製作例・配線面

CPU NO TUKURIKATA CHAPTER 11

■動作確認

　ある意味一番ムズカシイ作業が動作確認です。いや、動作確認というよりはおそらく「動かない」わけです。自作したモノが一発で動作するというようなことはあり得ないと思ったほうがよいです。で、問題はその後なわけで、これを自力で解決しなければなりません。これは当然なのですが、最近は「モノを作った経験のあるヒト」が極端に減っているようなので、あえて当然のことを書きます。問題を自力で解決すること自体が自作ですし「問題が起こらないようになっている」または「誰かがフォローしてくれる」のは自作風テーマパークでしかありません。逆に自力で問題解決するのがイヤな人は自作するべきではないです。これは解決できる自信がなければトライするな、という意味ではありません。自力で問題を解決しようと努力して、しかしながら結局は完成しなかったとしても、それこそは貴重な経験だと思います。以上、ちょっとマジメな話でした。

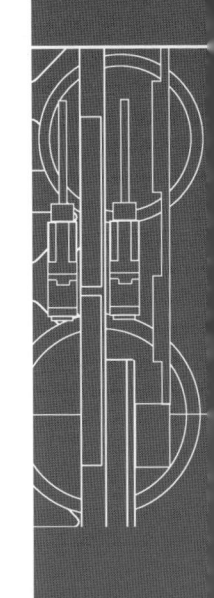

Chapter 11
1. 最初は部分的な確認

一応これでもCPUなのでそれなりにけっこうな配線量です。ミスの1つくらいは発生するのが普通だと思います。もちろん配線チェックは必須ですが、それでも漏れは残っていると考えたほうがよいです。ま、実際に電源を入れて動作させてみれば配線ミスの有無はわかるわけですし、わかった配線ミスは繋ぎ換えればよいだけなのですが、このとき配線ミスが原因でICを壊してしまってはタイヘンです。ですからいきなり完璧を目指すのではなくて「とりあえずは壊れない」ことに集中します。壊れることさえなければ後はゆっくり問題を修正できます。これが大雑把な手順です。

通電しなくても確認できること

ICがソケットに挿さっていない状態からスタートします。

まだICを挿していない状態

当然ながら電源がOFFであれば壊れることはありませんから、まずは電源を外した状態でチェックします。というか、電源を入れなくてもできるチェックをするわけですね。このときは100Vのコンセントを抜くだけではなくて、電源とCPUの回路を切り離します。

電源を完全に切り離す

一番怖いのは電源（のプラスとマイナス）のショートですから、まず基板のどこかで＋5Vと
GNDがショートしていないかをテスターでチェックします。つまり抵抗値を測定すればよいわけ
ですね。もし0Ωだったならば確実にどこかでショートしています。

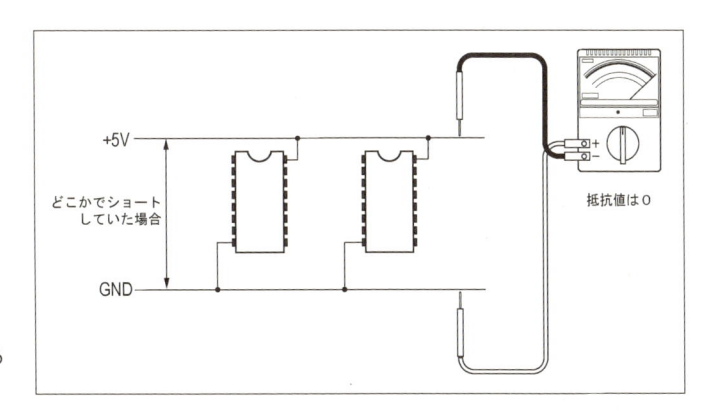

どこかで電源がショートしている
かもしれない

ここで注意が必要なので、突然ですがテスターの豆知識（というか常識ですが）。抵抗を測定する
場合、テスターは抵抗器に対して電圧をかけて抵抗値を測定します。つまり、電圧をターゲット
の抵抗に実際に印可して電流を測定する仕組みです（デジタルテスターでは抵抗に電流を印可し
て電圧を測定する場合が多いですが、ターゲットに電圧が印可されることには変わりありません）。
電圧を印可するわけですからテスター棒には電圧が出力されています。

抵抗測定時にテスターからは電圧が出力されている

ま、出力されているといっても数V程度なので人間様には無害ですし、電流も小さいですからコレで部品が壊れるということもあまりないと考えてよいと思います。ただし極性には注意が必要です。多くのアナログテスターの場合には黒のテスター棒側からプラスが出力されます。普段は赤がプラスですから逆ですね。ところが同じ抵抗測定でもデジタルテスターだと赤いテスター棒のほうからプラスが出力というのが一般的です。ややこしいです（注：これはアナログテスターが内部的には電流計であるのに対してデジタルテスターが電圧計であるという違いによります）。念のため、必ずお持ちのテスターの取扱説明書で確認してください。

詳　細

「取扱説明書で確認してください」なんて言ったものの、調べてみたら、実際には明記されていない説明書が多いようです。仕方ないので自分でチェックすることになるのですが、とりあえず一番簡単なのは極性を別のテスターで測るという方法ですね。これはテスターを2台用意する必要があるのでゴージャスな方法ではあるものの、ちょっと芸がないです。テスターを2台用意できない我々庶民としてはコンデンサを利用するのがよいと思います。本書の回路で使う0.1μFのコンデンサ、これの余り（または実装する前）を利用します。

まずテスターを抵抗測定レンジにしてコンデンサの抵抗を測ります。…測るというか、こうするとテスター棒から出ている電圧（と極性）がコンデンサに充電（記憶と言ったほうがわかりやすいかも）されます。次にテスターを電圧測定レンジにしてコンデンサに記憶された電圧（の極性）を測るわけです。0.1μFだと僅かな電気しか貯められませんが、例えば内部抵抗が20KΩ／V程度のテスターであれば「ぴくっ」程度に針が振れるので極性は判明するはずです。なお、極性不明のままコンデンサに充電するわけですから有極性のコンデンサ（電解コンデンサなど）は絶対に使用しないでください。

さて、テスターの極性を間違えるとどうなるかというと、例えば上記の電源ショートのチェックの場合には左の図のようなことになります。

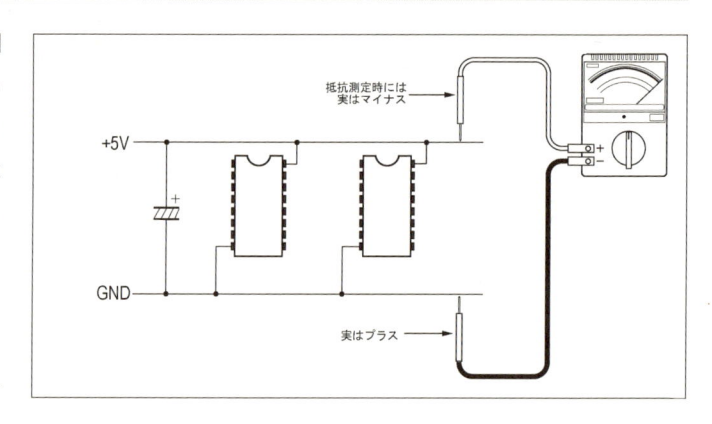

テスターの極性を間違えると…

電源に繋がっている電解コンデンサ（極性がある）に逆向きの電圧がかかってしまうので正しい値が測定できないだけでなく、コンデンサを傷めてしまうかもしれません（注：アルミ電解コンデンサであればテスターの電流程度で即破壊することはありませんが）。

というわけで、とりあえず先の図の通りテスターを抵抗レンジに設定して＋5VとGNDにテスター棒を当てます。DIPスイッチはすべてOFFにしておきます。問題がなければテスターの針は1KΩ付近を指すはずですが、テスター棒を当てた瞬間「だけ」針が大きく振れるようなこともあります。これは電源に繋がっているパスコンへの充電によるものなので、最終的に落ち着いた値を読んでください。針が1KΩ程度を指したならば、まずは正常です。ラッキーです。もし針が0Ωを指しているようなら結線ミスなわけですが、これもラッキーです。知らずに電源を繋いでいたらショートしていたかもです。危機一髪。

次に配線をテスターで一本一本チェックしていきます。一本一本、全部の配線です。けっこうタイヘンです。これを間違いなく行うためには、例えば「回路図をコピーしてチェックが完了した配線を赤鉛筆でなぞったりする」ような地道な方法で攻めるしかないと思います。ま、どんな方法でもかまいませんから、とにかく確実にチェックしましょう。大げさなようですが「IC5の11番ピンとIC2の9番ピン、接続ヨシ！」といった具合に指差し呼称するくらいの気合いがあるとよいです…が、ちょっと馬鹿みたいかも。あと、半田付けのときにIC（とかICソケット）の隣同

士のピンをショートさせてしまっていることもよくありますから、これもチェックしておいたほうがよいです。

チェックする相手は単なる配線なのでテスターの極性は気にしなくてもよいでしょう。当たり前ですが、配線ですから正常に繋がっていればテスターは0Ωを示すはずなので、コレを確実に確認してください。たとえ針が振れても指示値が数Ωもあるような場合には誤配線と考えてください。なお、この段階ではまだICが実装されていない（ICソケットだけの）状態なので比較的簡単に配線されている・されていないの判別が可能ですが、ICが実装されてしまうと本来繋がっていない配線同士がIC経由で微妙に繋がった状態になってしまうので結線状態がわかりにくくなります。この「IC経由で微妙に繋がった状態」も慣れれば判別できるのですが、よくわからないときには、いったんICを外して確認するのが無難だと思います。

電源のチェック

いまさらですが、この回路は5Vで動作します。ですから、まずこの5V電源自体が単独で正しく動作しているかチェックします。といってもテスターで電圧を測定する程度なんですが、意外に多いのがプラスとマイナスを逆に繋げてしまったといった極性の勘違いなどというけっこうくだらないコトだったりします。「いくらなんでもプラスとマイナスを間違えたりしないよ」などとバカにしているうちは初心者ですぜ、旦那。

問題がなければいよいよ基板に5Vを供給します。この時点ではICはソケットに挿さっていないはずですからどんなことがあってもICは壊れませんが（当たり前）、電解コンデンサは極性が間違っていると吹き飛ぶことがあるかもしれません、脅かしじゃなくて。というか、私も吹き飛ばしたことがあります、中学生の頃。もっとも、「吹き飛ぶ」といっても都市が壊滅するようなことはないわけですが、それなりにけっこうな勢いで飛んでくるので目に当たったりすると危険です。気を付けてください。

5Vを通電して特に問題（異臭・異音）がないようでしたら、各ICソケットの電源ピンをテスターで測ります。

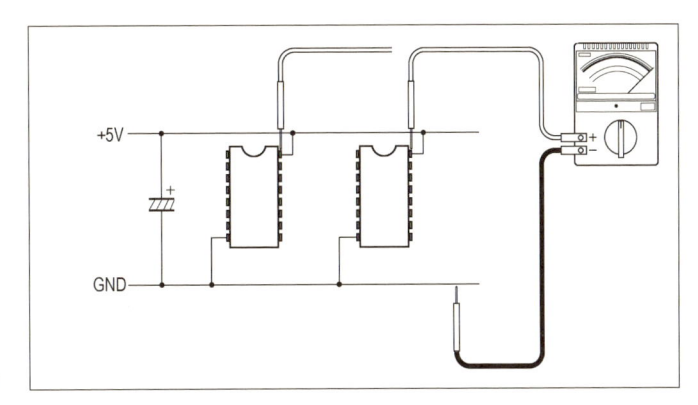

5Vのチェック

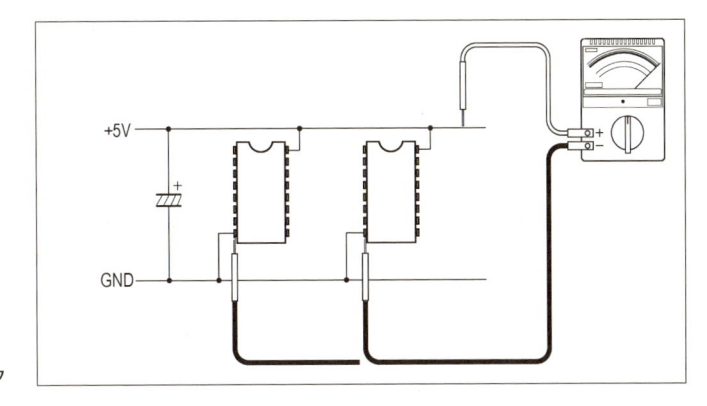

GNDのチェック

ここはしっかり確認しましょう、この電源さえ間違っていなければデジタルICが壊れることはあまりないです（注：この本で扱っているICは出力電流が大きくないものが多いので、たとえ出力同士がショートしても即破壊することは少ない、ということです。もちろん本当はあまりよくないです）。

以上で「壊さないためのチェック」は完了です。問題がなければいったん電源を切って、いよいよICを挿した状態でのテストを行います。

クリップなど

テスター棒は2本で、人間の手も2本。2本のテスター棒を配線に当てると両手が塞がってしまうあたりで人間の能力の限界を感じたりするのですが、その状態でリセットボタンを押したい、押したいんだけど手が足りない…ということがよくあるわけです。で、便利というか必需品なのがこんなクリップ。

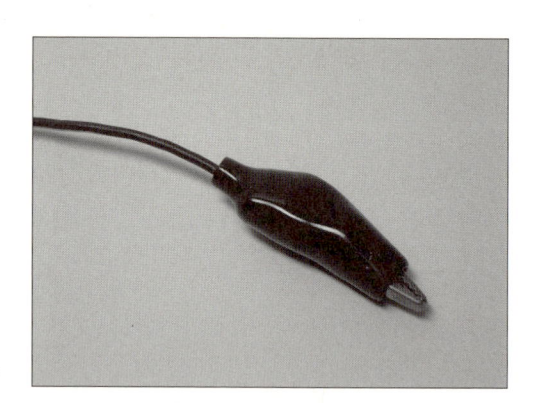

クリップ

学校の理科の実験で使ったワニ口クリップを小さくしたようなモノなのですが、正式な名称が決まっているわけでもないようです。ミノムシクリップという名が比較的通りがよいような気もするのですが（ミノムシクリップはミヤマ電器の登録商標なので、他社製品は厳密にはミノムシクリップではない）、「ワニ口のちっちゃいヤツ」でおおよそ通じると思います。

ただし、「ちっちゃい」といってもICの足をつまむにはこれでも大きすぎます。そんなときにはこちら。

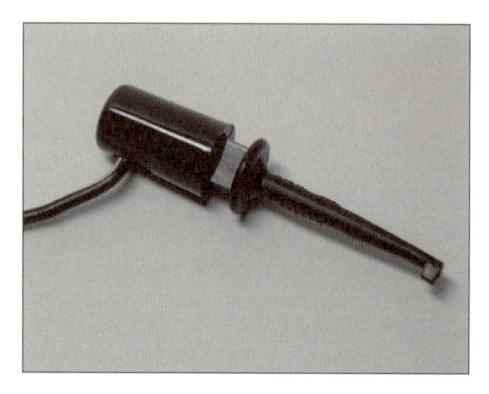

ICクリップとクリップ使用時

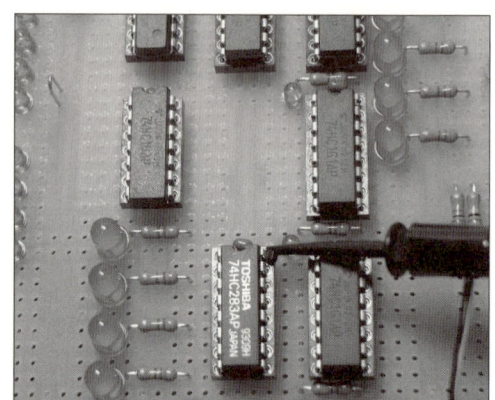

バネ仕掛けでツメを出してICに引っかけます（写真右側）。これも名称は決まっていないようで、ICクリップとかテストクリップなどと呼ばれているみたいです。

どちらのクリップもサイズとか色がいろいろあるので、実際に店頭で使いやすそうなものを選ぶのがよいと思います。電子部品とか工具というよりは「小物」に分類されるモノなので、「小物臭」がする店で探してください。なお、どちらのクリップも一般的にはケーブルの付いていない、アタマだけ状態で販売されています、念のため。

リセット回路のチェック

いよいよICをソケットに挿して電源を入れます。一通りチェックしてあるはずなので大丈夫だとは思いますが、絶対ということはありません。ちょっとしたミスとか根本的な勘違いとかイロイロ心配は残っているわけですが、この「心配する能力」というのは実際に失敗を経験しないと身に付かないというのは社会経験と同じことですね、たぶん。というか、私がこんな風にチェックの方法を偉そうに書いているということは、人には言えないようなハズカシイ失敗を大量に経験しているからなわけで、冷静に考えるとかなりみっともない状況ですね、ええ。

ええと、リセット回路のチェックでしたね。チェックはしたものの不安は残っているので、とりあえずICは74HC14だけをソケットに挿しておくことにします。これだけでリセット回路のチェックはできますから、他のICは後で挿すことにしましょう。犠牲は少ないほうがよいです、縁起でもないですが。

まず電源を入れずに下図A点の電圧を測定します。電源が入っていないわけですから当然0Vです。

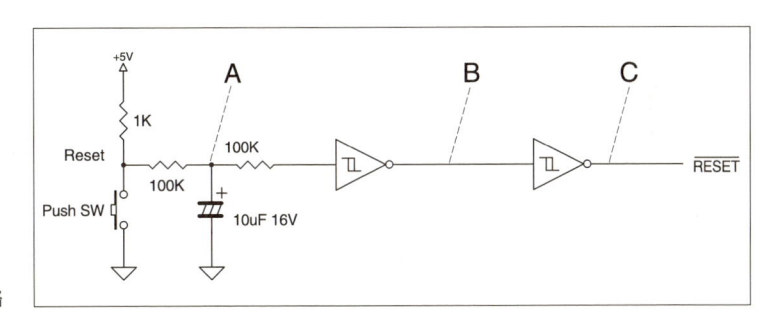

リセット回路

この状態から電源を入れるとA点の電圧は数秒かかってゆっくり上がっていき、5Vで安定します。この動作はすでに説明した通りですね。

詳細

リセット回路は100KΩ＋10μFのCRによって構成されていますが、ここの電圧の測定をアナログテスターで行うと誤差が出ます。例えば内部抵抗20KΩ／Vのテスターで10Vレンジを使用して測定すると、テスター自体が200KΩの抵抗と同じですからコンデンサの電圧は5Vではなくて3.3V程度までしか上がりません。もちろんこれで正常ですので、手持ちのテスターの内部抵抗から「何Vを表示すれば正常か」を計算しておく必要があります。

ここで一度電源を切ってみます。電源を切るとA点の電圧はゆっくりと下がっていき、やがて0Vに下がるはずです。つまり、これでコンデンサの放電が完了したわけです。ただし、このときに必要な時間は使用している電源により大きくバラつきます。1秒で0Vに落ちるかもしれないですし、10秒以上かかるかもしれません。参考までに秋月電子NP12-1S0523だと数秒オーダーです。

なぜ放電の時間を確認するかというと、放電が完了しないと次に電源を入れたときにパワーオンリセットが動作しないので、例えば放電に5秒必要であれば「電源を切った際には5秒以上時間をおいてから再投入してね」となるわけです（注：PCの取り扱い説明書にも同じような注意が書かれていますが、これは多くの場合、別の理由によるものです）。

コンデンサの充放電がOKならば、次はB点の電圧を測ります。ここでテスターの針がどんな動きをするのかをあらかじめ想像してみることが大事です。正解は「電源投入直後に一瞬H、その後にLになる」です。もちろんC点はその逆になります。つまり「電源投入後、初めはL（リセット出力）その後はH（リセット解除）」です。このように一段ずつ確認していきます。問題なければ74HC14は無事に動作していることになります、おめでとうございます。ついでにリセットスイッチも押してみましょう。A点つまりコンデンサの電圧がゆっくり下がり、やがてCのリセット出力がLになります。スイッチを離したときの動作も確認しましょう。

…とまぁ、回路のチェックはこんな感じで進めていきます。クロックジェネレータも同じように確認するわけですが、原理も動作も説明済みなので自分で考えてみてください。で、うまく動かない場合には自分の理解とか配線とか確認方法をもう一度見直しましょう。ちなみにココまで全部OKならば他のICも全部挿して大丈夫だと思います、たぶん。

プログラムカウンタのチェック

クロックが正常なら、もうすでにプログラムカウンタも動作可能です。一応ROMのDIPスイッチをすべてOFF（＝NOP…No OPeration。何もしない命令／注：実際にはNOPじゃなくて「ADD A,0」ですが）にしておきます。この状態でクロックを与えればプログラムカウンタはカウントアップしますし、リセットスイッチでゼロになるわけです。確実に0～15つまり0000～1111（二進数）までカウントするかを確認することになりますが、テスターで1bitずつチェックするのはけっこうタイヘンです。ええ、ですからLEDがぶら下がっていると楽なんです。

さて、ここで仮にうまくカウントアップしなくても慌てる必要は全然ありません。繰り返しになりますが、「うまく動作しないトコがあるのが当たり前」です。まずはICのピンの電圧を1つずつ確認してみてください。74HC161のデータシートの真理値表通りになっていますか？

TC74HC161A INPUTS					TC74HC163A INPUTS					OUTPUTS				FUNCTION
CLR	LD	ENP	ENT	CK	CLR	LD	ENP	ENT	CK	QA	QB	QC	QD	
L	X	X	X	↑	X	X	X	X	↑	L	L	L	L	"0"にリセットします。
H	L	X	X	↑	H	L	X	X	↑	A	B	C	D	データをプリセットします。
H	H	X	L	↑	H	H	X	L	↑	変化しない				カウントしません。
H	H	L	X	↑	H	H	L	X	↑	変化しない				カウントしません。
H	H	H	H	↑	H	H	H	H	↑	カウントアップ				カウント動作をします。
H	X	X	X	↑	X	X	X	X	↑	変化しない				カウントしません。

真理値表・カウントアップの条件（株式会社東芝セミコンダクター社のデータシートより抜粋）

ENTとENPはHのはずですね。＋5Vに直結なわけですから、これがLだとしたら明らかに配線ミス。CLRはリセット時以外はH、CKはクロックですね。ちょっとややこしいのが「LD」信号です。これがLになっている場合には命令デコーダ回路方面に問題があります。しかしこの「LD」信号に問題がある場合でもデコーダのチェックは今はしないほうがよいです、とりあえず一カ所ずつ確認するのが基本です。今はプログラムカウンタをチェック中なわけですから、たとえ「LD」信号がおかしくても深追いはしないで「LD」信号と命令デコーダを一時的に切り離してHに直結してしまい、プログラムカウンタのカウントアップ動作だけを確認します。

さて、ロジック回路の電圧をチェックするときに気を付けなければならないのがLの確認です。Hの確認は簡単ですよね。テスターの針が5V近辺を指せばHです。これに対してLは0Vなわけですからテスターの針は振れません。ところが配線ミスで「どこにも繋がっていない」とか「断線している」場合にも針は振れません。ですから「正常なL」と「断線」の区別が付かないわけです。

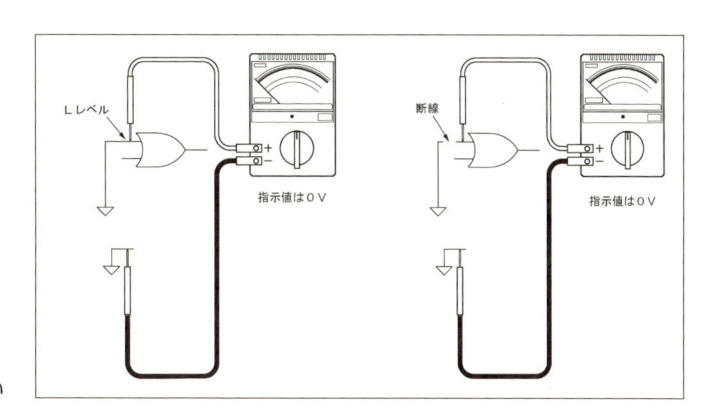

Lレベルと断線は見分けが付かない

ですからLを確認する場合には＋5Vを基準にして電圧を測る方法を採ります。

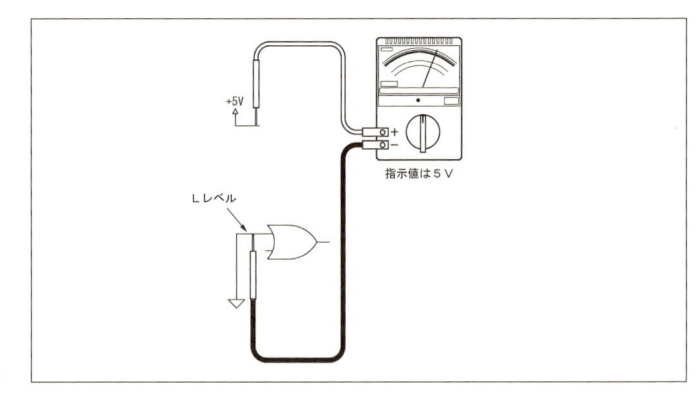

Lレベルの確認の方法

ROMのチェック

プログラムカウンタが完璧ならば、次はROMのチェックです。この順番の理由はわかりますね、信号の流れに沿っていくわけです。コツはとにかく上流から下流に向かって攻めて「確実に動作している部分」を広げていくことです。当然ROMの中も上流からチェックしますので、ここでは74HC154からということですね。さらに74HC154についても上流つまり入力側からチェックします。チェック対象となる74HC154の入力は2種類です。

- 入力A～D……プログラムカウンタの値が正確に届いているか？
- $\overline{G1}$と$\overline{G2}$……GNDに直結されているはずだが、本当にLになっているか？

逆に、これら入力が正常でさえあるならば74HC154の出力も正常に動作するはずです。

- $\overline{Y0}$～$\overline{Y15}$……入力A～Dに従って順に1つずつLになるか？

もし「ICの入力がOKで電源も問題なし、なのに出力がダメ」という不思議ミステリー状態なときには出力が配線されている先も疑ったほうがよいでしょう。

ICの入力と出力の関係がおかしいときには…
（次ページへつづく）

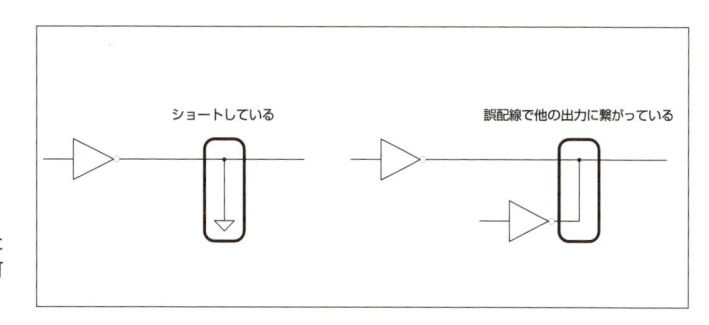

どこかとショートしている、または他の出力に誤配線されている可能性がある

ショートしている　　　誤配線で他の出力に繋がっている

この調子でガンガンいきます。

・74HC540の$\overline{G1}$と$\overline{G2}$はLか？
・74HC154の出力に従ってDIPスイッチの設定値が74HC540の入力（A1〜A8）に反映されるか？
・74HC540の入力（A1〜A8）の論理反転された信号が74HC540のY1〜Y8に出力されているか？

ここまでOKならば、ROM全体の動作を確認します。つまり、

・プログラムカウンタが指しているアドレスの命令（DIPスイッチの設定）が74HC540のY1〜Y8に出力されているか？

ということです。リセットを行うと0番地のDIPスイッチにセットされた値が74HC540から出力されるはずです。DIPスイッチを1bitずつONにして、スイッチと74HC540の出力が間違いなく1対1で対応しているか確認してください。OKならばクロックを手動で進めて次は1番地を同じように確認します。スイッチの数が多いのでけっこう面倒くさいです。ここで手を抜くと後で原因不明のトラブルで苦しむことになるのですが、苦しむのも人生経験としてはある意味オススメかもです。

命令デコーダのチェック

ROMから命令が読み出せるところまでは確認できましたから、今度はこの命令を正常にデコードできるかどうかを見ていきます。TD4はクロックを止められるので作業は割と楽ですというか、そのための手動クロックなのですけどね。

まずクロックを止めたままリセットをかけてプログラムカウンタをゼロにします。プログラムカウンタがゼロということはアドレス0の命令を指しているわけですから、アドレス0のDIPスイッチの状態が命令としてROMから出力されます。ここまではすでに確認済みですね。このアドレス0の命令がデコーダ回路に入力されることになります。

では仮に、アドレス0のDIPスイッチに「00000000（二進数）」つまり「ADD A,0」をセットしてみます。復習になりますが「ADD A,0」を実行するときには、デコーダの出力はこのようになっていなければなりません。

実行部への指示

SELECT B	SELECT A	LOAD0 (Aレジスタ)	LOAD1 (Bレジスタ)	LOAD2 (出力ポート)	LOAD3 (PC)
L	L	L	H	H	H

もし個性的な結果だった場合には地道にロジックをたどって原因を調べます。デコーダ自体は単純なゲートの組み合わせですから問題を見つけるのは難しいことではないはずですが、ロジックに慣れていない人だとアタマがタコになるかもしれません。くどいようですが、トラブルに悩むことがスキルアップへの近道です。やっぱり必死になりますからね、だらだら〜と本を読んでる状態とはモチベーションが違います。特に私のような普及品な頭脳しか搭載していない人間だと、トラブルで苦しんだときくらいしか頭に入らなかったりします。

一発で動作した人もそうでない人も「ADD A,0」がOKになったら他の命令、つまり全命令でデコーダの動作を確認します。プログラムカウンタをゼロのままにしておけばROMのアドレス0のDIPスイッチに他の命令を設定し直すだけで確認できますから、それほど大変ではないです。もちろんデコーダの出力の6bitにLEDをぶら下げておけばあっという間に終わりますが、逆にLEDを配線する作業のほうが大変かもしれません（笑）。

さて「全命令を確認」と書きましたが、JNC命令だけは事情が違います。これはCフラグの影響を受けるわけですが、リセット直後はCフラグもリセット（クリア）された状態なので「ジャンプする」状態しか確認できません。ですからここでは無理にチェックしなくてよいと思います。ただし「まだチェックしていない」ということは忘れずに。

イミディエイトデータのチェック

イミディエイトデータは単純にALU（加算器）へ直結されているだけなので、本当に直結されているかどうかだけ確認すればよいわけですから話は簡単です。イミディエイトデータとは命令の下位4bitのことですから、ROMから適当な「イミディエイトデータ」を出力させて、これが加算器（74HC283）の入力（B1〜4）に届いているかどうか確認すればOKです。この「適当なイミディエイトデータを出力」させる方法はデコーダのチェックのときと同じです。かなり説明が適当ですが、少しずつ「自力」に慣れていってください。

加算器のチェック・加算器からレジスタへの配線

「IN A」という命令では入力ポートのデータがAレジスタに転送される動作が行われるのですが、途中でデータセレクタ（74HC153）と加算器（74HC283）を通過してAレジスタに到達するので、これらの動作を一度にチェックするには最適な命令です。また、このデータはAレジスタだけでなくBレジスタ・出力ポート・プログラムカウンタの入力にも同時に到達しているはずなので、併せてチェックしておきます。なかなか高度になってきましたね。これも日本語で説明するより図を描いたほうがわかりやすいのですが、せっかくですから自力で描いてみてください。

まず入力ポートのDIPスイッチの状態がデータセレクタの出力まで届いているか、ですね。データセレクタの「SELECT A」と「SELECT B」は命令デコーダのチェック時に確認済みですから割と簡単なハズです。これもDIPスイッチをグチャグチャ切り替えてみていろいろなパターンでチェックしてみます。問題なければOKですが、挙動不審な信号とかがあれば即、職務質問の方向で。

次に加算器の出力ですが、TD4では転送命令でもイミディエイトデータとの加算が行われてしまうというクセがありますので、これを逆に利用すれば加算動作のチェックは楽です。つまり入力ポートのDIPスイッチをグチャグチャ切り替えて、ROMのDIPスイッチからもイミディエイトデータをグチャグチャ出力してみることでいろいろなパターンの加算動作が確認できます。

後は加算器の出力が各レジスタ（A・Bレジスタ・出力ポート・プログラムカウンタ）の入力に到達していることを確認するだけです。ちなみにこれは回路の確認方法の一例なので、この方法に従う必要は全然ありません。

いよいよ転送の実行

何が「いよいよ」かというと、実際に命令を実行してみるんですよ、ついに。未だチェックが終わっていない部分もありますが、すでにほどほどには動作していますから、この先は実際に命令を実行させてチェックしたほうが早いと思います。それに地味な作業ばかりでもツマラナイですしね、このあたりで一発試しに動かしてみようというわけです。

実行させる命令は先に確認した「IN A」がよいでしょう。すでにAレジスタの入力までデータが届くことがわかっています。後はクロックの立ち上がりでAレジスタに書き込むだけですから、手動で1つだけクロックを出してみます。無事にAレジスタ（74HC161）にデータが書き込まれてQA～QDに出力されましたか？ うまく書き込まれない場合でも心配は不要です。Aレジスタの入力までデータが届いていることは確認済みなわけですから、問題はAレジスタにあるはずです。今まで説明した基本の通り、Aレジスタ（74HC161）の入力を1つずつチェックしていけばよいだけです。

さて、めでたくAレジスタへの書き込みが成功したならば完成したも同然です。ここらへんでお祝いですね。あなたもこれで「CPUを作ったことがある人」の仲間入りです（笑）。お祝いの方法はなんでもよいです。記念にPCのCPUをアップグレードするとか苦労話を自分のサイトにアップするとか…って、これは私の例ですが。あ、その前に「IN A」以外の命令の動作確認も忘れずにね。

ここまで書いてナンですが…

実は「すでに動作確認済みの回路」の製作ですので「なーんにも考えずに、ひたすら根性だけで配線のチェック」といったような汗臭い方法でもなんとか動作しちゃいますし、そのほうが早いかもしれません。ただ、せっかくここまで動作原理の説明を読まれてきたわけです。難事件は推理で解決したほうがカッコいいですし、あなたにはすでにそのための知識もあるはずです。

Chapter 11
2. プログラムの実行

手動で1ステップずつの命令実行ができるようになったら、いよいよクロックによりプログラムを走らせてみます。これでようやくコンピューターらしくなるわけです。

サンプルプログラム1：LEDちかちか

決められたパターンをポートに出力する動作を単純に並べているだけで、それを無限ループしています。一応クロックを10Hzにしたほうがソレっぽい感じになりますが、もちろん好きなパターンで点灯させることもできます。なんといってもコンピューターですからプログラム次第です（というほどの自由度はないですが）。ちなみに我が家のTD4試作機ですが、このプログラムを延々実行させています。LEDが意味ありげにチラチラしているのでインテリアとして気に入っております…いや、まったく役には立たないわけですが。

```
アドレス  命令          コメント
0000    OUT  0011     0011を出力ポートへ ◀─┐
0001    OUT  0110     0110を出力ポートへ   │
0010    OUT  1100        :                │
0011    OUT  1000                         │
0100    OUT  1000                         │
0101    OUT  1100                         │
0110    OUT  0110                         │
0111    OUT  0011        :                │
1000    OUT  0001     0001を出力ポートへ   │
1001    JMP  0000     0番地へジャンプ、無限ループ ─┘
```

これをアセンブル、つまり機械語に変換すると次のようになります。変換してくれるソフト（アセンブラ）などという立派なモノはありませんから、手で変換することになります。これが（年寄りの昔話に登場する）「ハンドアセンブル」という作業です。

アドレス　命令
0000　10110011
0001　10110110
0010　10111100
0011　10111000
0100　10111000
0101　10111100
0110　10110110
0111　10110011
1000　10110001
1001　11110000

仮に作成したプログラムが正しく動作しない場合に、プログラムの誤りなのか回路の問題なのかを切り分ける必要がありますが、このようなときにもエミュレータは役に立ちます。

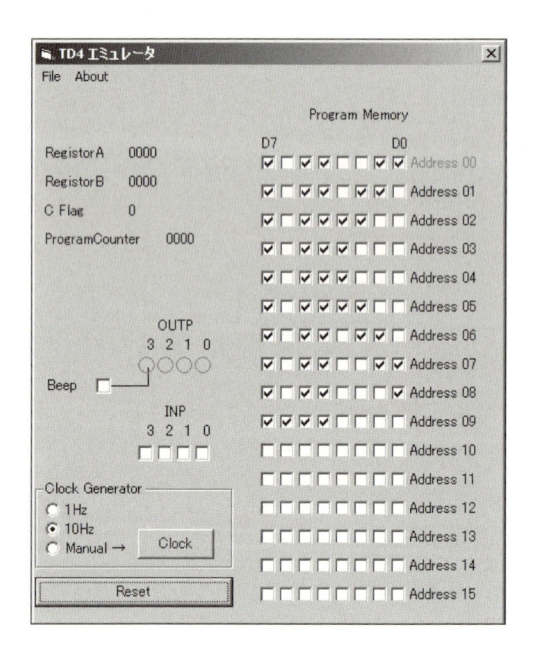

アセンブルしたプログラムが動作することをエミュレータで確認してみる

サンプルプログラム2：ラーメンタイマー

公約のラーメンタイマーです。動作開始でLEDが3つ点灯し、1分経過でLEDが2つ点灯、最後の1分はLED1つが点滅を繰り返して時間になると終了のLEDが点灯します。クロックは1Hzで使用します。

○●●● ……………………動作開始～1分後
○●●○ ……………………1分後～2分後
○●○○ ⇔ ○○○○ …2分後～3分後
●○○○ ……………………3分後

次のリストがプログラムなのですが、TD4のROM容量（全16ステップ）を使い切っています。…ええ、これが能力の限界です。

アドレス		コメント
0000	OUT 0111	LEDを3つ点灯
0001	ADD A,0001	Aレジスタを＋1して…
0010	JNC 0001	キャリーが発生するまでループ。つまり16回ループ
0011	ADD A,0001	ここも16回ループ
0100	JNC 0011	
0101	OUT 0110	LEDを2つ点灯
0110	ADD A,0001	ここも16回ループ
0111	JNC 0110	
1000	ADD A,0001	ここも16回ループ
1001	JNC 1000	
1010	OUT 0000	LEDを全部消灯
1011	OUT 0100	LEDを1つ点灯
1100	ADD 0001	ここも16回ループ
1101	JNC 1010	
1110	OUT 1000	終了のLEDを点灯（またはブザーをONする）
1111	JMP 1111	自分自身へジャンプ（無限ループ）、つまり停止

TD4ではリセット直後は各レジスタがゼロになっているので、0001番地のループではAレジスタは必ずゼロからカウントされることになります。1ループは2命令、つまり2クロックなので2

秒です。ですから16回ループの通過に32クロック（32秒）かかることになります。ただし、1010番地のループは64クロックかかります。動作開始から195クロック後に終了のLEDが点灯するため正確には3分15秒後ということになるので、ラーメンは若干柔らかめになるかもしれません（笑）。

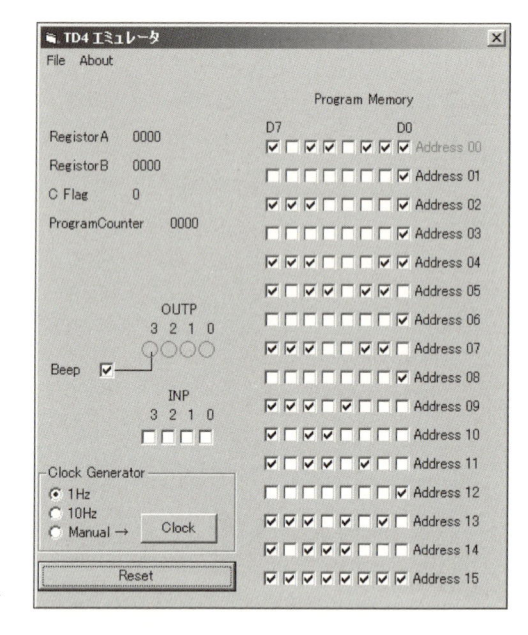

エミュレータでの実行

なお、ここでは動作の終了（カップ麺の完成）をLEDで知らせていますが、ラーメンタイマーらしくブザーを鳴らすためには回路の追加が必要です。

ブザーを鳴らす回路

当然ながらブザーを用意する必要がありますが、ここでは扱いやすい電子ブザーを使用します。

電子ブザーの例

電子ブザーには発振回路と圧電スピーカーが内蔵されているため、直流電源を繋げるだけで音が鳴りますから便利です。ただ「電子ブザー」といっても世の中にはさまざまな種類（音の大きさ・音色・外形など）の製品がありますし、お店によって品揃えもバラバラだったりしますから、あなたが入手できるモノの中から適当に選ぶことになります。

えーと、「適当に」と言われても困りますよね。今回の回路は電源が5Vですからブザーもデイレく5Vで動作するものが必要です。あと消費電流が大き過ぎるものもダメです、おおよそ50mA以下の製品を使用してください。蛇足ですが、圧電スピーカー単体（発振回路がない）というものも売られていますので（しかも電子ブザーに似た外観のものが多い）間違えないでください。また、多くの電子ブザーには極性がありますから注意してください。

さて回路ですが、なるべく簡単に済まそうとするとこんな感じになります。出力ポートがHになるとブザーが鳴ります。

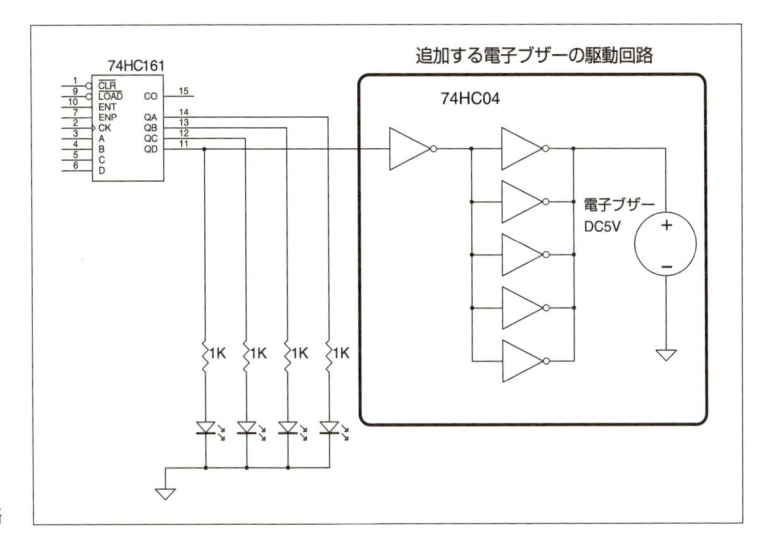

ブザーの駆動回路

ロジック的には単純ですね、インバーター2段ですから二重否定です。つまり出力ポートがHならブザーにもH（5V）が印可されます。それだけです。ただ74HC04の出力電流はあまり大きくないので、5個を並列にしています。ブザーの消費電流が50mAの場合でもインバーター1個あたりの負担は10mAで済みます。いわゆる5人戦隊みたいなものですね（注：50mAという電流は74HC04の最大定格ギリギリなので本来はこのような使い方は避けたほうがよいのですが、ここでは簡便さを優先させています）。

おまけ 最大動作周波数

TD4の最大動作周波数、つまり何Hzのクロックまで正常に動作するか？　という話です。PCのオーバークロックなどで行われるように「えいやっ！」と暴走するまで周波数を上げるという手も考えられますが、これでは設計ではなくて実験になってしまいます。とはいえ最大動作周波数を計算だけで完全に求めるのは難しいので、ここでは「ある程度」の計算の考えかたを説明します。

さて、最大動作周波数とは何かというと言うまでもなく回路が正常に動作する最大の周波数なのですが、ここでは回路が正常に動作すると「保証できる」周波数を指します。例えば3GHz版Pentium4はクロック周波数が3.1GHzでも動作してしまうこともありますが、メーカーが「保証している」のは3GHzまでです。絶対に動作するのは3GHzまでで、それ以上は動くときもあるかもしれないし動かないかもしれないということです。

では正常に動作しない状態とは具体的にどんな状態か、ということを1bitCPUを例に考えます。というわけで最初に出てきた「論理反転しかできないCPU」を復活させます。

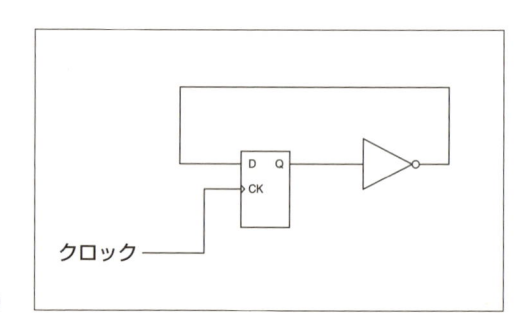

論理反転のみのCPU

クロックが立ち上がるとフリップ・フロップ（ここでは74HC74）が入力をキャプチャしてQへ出力すると以前に説明しました。このキャプチャは瞬時に行われるわけですが、この「瞬時」というのはあくまで人間の感覚での話で、正確な時間はゼロではありません。

AC特性（C_L = 15pF, V_{CC} = 5V, T_a = 25℃）						
項　　目	記号	測定条件	MIN.	TYP.	MAX.	単位
出力上昇，下降時間	t_{TLH} t_{THL}		―	6	12	
伝搬遅延時間 (CK－Q, $\overline{Q}$)	t_{pLH} t_{pHL}		―	13	26	ns
伝搬遅延時間 ($\overline{CLR}$, $\overline{PR}$－Q, $\overline{Q}$)	t_{pLH} t_{pHL}		―	14	26	
最大クロック周波数	f_{MAX}		36	77	―	MHz

74HC74のデータシート・AC特性（株式会社東芝セミコンダクター社のデータシートより抜粋）

表の「伝搬遅延時間（CK－Q、Q̄）」はCKに対するQ（またはQ̄）の応答時間を表しています。ここではMAXで26nSecとなっていますから、「クロックが立ち上がってからQ（またはQ̄）が反応するのには最悪26nSecかかります」ということになります。…ええ、常に最悪の場合を考える必要があるんです。「絶対に動作することを保証」とはそういう意味です。

さて、フリップ・フロップの出力はインバーター（ここでは74HC04）で反転されますが、インバーターにも応答速度があります。

AC特性（C_L = 15pF, V_{CC} = 5V, Ta = 25°C）

項　　　目	記号	測定条件	MIN.	TYP.	MAX.	単位
出力上昇，下降時間	t_{TLH} t_{THL}		－	4	8	ns
伝搬遅延時間	t_{pLH} t_{pHL}		－	6	12	

74HC04のデータシート・AC特性（株式会社東芝セミコンダクター社のデータシートより抜粋）

同じように「伝搬遅延時間」の項目がありますね。MAXで12nSecとなっています。すでにフリップ・フロップの出力が26nSecも遅延していますから、クロックの立ち上がりに対して合計で38nSec遅れて反応するわけです。

そんなわけで38nSecほど遅れましたが、論理反転した信号がフリップ・フロップのD入力に届きました。…届いたのですが、実はまだダメですというか、信号が届いてから少々待たないと次のクロックでキャプチャする準備ができません。これを「フリップ・フロップに信号が染み込んでいく」などと表現していた人が知り合いにいましたが、だいたいそんなイメージです。ですから次のクロックの立ち上がりは「染み込む」まで待ってあげる必要があります。

タイミング推奨動作条件（Input t_r = t_f = 6ns）

項　　目	記号	測定条件	V_{CC}(V)	Ta = 25°C TYP.	Ta = 25°C LIMIT	Ta = －40〜85°C LIMIT	単位
最小パルス幅（CK）	$t_{W(L)}$ $t_{W(H)}$		2.0 4.5 6.0	－ － －	75 15 13	95 19 16	
最小パルス幅（C̄L̄R̄, P̄R̄）	$t_{W(L)}$		2.0 4.5 6.0	－ － －	75 15 13	95 19 16	
最小セットアップ時間	t_S		2.0 4.5 6.0	－ － －	75 15 13	95 19 16	ns
最小ホールド時間	t_h		2.0 4.5 6.0	－ － －	0 0 0	0 0 0	
最小リムーバル時間（C̄L̄R̄, P̄R̄）	t_{rem}		2.0 4.5 6.0	－ － －	25 5 4	30 6 5	
クロック周波数	f		2.0 4.5 6.0	－ － －	6 31 36	5 25 29	MHz

最小セットアップ時間（株式会社東芝セミコンダクター社のデータシートより抜粋）

● 「最小セットアップ時間」というのが染み込む時間の項目です。日本語的には「準備に最低限必要な時間」くらいの意味だと思ってください。電源電圧ごとに値が異なりますが、とりあえず一番近い4.5Vでの値を使用します。また温度によっても値が異なるみたいです。Taというのは周囲の気温ですから普通の環境で使用するのであればTa=25℃としてもよいと思います。つまりここでは15nSecですね。これに先ほどの38nSecを加算すると53nSecとなりますから、結局

クロックが立ち上がってから53nSec後に次のクロックの立ち上がりの準備が完了する。

ということになります。当たり前ですが、準備が完了する前に次のクロックが来てしまうと正常な動作ができません。えーと、正常に動作してしまう「かも」しれませんが「絶対に動作する」わけではありません、という意味です。周期が53nSecということは約18.9MHzですから、この1BitCPUもどきの最大動作周波数は約18.9MHzということになります。

同じようにTD4についても動作の流れに従って時間を計算してみます。先のインチキ1bitCPUではフリップ・フロップの出力から入力までの経路にインバーター1個しか存在しなかったわけですが、さすがにTD4では経路も複雑です。フリップ・フロップ自体が多数あるわけで、さらにそれぞれのフリップ・フロップにいろいろな経路が存在します。もちろん、もっともイジワルで陰険な（=時間がかかりそうな）経路で計算する必要があります。

で、一番のイジワルは「データセレクタを切り替えること」です。データセレクタの出力が変化するとALUも計算し直しですし、さらに再計算の結果がフリップ・フロップ（74HC161）に染み込むまで待たなければなりません。最高に大迷惑な嫌がらせです、コレ。もちろん「データセレクタの切り替え」はデコーダの出力により行われるのですが、「SELECT B」側のデコード回路は「オペレーションコード直結（つまり高速）」なのに対し「SELECT A」側は74HC32経由なので、こちらのルートのほうが「より一層イジワル」です。このルートに沿って遅延時間を計算してみます。

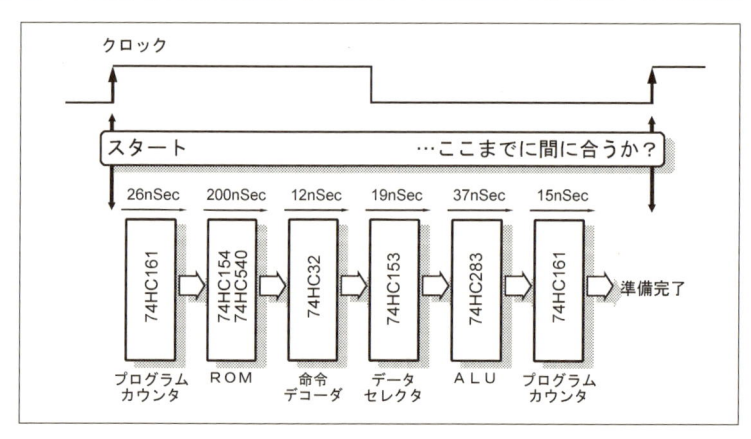

1命令に必要な時間

クロック

スタート　　　　　　　　　…ここまでに間に合うか？

| 26nSec | 200nSec | 12nSec | 19nSec | 37nSec | 15nSec |

74HC161 → 74HC154/74HC540 → 74HC32 → 74HC153 → 74HC283 → 74HC161 → 準備完了

プログラムカウンタ　ROM　命令デコーダ　データセレクタ　ALU　プログラムカウンタ

合計309nSecですから、最大動作周波数は3MHz程度と考えられます。

> ### 詳　細
>
> ICの遅延時間はメーカーごとに若干ながら異なる場合がありますので、ここでの数値は参考程度と考えてください。なおROM部の遅延時間ですが、今回の手作りROMはダイオードとかプルアップ抵抗で構成しているので遅延時間の計算はちょっと面倒ですし、配線方法の違いでも変化したりします。というか、実は高速動作向きの回路ではないです。そんなわけでここでは説明省略、おおよそ200nSec程度ということにしています。
>
> また、これらはあくまで最大動作周波数の考え方の話です。本書では説明していませんが、TD4の回路そのままでは高クロックでの動作に支障があります。

Chapter 11
3. もう少しマトモなCPU

TD4は貧弱過ぎなので、もうちょっとだけ回路を強化する方法です。もっとも、強化といってもCPUの基本動作自体はすでに理解されていると思いますので覚えることは多くないです。むしろこの先は自分で考えることが重要になると思います。

8bit化

TD4のROMは16ステップ分しかありませんが、これはプログラムカウンタが4bitなのでどうしようもありません、16ステップ以上のROMは拡張も実行もできないわけです。MS-DOSの640KByteの壁に似てます、と言ったほうが若い人にはわかりやすいですか（注：実際には8086の1MByteの壁です）。…え？ MS-DOSとか言うコト自体が年寄りですか、そういう時代ですか。まったくコンピューターの世界は時間の流れが速くてイヤですね。…えーと、要するにアドレッシング能力の問題ですから、単純にbit数を増やして対応するのが楽、レジスタもプログラムカウンタもALUも8bit化してしまえばOKです。設計は簡単です。回路を並べるだけ。

Aレジスタ（Bレジスタも同様）

74HC161は4bitなので、これを単純に2つ並べれば8bitレジスタになります。

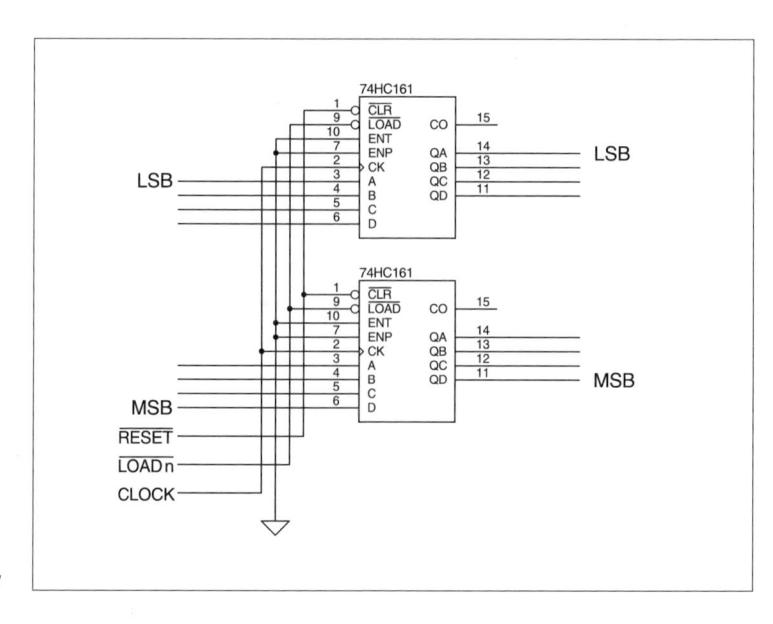

8bit化したレジスタ

プログラムカウンタ

Aレジスタと同様、基本的には2つ並べればよいだけなのですが、カウンタとしての動作も行う必要があるので下位の74HC161からの繰り上がり（キャリー）を上位の74HC161へ伝えるように結線します。当然ですが、プログラムカウンタが8bitになればROMは256ステップまで拡張できるようになります。

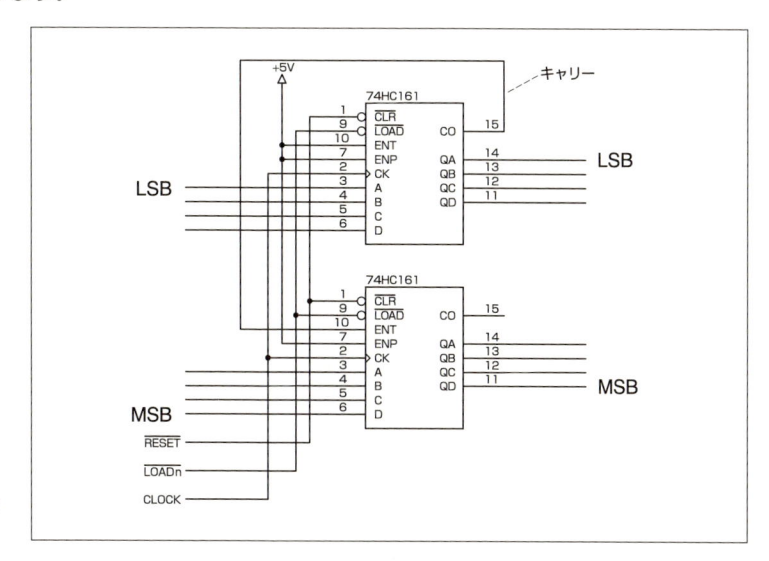

8bit化したプログラムカウンタ

ALU

これも74HC283を2つ並べればOKですが、プログラムカウンタと同様に下位の74HC283で発生したキャリーを上位に伝えるように結線します。上位で発生したキャリーは、もちろんキャリーフラグになります。

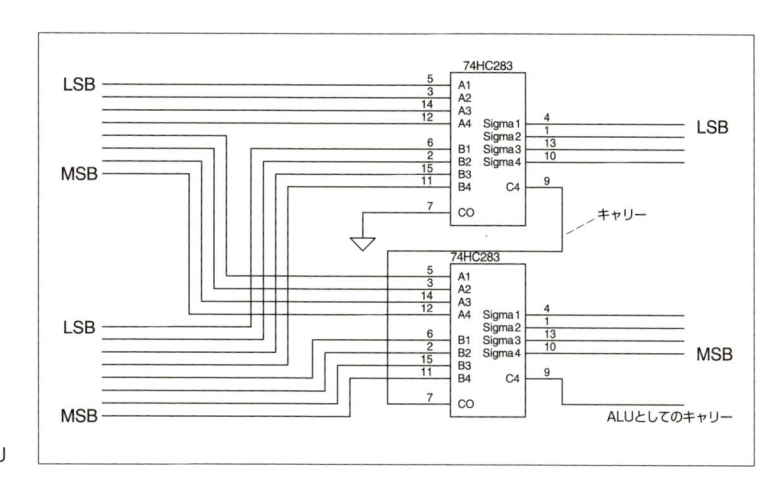

8bit化したALU

■ データセレクタ ■

単純に規模が2倍になるだけですね。説明不要。

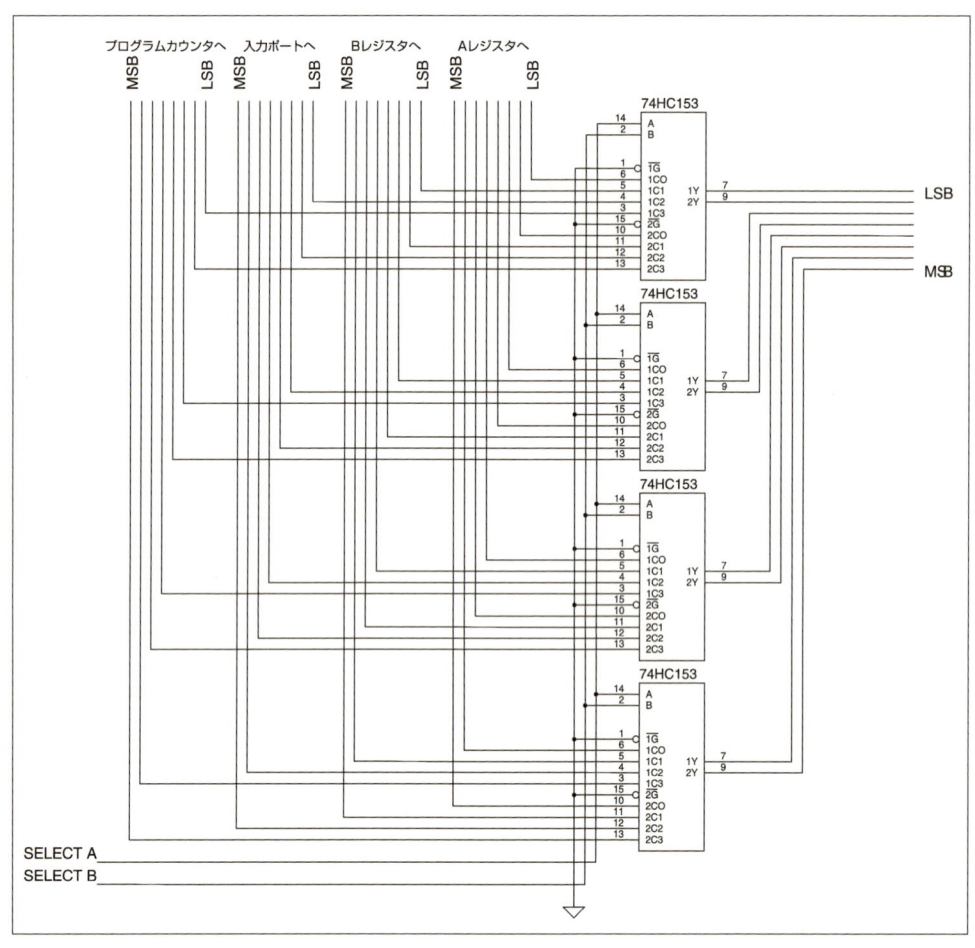

8bit化したデータセレクタ

■命令デコーダ■

命令体系を変えずに8bit化するのであれば、命令デコーダ回路はまったく変更する必要はありません。ただし、命令フォーマットはイミディエイトデータが8bitに拡張されます。

命令

bit11	bit10	bit9	bit8	bit7	bit6	bit5	bit4	bit3	bit2	bit1	bit0

MSB　　　　　　　　　　　　　　　　　　　　　　　　　　　　　　　　　　　LSB
←　オペレーションコード　→←　　　　　イミディエイトデータ（Im）　　　　　→

つまり命令は12bitの幅になります。なんか中途半端なbit数ですが、それほど珍しいわけでもなくてMicrochip Technology社のPICシリーズなどがこんな感じの命令フォーマットです。

ということで8bitに拡張するのは難しいことではありません。むしろ配線作業のほうがタイヘンだと思います。同様に16bit化も簡単ですね。配線が4倍になるだけです…って、かなりイヤですが。

ALUの強化

今回は入手性の関係で74HC283フルアダーをALUの代わりに使用していますが、おかげで論理演算ができません。できれば本物（?）のALUを使用したほうが便利です。74HC181ならばNOT、OR、AND、EXORが可能ですし、減算も可能です。また出力＝入力のような「データの筒抜け」もできますので設計も楽になります。

ただし機能が多いということは、これらのどの機能を使用するかをALUに対して指示する必要があるということです。74HC181の場合ですとS0～3とMの計5bitの信号を与えることで機能の切り替えができます。使用する機能は命令によって違うわけですから、命令デコーダでALUに対する5bitの指示も生成する必要があります。そんなわけで一般的にはCPUが多機能になれば命令デコーダも複雑になりますから、ちょっとだけ覚悟が必要です。

ちなみに入手性ですが、74HC181が手に入らなければ74181（スタンダード）または74LS181を使用するという手もあります。こちらのほうが古い製品なのですが、かつて大量に使用されていた関係で逆に入手しやすいこともあるようです。ただロジック的には同じものなん

ですが出力電圧がCMOSに比べてやや低いので、CMOSの74HCシリーズへ接続するためには10KΩ程度のプルアップで補助してあげる必要があります。また消費電力も相当大きいので、充分な容量の電源を用意してください。

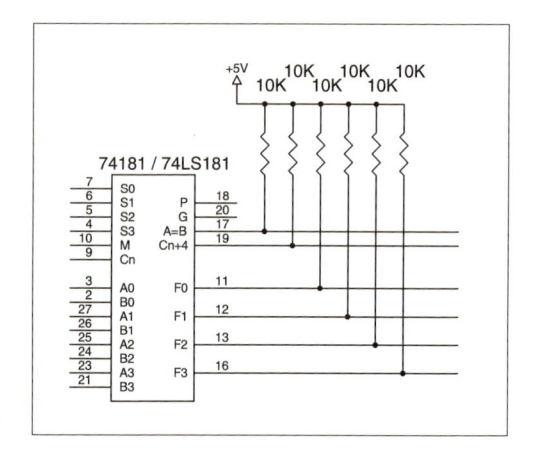

74181または74LS181使用時のプルアップ

なお、「A＝B」出力を使用する場合には 74181、74LS181、74HC181に関わらずプルアップの必要があります。使用しない場合には解放でかまいません。そんなのがアナログ（？）的な注意点です。本書では詳細には触れませんが、いずれにしてもデータシートをよく読む必要があります。

CPLDなどについて

今回は「なるべく手軽にCPUを製作」できるように汎用IC（74シリーズ）だけで設計しました。また、CPUの高機能化（と呼べるようなものではありませんが）の方法も汎用ICで説明しています。電子回路の入門者であれば、これが一番理解しやすく組み立てやすいと判断したからです。

しかし、もし私がこの規模の回路を仕事で製作するならば、間違いなくCPLDを使用します。CPLDならば（デバイスの規模の範囲で）希望のロジックを（ある程度）自由にプログラムすることができますから設計も製作も修正も効率がよいです。効率がよいわけですから、世の中のある程度の規模以上のロジックはCPLD（またはFPGA）などに置き換わっており、今回のように74シリーズを悩みながらやりくりするようなことはほとんどなくなっているのが現状です。

だからといって74シリーズ（汎用IC）での経験が無駄になるということはおそらくありませんから安心してください。というかTD4の回路はCPLD以前の話、つまり基礎知識に相当します。

むしろ「半田こても握ったことがない人がCPLDを使って大失敗」というのはありふれた話だったりするので、どうも基礎というのは机上で理解できるものではないように思えます、私などが偉そうに言えることでもないのですが。

逆に基礎がある程度理解できたならばCPLDなどにも手を出してみることをお薦めします。それなりの回路規模に対応したXILINX社やALTERA社の有難いほど立派な開発ツールがWebサイトから無償でダウンロードできますし、CPLDの書き込みに必要なツールも秋葉原で入手できるような部品で安価（1000円とか）で作れます。特にCなどのプログラム言語の経験がある方（かつ本書を理解済み）であれば数日で「よくわかんないけど、とりあえず動いた模様～」レベルには到達します、たぶん。単純な命令だけに絞れば（よく言えばRISC風？）、実用的かどうかはともかくとして32bitのCPUくらいは比較的簡単に作れるはずです。また、そのような「ハードウェア記述言語でロジックをプログラムする」手法でCPUを設計するという本もすでに出版されているようです。内容までは調べられなかったので具体的な紹介はできませんが、少なくとも本書とは違って真面目な本（笑）であることだけは間違いないと思います、ええ。

既製品のCPUをいじってみる

実は一番お薦めのコースがコレ。実際のところ、実用的な（機能的に満足できる）CPUを作るのは大変ですし、それを使って実用的なイタズラ（？）をするのも大変です。しかし、せっかくロジック回路の基礎を理解したわけですから既製の高性能なCPUとの合わせ技で何かやってみる、というのがよいかと思います。

現在、個人で手軽に遊べるCPUとしては次のようなものが挙げられます。

・H8シリーズ（ルネサステクノロジ社）
・PICシリーズ（Microchip Technology社）
・AVRシリーズ（Atmel社）

どれもワンチップにCPU・ROM・RAM・I/Oが収められているという点では同じですし価格もそれほど変わりませんが、キャラクターはけっこう違っていたりします。以下主観ということで。

H8シリーズはよくも悪くも「コンピューターらしい」CPUで、Z80とかPentium(x86)と同じグループだと言えると思います。つまりOSを載せることも充分可能で全天候360°の処理ができ

る反面、単にLEDを点灯させるだけの仕事だと効率がイマイチみたいな。構造自体は非常に素直ですので、パソコンなどのアセンブラの経験がある人にとってはもっとも敷居が低いと思います。

解説書などの情報量が豊富であることから言えばPICシリーズがお薦めということになるかと思います。ただH8とは逆で、コンピューターというよりコントローラ（つまり洗濯機の制御用とか）に特化しているためかクセが非常に強く構造もキレイとは言い難いので他のCPU経験者でもちょっと戸惑いますし、入門者であればなおさらだと思います。もちろん慣れてしまえば全然大丈夫ですが、入門用としては必要以上にヤヤコシイCPUです。

AVRはPICと同様コントローラ向けに設計されてはいるのですが、比較的「普通のコンピューターらしさ」を維持しており構造もキレイです。ですから個人的にはイチオシなんですが…まだ情報量が多くないように思えます。もちろんデータシートを読めばよいだけのハナシなんですが、入門者にとっては致命的な問題ですよね。今後状況が変わることを望みます。

そんなわけで、どれも一長一短なのです。が、入門者にとって一番重要なのは「好みの解説書をゲットすること」だと思います、実は。どこの観光地に行くかも重要ですが、それよりも誰と行くかのほうが大事だと思うわけです。

APPENDIX

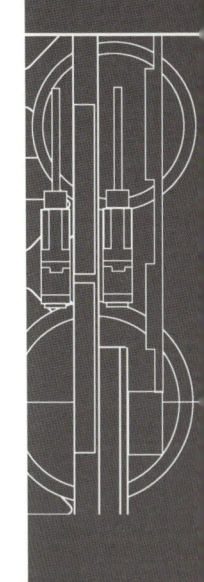

配線作業などについて

本書では配線作業などの「実際の製作方法」には重点を置いていません。しかし真面目な話、もし本当に製作されるようであれば半田こての使い方といったようなことも非常に重要となります。ですから実際の製作経験がないまたは自信がない方は、やはり電子工作の入門書を一読したほうがよいと思います。

というわけで、ここではあまり詳しくは説明せずに基本的な注意事項のみとします。なお一応白状しておきますが、本文中の写真に登場する試作基板は身体的な都合により私自身が配線したモノではありません（配線を担当していただいた職人のF様に感謝！）。ですから、配線のことを偉そうに語れる立場ではなかったりします、実は。

・それなりに配線の量が多いです。配線ミスがないこともももちろんですが、それ以上に「導体部に傷を付けずにリード線の被覆を剥くこと」「確実な半田付けを行うこと」に注意してください。半田付けは数百カ所ありますので、1つ1つの半田付け作業には相応の信頼性が必要となります。また、中途半端に「断線したり繋がったり」するような箇所があると「動作したりしなかったり」という状態に陥るため、不良箇所を特定するのが非常に困難となります。

・使用するリード線に適合したワイヤーストリッパーを必ず使用してください。適合していないワイヤーストリッパーを使用すると導体部に傷が付き、そこから簡単に折れてしまいます。ニッパーなどで無理に被覆を剥くようなことは断線の元になりますので絶対に止めてください。

・半田こては20〜30W程度のものがよいと思います。温度が高すぎると部品を壊してしまうのですが、逆に温度が低すぎると半田付け作業がスムーズに進まずに作業が長時間化し、結局は部品を壊すこともあります。また、メーカーおよび製品による違いで必ずしも「W数＝こて先温度」というわけではありません。ですから20〜30Wというのはあくまで目安です。温度調節機能はとりあえず不要だと思います。リーク電流は少ないほうが好ましいですが、ICソケットを使用するのであればあまり神経質にならなくてもよいと思います。細かい作業を行うわけですからこて先は細いほうがよいのですが、あまり極端に細いと熱の伝わりが悪くなりますので注意してください。本書の例のような電子回路の製作であれば、さほど高価な半田こては必要ありません。あくまで例としてですが、太洋電機産業の「電子・電気用ハンダこてKS－20R」（20W）または「KS－30R」（30W）が秋葉原でも入手しやすく長寿命こて先を採用していて安価（1200円程度）でなので手軽ではないかと思います。なお、新品の半田こてを使用するときには、こて先を半田メッキすることを忘れずに。

- リード線には単芯と多芯のものがあります。単芯は被覆を剥くときに導体部表面を傷付けてしまうと、そこから折れてしまうことがあります。多芯のほうが曲げに対しては強いのですが、丁寧に作業を行わないと毛羽立って（？）しまい他のピンと触れたりするので注意してください。どちらかといえば適切なワイヤーストリッパーを使用するという前提で単芯を使用したほうがよいと思います。

- ユニバーサル基板（万能基板）を使用されると思いますが、半田付けに慣れていない方は、あらかじめ半田メッキされている製品のほうが作業が楽かもしれません。IC用のユニバーサル基板であれば電源ラインのパターンが付いており、またICピンのパターンからのリード線の引き出しが容易です。ちなみに今回の試作でもっとも高価な部品がこのユニバーサル基板でした。

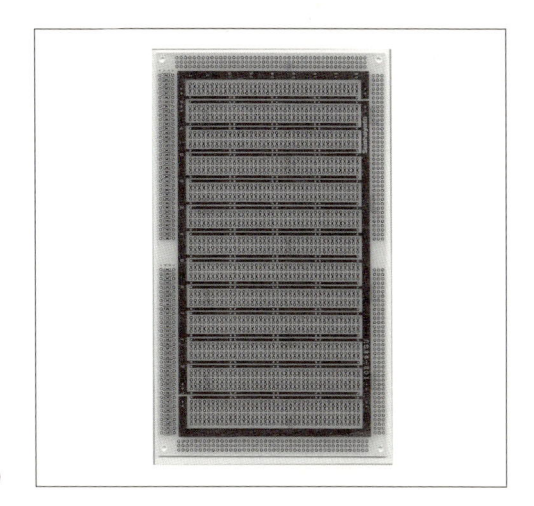

今回使用したICB-98GU（サンハヤト株式会社）

- 今回、一番多いのがICソケットの足とリード線との配線だと思います。あらかじめリード線側を半田メッキしましょう。まず半田こてに若干の半田を付けておき、次にリード線を半田こてと半田で挟み込むようにするとうまく半田がのります。このへんの「半田のノリ」などというニュアンスは実際の作業で慣れて覚えてください。

- ICの足などのピッチが狭い所で隣の足と半田がくっついてしまった場合のために「ハンダ吸取線」を用意しておいたほうがよいと思います。

- 半導体（IC・ダイオード・LEDなど）と電解コンデンサは熱に弱いので半田付けには注意が必要ですが、極端に慌てる必要もありません。普通に2秒程度で半田付けが終了すれば、まず問題ありません。3秒でも…たぶん大丈夫だと思いますが、それ以上長引きそうなら一度作業を中断して、部品と自分のアタマが冷えるのを待ちましょう。

・たいていICは微妙に足が開いています。そのままではICソケットに挿さりませんから、あらかじめ足の形を整えておきます。

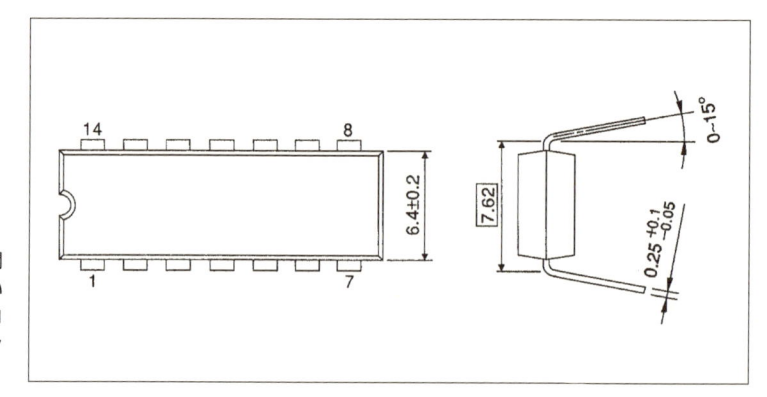

データシートでも足は開いていることになっている（株式会社東芝セミコンダクター社のデータシートより抜粋）

・作業台はなるべく広いものを用意してください。作業が始まると図面・基板・部品・半田こて・テスターなどが散乱しますから、気持ちよく作業ができる余裕を持った広さを確保してください。

・最後に、これが一番大事なのですが、落ち着ける場所で作業をするようにしてください。配線は地道な作業です。好きな音楽でも聞きながら、のんびり確実に落ち着いて進めましょう。

部品の値の読み方

本書で使用する代表的な部品についてのみ簡単に説明しておきます。

▌抵抗のカラーコード▌

普通のカーボン抵抗だと4本の色の帯が印刷されていますが、この帯の色が抵抗値を表しています。昔は直接モロに「1KΩ」とか書かれてたんですけど、慣れるとカラーコードもよいですよ、キレイだし。で、実際の抵抗の写真です。

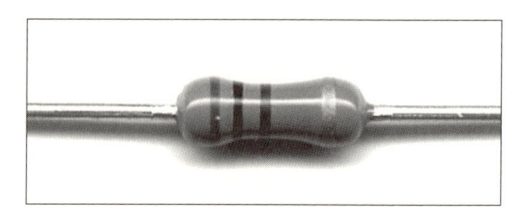

抵抗

…とはいっても白黒印刷なのでカラーコードの意味がない写真ですね。この写真の例の場合には左側の帯の色から順番に第1色帯、第2色帯、第3色帯…と呼びます。で、どちら側が第1色帯かというと写真をよく見てもらえるとわかるのですが、微妙に左の3つの帯が寄っていますね。またモノによっては全部の帯が寄ってたりもします。なんとなくアバウトなんですが、もしわかりづらいときには手っ取り早くテスターで当たりをつけるのが確実です。

抵抗値の読み方ですが、第1色帯と第2色帯が仮数部、第3色帯が指数部です。色と数値は次のような関係です。

黒	茶	赤	橙	黄	緑	青	紫	灰	白
0	1	2	3	4	5	6	7	8	9

ですから、例えば第1〜3色帯の並びが

茶　黒　赤

ならば、これは

1　0　2

なので、つまり次のように読めます。

$10 \times 10^2 = 1000 \Omega$ (1KΩ)

第4色帯は許容差（精度）です。本書で使用するような安価なカーボン抵抗ならば第4色帯は金色か銀色か赤のハズです。それぞれ次のようになっています。

　銀………±10%
　金………±5%
　赤………±2%

ちなみに精度が高い（値段も高い）抵抗だと帯が5本だったりすることもあります。その場合のカラーコードの読み方などはここでは説明しませんが、Webサイトなどでいくらでも情報ゲットできますから心配は無用だと思います。

▌電解コンデンサの読み方▐

まず写真を見てください。

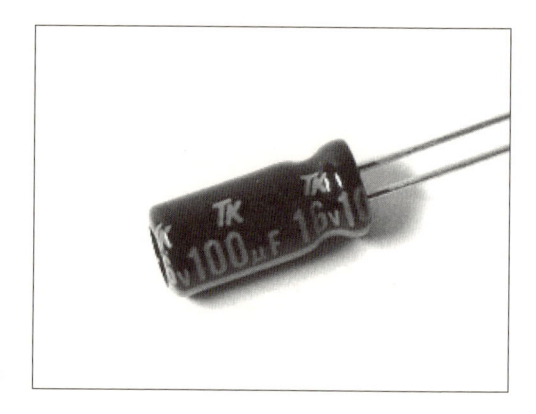

電解コンデンサ

見ればわかりますよね。以上。

▌セラミックコンデンサの読み方▐

例えば0.1μFならば「104」などと書いてあるはずです。最初の2桁の「10」が仮数部で、最後の「4」が指数部と言えばわかりますね。

$$104 = 10 \times 10^4 = 100,000$$

やたらとデカイ数字ですが、単位が「pF」なんです、これ。ピコですよ、ピコ。10^{-12}です。ですから、

$$100,000 pF = 0.1 \mu F$$

となります。なお、3桁の数字の後ろにアルファベットでJとかKとか付いてたりしますが、こちらは精度を表します。本書の回路であれば気にしなくてもOKです。

サポートについて

もし本書の回路を実際に作ろうと思ったならば、何より最初に正誤情報をチェック。TD4エミュレータのダウンロードも下記のWebサイトで。

http://book.mycom.co.jp/support/e5/cpu/

おわりに

ようやくココにたどり着いた人も、あっという間に読み終えた人も、とりあえずゴールです、お疲れさまでした。

今回はCPUの設計（というか仕組みですね）という題目で長々と書かせていただいたわけですが、これってデジタル回路の基礎知識に他ならないわけです、いまさらですが。実際のところ、私や皆さんがこの先CPUを設計する機会なんてあまりないわけですが、だからといってムダになるようなCPU独特の難しい話は取り上げていません、安心してください（？）。

などと言いながらナンですが。

何が無駄になるとか知ってると便利とか、そんな事はあまり考えて書いてません、実は。この本を読んだヒトがどうするのが良いかなんてハナシは人それぞれですし、それがこの先どんなシーンで役に立つのか立たないのかも全然判りません。ですから「CPUの仕組みを知ってて損はありません」なんて言えないというか、たぶん人生はそんなに単純ではないと思います。

でも損得とは別に、知っていた方が幸せなんじゃないかという気がするんです、CPUの仕組み。…えーと、CPUに限らないんですが、仕組みが解った方が世の中とか人生は楽しいです。そう思います。だからこの本を書きました。

この世の中にはブラックボックスがたくさん存在します。そして全てのブラックボックスを理解するのは不可能です。が、とりあえずあなたにとってのブラックボックスが1つ減ったならば　私はとても嬉しいわけです。

INDEX

英数字

74HC00 ･････････････････････ 66
74HC04 ･････････････････････ 63
74HC08 ･････････････････････ 64
74HC10 ･････････････････････ 67
74HC153 ････････････････････ 176
74HC154 ････････････････････ 126
74HC161 ････････････････････ 185
74HC181 ････････････････････ 194
74HC283 ････････････････････ 200
74HC32 ･････････････････････ 65
74HC540 ････････････････････ 123
74HC74 ･････････････････････ 164
74シリーズ ･･････････････････ 53
A〜Dレジスタ ･･･････････････ 189
ALU ････････････････････････ 194
AND ････････････････････････ 64
AWG ････････････････････････ 79
CPUの正体 ･････････････････ 171
Cフラグ ･････････････････････ 153
DIP ･････････････････････････ 62
GND ･･･････････････････････ 63,74
GNDの記号 ･････････････････ 74
H (High) ････････････････････ 55
IC ･･･････････････････････････ 24
ICソケット ･････････････････ 70
L (Low) ･････････････････････ 55
$\overline{\text{LD}}$ ･･･････････････････････････ 187
LED ････････････････････････ 34
LSB ････････････････････････ 143
MSB ････････････････････････ 143
NAND ･･････････････････････ 66
NOT ････････････････････････ 61
OR ･････････････････････････ 65
ROM ･･･････････････････････ 110
SELECT A ･････････････････ 203
SELECT B ･････････････････ 203
Vcc ･････････････････････････ 63,74

あ

アセンブラ ･･････････････････ 146
アドレスバス ････････････････ 113
アノード ････････････････････ 37
イミディエイトデータ ･･･････ 144
オペレーションコード ･･･････ 144

か

加算回路 ････････････････････ 195
カソード ････････････････････ 37
カルノー図 ･･････････････････ 261
機械語 ･･････････････････････ 141
キャリー ･･････････････････ 197,208
キャリーフラグ ･････････････ 208
クリア ･･････････････････････ 164
クリップ ････････････････････ 285
クロック ････････････････････ 160
殺す ････････････････････････ 186
コンデンサ ････････････････ 22,89

さ

最小セットアップ時間 ･･･････ 302
最大動作周波数 ･････････････ 300
しきい値 ････････････････････ 95

時定数 ･････････････････････ 91	ニーモニック ･･･････････････ 146
ジャンプ命令 ･･････････････ 152,217	入力ポート ･････････････････ 155,222
充電 ････････････････････････ 91	
出力ポート ･････････････････ 155,221	## は
シュミットトリガ ･･････････････ 95	パスコン ･････････････････････ 76
順電圧 ････････････････････ 42,131	発振 ･････････････････････････ 102
条件ジャンプ命令 ････････････ 219	パワーオンリセット ････････････ 98
条件付きジャンプ命令 ･････････ 152	半加算器 ･･････････････････････ 197
初期不良 ･････････････････････ 25	ハンドアセンブル ･････････････ 295
真理値表の単純化 ･･･････････････ 245	汎用IC ････････････････････････ 50
静電気 ･･･････････････････････ 71	フラグ ･････････････････････ 152,207
正論理 ･･･････････････････････ 56	プリセット ･･････････････････ 164
接触不良 ･････････････････････ 100	フリップ・フロップ ････････････ 160
セラミックコンデンサ ･･･････････ 22	プルアップ ･･･････････････････ 85
全加算器 ･････････････････････ 197	プログラムカウンタ ･･････････ 212
	負論理 ･････････････････････････ 56
## た	放電 ･･･････････････････････････ 93
ダイオード ･････････････ 24,117,132	保持 ･･････････････････････････ 165
立ち上がり ･････････････････ 164	
チャタリング ･････････････････ 88	## ま
チャンネル ･････････････････ 175	マトリックス ･････････････････ 117
抵抗 ･････････････････････････ 21	無極性電解コンデンサ ･････････ 108
ディセーブル ･････････････････ 186	命令デコーダ ･････････････････ 227
データセレクタ ･･･････････････ 175	ユニバーサル基板 ･･････････････ 80
データバス ･････････････････ 113	
テスター ･････････････････････ 26	## ら
テスターの極性 ･･･････････････ 282	レジスタ ･････････････････ 143,163
電解コンデンサ ････････････････ 23	
電子ブザー ･････････････････ 299	
転送 ･･････････････････････ 143,167	
伝搬遅延時間 ･･････････････････ 301	
ド・モルガン律 ･･･････････････ 256	
トグルスイッチ ･･･････････････ 85	

な

内部抵抗 ･････････････････････ 29

PROFILE	渡波 郁（となみ かおる）
	Kaoru Tonami
	ごく普通の回路技術屋。コンピューターメーカー退社後独立、今に至る。

TD4 エミュレータのダウンロードサイト：http://book.mynavi.jp/support/e5/cpu/

CPUの創りかた

2003年 9月30日　初版第 1刷発行
2013年12月 2日　初版第20刷発行

著　者――渡波 郁

本文イラスト ――須田 都

カバーイラスト ――須田 都

カバーデザイン ――須田 都

編　集――――USU-YA（うすや　http://web.thn.jp/usuya/）

発行者――中川信行

発行所――株式会社 マイナビ

　〒 100-0003　東京都千代田区一ツ橋1-1-1　パレスサイドビル
　TEL：048-485-2383（注文専用ダイヤル）
　TEL：03-6267-4477（販売）
　TEL：03-6267-4431（編集）
　読者質問用 E-Mail：pc-books@mynavi.jp
　URL：http://book.mynavi.jp

印刷・製本―ルナテック

・定価はカバーに記載してあります。
・乱丁・落丁についてのお問い合わせは、電話：048-485-2383（注文専用ダイヤル）、電子メール：sas@mynavi.jp までお願いいたします。
・本書は著作権法上の保護を受けています。本書の一部あるいは全部について、著者、発行者の許諾を得ずに、無断で複写、複製することは禁じられています。
・本書の内容に関しての電話によるお問い合わせには一切応じられません。ご質問などございましたら、上記読者質問用 E-Mail：pc-books@mynavi.jp をご利用ください。インターネットへの接続ができない場合は、往復葉書または返信用切手、返信用封筒を同封のうえ、株式会社マイナビ出版事業本部編集3部書籍編集1課までお送りくださいますようお願いいたします。なお、本書に記載されている内容以外のご質問には一切お答えできません。
・本書の内容に関する責任は、株式会社マイナビにありますので、内容に関してメーカー等に直接問い合わせることはご遠慮ください。

Copyright © 2003 Kaoru Tonami　　　　　　　　　ISBN4-8399-0986-5　Printed in Japan